Die chemische Industrie in den Rheinlanden während der industriellen Revolution

Bd. 1: Die Farbenindustrie

Zeitschrift für Unternehmensgeschichte

hervorgegangen aus: Tradition,
Zeitschrift für Firmengeschichte und
Unternehmerbiographie

Herausgegeben von
Hans Pohl und Wilhelm Treue

Beiheft 18

Franz Steiner Verlag GmbH
Wiesbaden 1983

Hans Pohl
Ralf Schaumann
Frauke Schönert-Röhlk

Die chemische Industrie in den Rheinlanden während der industriellen Revolution

Bd. 1: Die Farbenindustrie

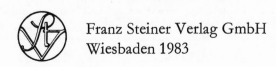

Franz Steiner Verlag GmbH
Wiesbaden 1983

CIP-Kurztitelaufnahme der Deutschen Bibliothek

Pohl, Hans:
Die chemische Industrie in den Rheinlanden während der industriellen Revolution /
Hans Pohl; Ralf Schaumann; Frauke Schönert-Röhlk. – Wiesbaden: Steiner
    (Zeitschrift für Unternehmensgeschichte; Beih.; 18,1)
NE: Schaumann, Ralf; Schönert-Röhlk, Frauke;
Zeitschrift für Unternehmensgeschichte / Beiheft
Bd. 1. Die Farbenindustrie. – 1983.
ISBN 3-515-03449-8

VORWORT

Die chemische Industrie ist einer der bedeutendsten Industriezweige in Deutschland. Sie hat bis heute ihre Hauptstandorte am Rhein. Seit der Mitte des 19. Jahrhunderts erlebte sie einen raschen Aufschwung und gewann einen beachtlichen Anteil an der Weltproduktion chemischer Erzeugnisse. Die Rolle der chemischen Industrie in der deutschen Volkswirtschaft ist trotz ihrer zunehmenden Bedeutung bisher nicht systematisch untersucht worden. Daher habe ich vor einigen Jahren im Rahmen des Schwerpunktprogramms „Geschichte der Frühindustrialisierung" der Deutschen Forschungsgemeinschaft eine Arbeitsgruppe gebildet, die die Anfänge der chemischen Industrie in dem Gebiet der späteren preußischen Rheinprovinz bis zum Beginn der Hochindustrialisierung untersuchen sollte. Sie führte vor allem in den 1970er Jahren Archivforschungen in staatlichen und Unternehmensarchiven durch. Berufliche und private Gründe bedingten, daß die Ursprungsgruppe, bestehend aus Frau Rita Dierlich, Frau Inge Kirsch und den Herren Dr. Hans Amendt und Dr. Ralf Schaumann, nicht mehr komplett ist. Herr Dr. Ralf Schaumann, Frau Dr. Frauke Schönert-Röhlk und ich erstellten diese vorliegende Fassung des ersten Bandes über die Farbenindustrie, wobei uns die früheren Mitarbeiter teilweise nach Zeit und Möglichkeit unterstützten. Ihnen allen danke ich sehr für das jahrelange Durchhalten und die vielen anregenden Diskussionen in einem eigens dafür eingerichteten, über mehrere Semester abgehaltenen Forschungskolloquium. Dabei haben wir alle Höhen und Tiefen einer geisteswissenschaftlichen Teamarbeit durchgemacht.

Wir hoffen, daß das vorgelegte erste Teilergebnis die aufgewandte Zeit, die Mühe und auch die Kosten rechtfertigt. Ohne die großzügige und verständnisvolle Unterstützung durch die Deutsche Forschungsgemeinschaft wäre dies alles nicht möglich gewesen. Ihr sind wir daher zu großem Dank verpflichtet. Bei den umfangreichen Archivforschungen wurde uns große Hilfe von Seiten der Archivare in den öffentlichen Archiven und in den Unternehmen zuteil. Ihnen allen möchten wir dafür aufrichtig danken.

Die Rheinische Friedrich-Wilhelms-Universität Bonn, insbesondere ihr Kanzler, Herr Dr. Wilhelm Wahlers, und der Vorsitzende der Gesellschaft von Freunden und Förderern der Rheinischen Friedrich-Wilhelms-Universität zu Bonn e.V., Herr Prof. Dr. Herbert Grünewald, haben sich um die finanzielle Absicherung des Drucks bemüht, der durch eine großzügige Spende des Verbandes der Chemischen Industrie ermöglicht wurde. Ihnen und Herrn Dr. Munde, dem Hauptgeschäftsführer des Verbandes der Chemischen Industrie, danken wir für ihre Unterstützung.

Bonn, September 1982   Hans Pohl

INHALT

1. EINLEITUNG

1.1. ABGRENZUNG DES THEMAS

Die Geschichte des chemischen Gewerbes seit dem beginnenden 19. Jahrhundert ist Teil jenes gesamtwirtschaftlichen Wachstumsprozesses, den wir als Industrialisierung zu bezeichnen gewohnt sind. Dieser „Reife"-Prozeß war gekennzeichnet durch technische und organisatorische Veränderungen in der gewerblichen Wirtschaft, wie Arbeitsteilung, Einsatz von Arbeits- und Antriebsmaschinen sowie neue Verfahren, zunehmende Durchsetzung des Fabriksystems und Massenproduktion. Die Veränderungen im sekundären Sektor standen in Wechselbeziehung zu geistigen Vorgängen, Wandlungen in anderen Wirtschaftsbereichen und sozialen, politischen wie institutionellen Strukturverschiebungen.[1] Zeitliches Einsetzen und Durchsetzungsdauer der Industrialisierung waren in den einzelnen Branchen und Wirtschaftsregionen sehr unterschiedlich. Daher können häufig keine generellen Aussagen gemacht werden.[2] Die sogenannte Industrielle Revolution war eigentlich kein revolutionärer Vorgang, sondern ein langfristiger Prozeß, „der vorindustrielle und industrielle Produktionsweise über Jahrzehnte nebeneinander bestehen ließ".[3] Die Umgestaltung von Wirtschaft und Gesellschaft vollzog sich in Deutschland vor allem in der zweiten Hälfte des 19. Jahrhunderts. Erste Anfänge industrieller Fertigung reichten jedoch teilweise bis ins ausgehende 18. Jahrhundert zurück. Die Zeit bis ca. 1850 wird entsprechend als Anlauf- oder Vorbereitungsperiode bezeichnet. Die sich abzeichnende Beschleunigung des Prozesses im vierten Jahrzehnt veranlaßte zur chronologischen Untergliederung, so daß die Zeit von den 1830er Jahren bis etwa 1850 auch als Frühindustrialisierungsphase charakterisiert wird.[4]

Mit dieser Arbeit wird der Versuch unternommen, am Beispiel der chemischen Industrie in den Rheinlanden den Reifeprozeß der Industrialisierung

---

[1] Vorbemerkung: Im Anmerkungsapparat wird mit verkürzten Titeln gearbeitet. Der vollständige Titel und die bibliographischen Daten sind dem Quellen- und Literaturverzeichnis zu entnehmen.
O. Büsch, Industrialisierung und Geschichtswissenschaft, S. 15 ff.; W. Fischer, Aspekte der frühen Industrialisierung, S. 3 ff. und die in beiden Abhandlungen aufgeführte Literatur.

[2] W. Fischer, Stadien und Typen der Industrialisierung in Deutschland, S. 464–473; K. Borchardt, Die industrielle Revolution, S. 144 ff., 177 ff.

[3] F.-W. Henning, Industrialisierung in Deutschland 1800 bis 1914, S. 112 (Zitat); W. Fischer, Aspekte der frühen Industrialisierung, S. 6 f.

[4] K. Borchardt, Die industrielle Revolution, S. 135 ff.; F.-W. Henning, Industrialisierung in Deutschland 1800 bis 1914, S. 112 ff.; H. Mottek, Wirtschaftsgeschichte II, S. 75 f.; O. Büsch, Industrialisierung und Gewerbe im Raum Berlin/Brandenburg 1800–1850, S. 11, 21 ff.

an wesentlichen Merkmalen zu verfolgen. Die Erfindung und Durchsetzung technischer Neuerungen, die Voraussetzungen und die Entwicklung von Produktion und Absatz, die Entwicklung von Struktur, Status, Mobilität der Arbeitnehmerschaft und die Arbeitsplatzsituation, Herkunft, Verhalten und Funktion der Unternehmer sind dabei wichtige Aspekte. Indem wir nicht nur die Vorläufer heutiger Großunternehmen, sondern ebenso kleine und mittlere Unternehmen berücksichtigen, versuchen wir uns eine Basis für quantitative und qualitative Aussagen über die gesamte Branche zu schaffen.

Die Chemie befaßt sich im weiteren Sinne mit der Stoffumwandlung und -veredlung durch chemisch-technische Verfahren. Diese weitgefaßte Betrachtungsweise hat sich zur Abgrenzung des Bereichs der chemischen Industrie nicht durchgesetzt. Die fachliche Gliederung im Verband der chemischen Industrie wie die amtliche Statistik des Statistischen Bundesamtes richten sich an Produktgruppen aus, die zur Abgrenzung des chemischen Gewerbes in der Zeit der Frühindustrialisierung nicht sinnvoll sind.[5] Auch aus zeitgenössischen Quellen läßt sich ein für das 19. Jahrhundert allgemeingültiger Begriff der chemischen Industrie nicht ableiten. Daher legten wir die am Ende des betrachteten Zeitraumes in der „Systematischen Übersicht der Gewerbebetriebe von 1875" der Preußischen Statistik vorgenommene Abgrenzung in leicht modifizierter Form dieser Arbeit zugrunde. Sie hat überdies den Vorteil, daß sie zur Handwerker- und Fabrikentabelle von 1861 in Beziehung gesetzt werden kann.
Demnach gehören zur chemischen Industrie:[6]

1. Chemische Produkte der Großindustrie,
2. Präparate zum wissenschaftlichen, technischen, photographischen und pharmazeutischen Gebrauch,
3. Farben und Farbmaterialien, hier einschließlich der Lacke und Firnisse, die in der zugrundeliegenden Übersicht zur „Industrie der Heiz-, Leuchtstoffe, Fette, Öle, Harze und Firnisse" zählen,
4. Explosivstoffe und Zündwaren,
5. künstliche Düngemittel und Knochenprodukte,
6. Seifen, Lichter und Riechstoffe.

Wegen der großen Anzahl der untersuchten Unternehmen haben wir die Forschungen regional auf das Gebiet der späteren Regierungsbezirke der preußischen Rheinprovinz, nämlich Koblenz und Trier, Köln, Düsseldorf (seit 1821 einschließlich Kleve) und Aachen, eingegrenzt. Die drei letzt-

---

[5] 75 Jahre Chemieverband, S. 15 f.; Statistisches Jahrbuch für die Bundesrepublik Deutschland.
[6] Preußische Statistik, Bd. 40, 1, 1878, S. 76 ff.

genannten Regierungsbezirke bildeten sich im Verlauf des Untersuchungszeitraumes zu einem Zentrum der chemischen Industrie aus, dem schon um die Mitte des 19. Jahrhunderts innerhalb des gesamten preußischen Staates eine große Bedeutung zukam.[7] Erste Ansätze zur Entwicklung einer chemischen Industrie reichen in den Rheinlanden bis ins ausgehende 18. Jahrhundert zurück. Sie ist nicht direkt aus den Gewerben des Altertums und des Mittelalters, wie z.B. der Gerberei, Färberei, Töpferei, Glasmacherkunst hervorgegangen, wenngleich diese Gewerbe stets über chemische Techniken verfügten.[8] Die chemische Industrie ist erst im Zusammenhang mit der Ausbildung der Chemie als Wissenschaft, mit dem Vorhandensein eines Massenbedarfs an Chemikalien (z.B. im Textilgewerbe), mit der chemischen Technologie und Weiterentwicklung der Erfindungen entstanden.[9]

Grundlage für die wissenschaftliche Beschäftigung mit der Chemie bildete bis ins 15. Jahrhundert die Alchemie. Sie wurde im 16. und frühen 17. Jahrhundert durch die Iatrochemie, eine empirische Neubearbeitung der Alchemie durch Paracelsus mit starker medizinischer Orientierung, und diese wiederum an der Wende zum 18. Jahrhundert durch die Phlogistontheorie abgelöst. Diese 1697 von G.E. Stahl erstellte Theorie bildete den Versuch zur Deutung der Oxidationsvorgänge und behielt ihre beherrschende Rolle etwa 100 Jahre lang. Um chemische Kenntnisse und Materialien aber erfolgreich im wirtschaftlichen Prozeß nutzen zu können, war es erforderlich, in der Chemie nicht ausschließlich qualitativ zu arbeiten, sondern auch die quantitative Analyse voranzutreiben.[10] Dies geschah im letzten Drittel des 18. Jahrhunderts mit der antiphlogistischen Lehre von Lavoisier. Die Oxidationstheorie Lavoisiers und die darauf aufbauende Atomtheorie Daltons markierten den Wendepunkt in der Chemie als Wissenschaft.[11] Seit 1810 waren die Chemiker in der Lage, „die qualitative und quantitative Zusammensetzung der chemischen Stoffe immer genauer zu erforschen." Damit wurden die Voraussetzungen geschaffen, allmählich „exaktere theoretische Voraussagen über Möglichkeiten und Bedingungen für die Gewinnung bestimmter, gewünschter Stoffe"[12] zu machen. Dies gelang zunächst in der anorganischen und seit Mitte des Jahrhunderts in der organischen chemischen Wissenschaft und Industrie.[13]

---

[7] Vgl. Tabellen und Nachrichten über den Preußischen Staat, 1849, Abt. B, VI, S. 1349, 1379.

[8] W. Treue, Wirtschaftsgeschichte I, S. 536, 566; B. Kuske, Die übrigen Industrien, S. 444 f.; A. Binz, Ursprung, S. 3; P. Riebel, Chemische Industrie, S. 494.

[9] W. Treue, Wirtschaftsgeschichte I, S. 566 f.; Ders., Chemische Wissenschaft, S. 26 ff.; K. Karmarsch, Technologie, S. 30 ff., 802 ff.; A. Binz, Ursprung, S. 3, 7; I. Strube, Chemie und Industrielle Revolution, S. 70 ff, 77 f.

[10] E. Färber, Entwicklung der Chemie, S. 22, 35; K. Karmarsch, Technologie, S. 30 f.

[11] K. Karmarsch, Technologie, S. 32.

[12] I. Strube, Chemie und Industrielle Revolution, S. 70.

[13] Ebd., S. 70 f.

Der Industrialisierungsprozeß wurde im linksrheinischen Gebiet ausgelöst und gefördert durch die französische Gewerbepolitik und die mit der französischen Herrschaft eingeführten verfassungsrechtlichen Änderungen.[14] Hier setzt auch unsere Untersuchung zeitlich ein und verfolgt den Vorgang der Industrialisierung des chemischen Gewerbes bis zum Beginn der 70er Jahre des 19. Jahrhunderts. Seit den 1860er Jahren veränderte sich die Struktur dieser Branche grundlegend. Zahlreiche Großunternehmen entstanden, die durch die Übernahme neuer Produktionsverfahren und den Aufbau einer vertikalen Produktionsfolge den Anschluß an die englische, französische und belgische Konkurrenz ermöglichten. Charakteristisch für diesen Zeiteinschnitt sind ferner die Entstehung von Werkslaboratorien auf der Basis hochschulwissenschaftlicher Forschungs- und Arbeitsweise, v.a. in der organisch-chemischen Industrie, die Regelungen der Reichspatentgesetzgebung und schließlich die erste Reichsstatistik zum Fragenkreis im Jahre 1875, deren Daten in unserer Untersuchung noch herangezogen wurden. Auch konjunkturgeschichtlich läßt sich mit dem Aufschwung in der zweiten Hälfte des siebten Jahrzehnts und deutlicher noch nach 1871 der zeitliche Abschluß mit den 1870er Jahren stützen.[15]

1.2. FORSCHUNGSSTAND UND QUELLENLAGE

Zur Entwicklung der chemischen Industrie und ihrer Teilbereiche im 19. Jahrhundert liegen einige ältere und jüngere Publikationen vor. Zu erwähnen ist zunächst eine ältere Arbeit mit dem Schwerpunkt auf der zweiten Hälfte des 19. Jahrhunderts von Hermann Schultze.[16] Sie beschreibt die Entwicklung der chemischen Industrie in Deutschland unter volkswirtschaftlichen Gesichtspunkten und gibt einen guten Überblick über die damalige Lage der chemischen Industrie.

Die wichtigsten neueren Veröffentlichungen sind die englischsprachigen Werke von Ludwig F. Haber und Archibald/Nan L. Clow, die den Gesamtkomplex der chemischen Industrie in Europa darstellen.[17] Zur Wissenschaftsgeschichte der Chemie sind einige Aufsätze erschienen.[18] Diese Arbeiten zei-

---

[14] J. Hashagen, Die Rheinlande beim Abschlusse der französischen Fremdherrschaft, S. 36 ff.; A. Schulte, Tausend Jahre deutscher Geschichte und deutscher Kultur am Rhein, S. 468 ff.; M. Schultheis-Friebe, Die französische Wirtschaftspolitik; H. Milz, Kölner Großgewerbe, S. 16 ff.

[15] W. Treue, Chemische Wissenschaft, S. 30 f., 39 f.; H. Schultze, Entwicklung der chemischen Industrie, S. 8 ff.; I. Strube, Chemie und Industrielle Revolution, S. 122 f.; L. Burchardt, Zusammenarbeit, S. 192, 197.

[16] H. Schultze, Entwicklung der chemischen Industrie.

[17] L.F. Haber, The Chemical Industry; A./N.L. Clow, The Chemical Revolution.

[18] W. Treue, Chemische Wissenschaft; I. Strube, Chemie und Industrielle Revolution; H. Pohl/ R. Schaumann, Wissenschaft und Technik.

gen vor allem auch die Zusammenhänge von Wissenschaft und chemischer Industrie auf.

Weitere neuere Veröffentlichungen existieren zu den einzelnen Zweigen der chemischen Industrie. So untersucht John J. Beer die Entstehung der deutschen Farbenindustrie auf dem Hintergrund der Fortschritte in der chemischen Industrie,[19] Eberhard Schmauderer die Entwicklung der Ultramarinerzeugung.[20] Ältere Arbeiten zu den einzelnen Zweigen stammen von Ellinor Drösser, Gustav A. Walter, Ernst Rosenbohm und Georg Lunge.[21]

Zu unserem ersten Bereich über technische Verfahrensbeschreibungen und die Rolle der Technik im Industrialisierungsprozeß finden wir zahlreiche Hinweise in den bereits genannten Darstellungen zur chemischen Industrie. Ausführlich wird die Frage der Technik in der chemischen Industrie, auch im Vergleich zur Entwicklung technischer Neuerungen in anderen Industriezweigen, von Ralf Schaumann[22] und in den älteren bzw. zeitgenössischen Arbeiten von Gustav Fester, Clemens Winkler und Robert Hasenclever behandelt.[23] Einzelne technische Verfahrensbeschreibungen bringen auch einige unternehmensgeschichtliche Untersuchungen, wie die über die Farbwerke Hoechst, Bayer, Herbig-Haarhaus, Chemische Fabrik Kalk, die Chemischen Fabriken vorm. Weiler-ter-Meer, Mäurer und Wirtz und Dynamit Nobel.[24]

Die technische Entwicklung ist fast ausschließlich auf der Grundlage ungedruckten Quellenmaterials zu erschließen. Da nach der Gewerbegesetzgebung von 1810, 1845 und 1869[25] chemische Betriebe konzessions- und publikationspflichtig waren, liegen zahlreiche Konzessions- und Revisionsakten vor. Diese geben Auskunft über den Standort der Betriebe, über die Gebäude, das Unternehmen und dessen Inhaber, über Produkte, Rohstoffe, Fabrikationsmethoden, Maschinen und Apparate. Allerdings sind die Konzessionsunterlagen nicht immer vollständig erhalten. Außerdem ist eine erteilte Konzessionierung nicht unbedingt mit einer tatsächlich erfolgten Inbetriebnahme gleichzusetzen. Eine Überprüfung anhand gedruckter Quellen, z.B. der Amtsblätter, ist nicht möglich.

[19]   J.J. Beer, German Dye Industry.
[20]   E. Schmauderer, Ultramarin-Fabrikation.
[21]   E. Drösser, Die wirtschaftliche und technische Entwicklung der Schwefelsäure-Industrie; G.A. Walter, Mineralfarbenindustrie; E. Rosenbohm, Kölnisch Wasser; G. Lunge, Handbuch der Sodaindustrie.
[22]   R. Schaumann, Technik und technischer Fortschritt.
[23]   G. Fester, Die Entwicklung der chemischen Technik; C. Winkler, Die Entwicklung der Schwefelsäurefabrikation; R. Hasenclever, Über die deutsche Sodafabrikation.
[24]   E. Bäumler, Ein Jahrhundert Chemie; Leverkus. Fortschritt, Wachstum und Verantwortung; Farbenfabriken vorm. Friedr. Bayer & Co.; Herbig-Haarhaus 1844—1919; Festschrift d. 50jährigen Bestehens der Firma Vorster & Grüneberg; 100 Jahre Chemische Fabrik Kalk; C. Eberhardt, Chemische Fabriken vorm. Weiler-ter-Meer; K. van Eyll, 125 Jahre Dalli-Werke; 100 Jahre Dynamit Nobel.
[25]   vgl. S. 19 f.

Der zweite Teilbereich, Produktion und Absatz, bereitete hinsichtlich der Literatur- und Quellenlage erhebliche Schwierigkeiten. In den wenigen bereits genannten Gesamtdarstellungen zur chemischen Industrie finden sich nur vereinzelt summarische, methodisch häufig nicht vergleichbare Angaben. Eine Einzeluntersuchung zur Produktionsentwicklung in der chemischen Industrie ist daher ein Desiderat. Lediglich einige regionale oder lokale Darstellungen und Firmenfestschriften bringen Informationen zu Produktion und Absatz. Zu nennen sind besonders die Edition von Gerhard Adelmann, die Arbeiten von Gustav A. Walter, Anton J. Roth sowie die Festschriften „Farbenfabriken vorm. Friedr. Bayer & Co." und „Chemische Fabriken vorm. Weiler-ter-Meer".[26] In allen Fällen taucht das Problem der Vergleichbarkeit der Daten hinsichtlich der Zuverlässigkeit, des Raumes, der Einheiten, der Benennung usw. auf. Angaben zur Preisbewegung, zum Handel und zu Zöllen chemischer Produkte liegen in den Arbeiten von Johann Kockerscheidt und Gustav Müller vor.[27] Die Produktion in der chemischen Großindustrie ist durch die Arbeiten von Josef Goldstein und Nicolaus Hocker relativ gut belegt.[28]

Probleme bezüglich der Vergleichbarkeit bestehen auch und vor allem in den gedruckten und ungedruckten Quellen für den Bereich Produktion und Absatz. Am günstigsten gestaltet sich die Quellenlage für einige im Bergbau und Hüttenbetrieb gewonnene chemische Produkte. Hier enthalten die gedruckten Statistiken seit den 30er Jahren des 19. Jahrhunderts zum Teil regional differenzierte Angaben zu Produktionsmenge und Produktionswert.[29] Seit der Mitte des 19. Jahrhunderts werden die statistischen Reihen in der Zeitschrift für das Berg-, Hütten- und Salinenwesen fortgesetzt.[30] Für alle anderen Produkte des chemischen Gewerbes sind Wert und Menge der Produktion unzureichend dokumentiert. Neben einigen Unterlagen mit ungedrucktem quantitativen Material bringen Gewerbepolizei-, Konzessions- und Revisionsakten Einzelangaben. Im Werksarchiv der Henkel KGaA konnte detailliertes Zahlenmaterial über Produktion und Absatz der Duisburger Firma Matthes & Weber ausgewertet werden, das jedoch nur für die Sparte chemische Großindustrie zu befriedigenden Ergebnissen führt. Über die Firmenangaben hinaus ist der Absatz schwer zu fassen. Allgemeine Informationen über die wirtschaftliche Lage, die Marktsituation im In- und Ausland und die Rohstoffversorgung

---

[26] G. Adelmann, Der gewerblich-industrielle Zustand; G.A. Walter, Mineralfarbenindustrie; A.J. Roth, Aachener Farbindustrie; Farbenfabriken vorm. Friedr. Bayer & Co., C. Eberhardt, Chemische Fabriken vorm. Weiler-ter-Meer.

[27] J. Kockerscheidt, Preisbewegung; G. Müller, Die chemische Industrie in der deutschen Zoll- und Handelsgesetzgebung.

[28] J. Goldstein, Deutschlands Soda-Industrie; N. Hocker, Die Großindustrie Rheinlands und Westfalens.

[29] C.F.W. Dieterici, Der Volkswohlstand; G.v. Viebahn, Statistik des zollvereinten und nördlichen Deutschlands, Teil 2.

[30] Zeitschrift für das Berg-, Hütten- und Salinenwesen; Supplement zu Bd. X der Zeitschrift: E. Althans, Zusammenstellung der statistischen Ergebnisse.

enthalten die Handelskammerberichte. Anhaltspunkte für den Absatz über die Grenzen können die statistischen Arbeiten von Ferber, Dieterici sowie die späteren Statistiken für den Preußischen Staat und den Zollverein geben.[31]

Der Forschungsstand des dritten Teilbereichs, die inner- und außerbetriebliche Lage der Arbeitnehmer, ist dadurch gekennzeichnet, daß sich die meisten vorliegenden Arbeiten entweder allgemein mit der sozialen Frage, sozialen Gruppen und Bewegungen, Sozialtheorien oder Teilproblemen der industriellen Arbeitnehmerschaft bzw. mit der Arbeitnehmerschaft einzelner Branchen, Unternehmen oder Regionen befassen. Von den mehr industriegeschichtlichen und regionalwirtschaftlichen Arbeiten seien die von Alphons Thun, Peter Borscheid, Wolfram Fischer, Antje Kraus, Karl-Heinz Ludwig, Heilwig Schomerus, Günther Schulz, Gustav A. Walter, ferner die von Werner Conze/Ulrich Engelhardt sowie von Hans Pohl herausgegebenen Forschungen hervorgehoben, da sie dem Vergleich dienen.[32] Die wichtigste sozialgeschichtliche Untersuchung zur chemischen Industrie für die Zeit zwischen 1800 und der Reichsgründung ist die Dissertation von Hans Amendt.[33] Das Hauptmaterial, vor allem quantitativer Art, zur Lage der Arbeitnehmer wurde den aus französischer und preußischer Zeit stammenden staatlichen Archivalien entnommen. Zahlreiche ungedruckte Tabellen, zumeist in den Abteilungen „Handel und Gewerbe, Industrie" oder „Statistik" und in den Akten der Bergämter, bilden neben den gedruckten Unterlagen der Kreise, der Regierungsbezirke, der Bergämter, der preußischen Monarchie und des Deutschen Reiches die Grundlage der quantitativen Analyse, die von Hans Amendt durchgeführt wurde.

Qualitative Aussagen konnten hauptsächlich den Fabrik- bzw. Gewerbeinspektorenberichten entnommen werden, die jedoch hinsichtlich der Qualität und Zuverlässigkeit höchst unterschiedlich sind. Informationen zur Fragestellung finden sich ebenso in einzelnen Festschriften.

Die Darstellung der Gesetzgebung und behördlicher Maßnahmen zur Arbeiterfrage stützt sich auf gedruckte französische und preußische/deutsche Gesetzeswerke, auf die preußische Ministerialblattsammlung, auf Verfügungen der Bezirksregierungsbehörden, auf ungedruckte Regierungs- und Land-

---

[31] C.W. Ferber, Beiträge und ders., Neue Beiträge; C.F.W. Dieterici, Der Volkswohlstand; ders., Statistische Übersichten 1831–1853; A. Bienengräber, Statistik des Verkehrs und Verbrauchs im Zollverein; B.v. Borries, Deutschlands Außenhandel; G. Müller, Die chemische Industrie in der deutschen Zoll- und Handelsgesetzgebung.

[32] A. Thun, Die Industrie am Niederrhein; P. Borscheid, Textilarbeiterschaft; W. Fischer, Innerbetrieblicher und sozialer Status; A. Kraus, Wohnverhältnisse; K.-H. Ludwig, Fabrikarbeit von Kindern; H. Schomerus, Arbeiter Maschinenfabrik Esslingen; G. Schulz, Arbeiter und Angestellte; ders., Integrationsprobleme; G.A. Walter, Mineralfarbenindustrie; W. Conze, U. Engelhardt, Arbeiter im Industrialisierungsprozeß; H. Pohl, Forschungen zur Lage der Arbeiter im Industrialisierungsprozeß.

[33] H. Amendt, Arbeitnehmer.

ratsberichte und auf die Arbeiten von Günther K. Anton, Stephan Poerschke und Ludwig Puppke.[34]

Eine vergleichende Untersuchung über unseren vierten Bereich, die Unternehmer der chemischen Industrie, liegt bis heute noch nicht vor. Die soziale und wirtschaftliche Herkunft der Unternehmer, z. T. auch der chemischen Industrie, und Probleme der Unternehmertätigkeit sind bereits mehr oder weniger ausführlich von Wilhelm Treue, Wolfgang Zorn, Friedrich Zunkel, Heinz Wutzmer, ferner von Fritz Redlich, Horst Beau, Hartmut Kaelble, Jürgen Kocka, Hans-Jürgen Teuteberg und Hansjoachim Henning analysiert worden, so daß sich von daher Vergleichsmöglichkeiten für die hier festgestellten Verhältnisse ergeben.[35] Die unternehmer- und unternehmensgeschichtlichen Daten mußten mühsam aus zahlreichen unterschiedlichen Literatur- und Quellengattungen gesammelt werden. Hervorzuheben sind Firmenfestschriften, zeitgenössische Zeitungsartikel, die Adreßbücher, mit deren Hilfe Identität und Fragen der beruflichen Herkunft der Unternehmer geklärt werden konnten, ferner Gewerbestatistiken und Gewerbesteuertabellen, Wählerlisten und Anträge auf Titel- und Ordensverleihungen.

Sowohl literatur- als auch quellenmäßig am schlechtesten belegt sind Kapitalbeschaffungs-, Finanzierungs- und Ertragsprobleme der Unternehmer und der Unternehmen. Verstreute Einzelangaben und Selbstzeugnisse der Unternehmer lassen nur Vermutungen über die Kapitalsituation in der chemischen Industrie bis zu den 70er Jahren des 19. Jahrhunderts zu. Rückschlüsse aus Gewerbesteuerlisten lassen sich bis in die 60er Jahre nicht ziehen, da die Gewerbesteuer einerseits Kleinbetriebe nicht erfaßte, andererseits durch die Existenz eines Höchstsatzes Ertragssteigerungen, qualitative Betriebsverbesserungen und Unternehmenskonzentrationen steuerlich nicht zum Tragen kamen. Daher fällt ein weiterführender Vergleich mit den Arbeiten von Peter Coym und Knut Borchardt zur Frage der Kapitalausstattung schwer.[36]

[34] G.K. Anton, Fabrikgesetzgebung; St. Poerschke, Gewerbeaufsicht; L. Puppke, Sozialpolitik.

[35] W. Treue, Unternehmer und Finanziers, Chemiker und Ingenieure in der chemischen Industrie; W. Zorn, Typen und Entwicklungskräfte des deutschen Unternehmertums; F. Zunkel, Der rheinisch-westfälische Unternehmer; H. Wutzmer, Die Herkunft der industriellen Bourgeoisie; F. Redlich, Frühindustrielle Unternehmer; H. Beau, Das Leistungswissen des frühindustriellen Unternehmertums; H. Kaelble, Berliner Unternehmer; J. Kocka, Unternehmer in der deutschen Industrialisierung; H.-J. Teuteberg, Westfälische Textilunternehmer; H. Henning, Soziale Verflechtungen.

[36] P. Coym, Unternehmensfinanzierung; K. Borchardt, Kapitalmangel.

8

1.3. METHODISCHES VORGEHEN

In der Forschung besteht Übereinstimmung darüber, daß man wirtschaftliches Wachstum und mit ihm einhergehende Veränderungen nur anhand bestimmter Merkmale beschreiben kann. Daher haben wir bei der Aufstellung unseres Forschungsprogramms die Merkmale in den Vordergrund gestellt, die uns wesentlich erschienen, den Reife- und Wachstumsprozeß in der chemischen Industrie zu erhellen, nämlich die wirtschaftliche Auswertung und Anwendung neuer technischer Erkenntnisse, die Entwicklung von Produktion und Absatz, die Funktion der Unternehmer und den Status der Arbeitnehmer. Neben diesen systematischen Gesichtspunkten, die sich in der Gliederung der gesamten Arbeit widerspiegeln, mußten zwei andere Gliederungsprinzipien berücksichtigt werden. Das eine ergab sich aus der Natur des Gegenstandes. Die chemische Industrie produziert so unterschiedliche Produkte, daß uns eine Gliederung nach Produktgruppen erforderlich erschien. Daher beginnen wir in diesem Band mit der in den Rheinlanden führenden Sparte, der Farbenindustrie, und behandeln in einem weiteren Band die Schwerchemie und Präparateindustrie, die Explosivstoff-, Düngemittel-, Seifen- und Riechstoffherstellung. Darüberhinaus werden die beträchtlichen regionalen Unterschiede herausgearbeitet. Die Entwicklung in den einzelnen Regierungsbezirken war unterschiedlich, und auch die Quellenlage ist keineswegs einheitlich.

Bei Berücksichtigung dieser Gliederungskriterien ergibt sich, daß wir den Prozeßablauf in den einzelnen Sparten der chemischen Industrie in systematisch-regionaler Betrachtungsweise aufzeigen wollen. Zunächst wird dementsprechend das wertvolle Detailmaterial in sektoral-industriegeschichtlicher Darstellung ausgebreitet und interpretiert. Dabei werden für den ganzen Untersuchungszeitraum unabhängig vom Technisierungsgrad und der Organisationsform in den einzelnen Produktionszweigen bzw. Betrieben in der Darstellung die Begriffe Fabrik und Industrie verwandt. Abschließend sollen die chemische Industrie als Einheit behandelt und eine Reihe systematischer Aspekte unter Anwendung vergleichender Fragestellungen untersucht werden.

Obgleich jeder Zweig der chemischen Industrie unterschiedliche Bedeutung und Voraussetzungen besitzt und damit auch unterschiedliches methodisches Vorgehen erfordert, werden bei der Darstellung aller Sparten die oben genannten vier Merkmale des Wachstumsprozesses zugrundegelegt. Was daher im Folgenden zu deren näherer Erläuterung in Bezug auf die Farbenindustrie ausgeführt wird, gilt ähnlich auch für die anderen Bereiche der chemischen Industrie, wird aber, falls erforderlich, an Ort und Stelle entsprechend ergänzt.

Nach dem einleitenden Kapitel wird innerhalb des Teilthemas Technik zunächst der Stand der vorindustriellen Technik dargestellt. Die Unterscheidung verschiedener Erscheinungsformen des technischen Fortschritts läßt dann eine weitere Differenzierung des Begriffes Technik zu. In Anlehnung an die Terminologie der Innovationsforschung sprechen wir von Basisinnovationen, Verbesserungsinnovationen, der Einführung und Verbreitung von Arbeits- und Kraftmaschinen und schließlich von der Ausnutzung von Kuppel- und Abfallprodukten.

Unter Berücksichtung dieser Ergebnisse und der wirtschaftlichen Rahmenbedingungen untersucht der zweite Abschnitt die Entwicklung von Produktion und Absatz. Dabei wird die Vorstellung der Standorte der rheinischen Farbenindustrie, die vielfach über die speziellen Produktionsprogramme einzelner Unternehmen entschieden, im Einführungskapitel vorweggenommen. Die Darstellung der Entwicklung von Produktionsmenge und Produktionsprogramm läßt Aussagen über Wachstums- und Industrialisierungsstand zu. Die Farbenpreise ermöglichen Rückschlüsse auf die Marktsituation und auf die Auswirkungen von technischem Fortschritt. Da Produktion immer auf Verkauf zielt, ist wirtschaftlicher Erfolg und Mißerfolg in einem Unternehmen deshalb früher oder später von einer weiteren Größe, dem Absatz, abhängig.

Sozialgeschichtliche Fragen, aber auch Interdependenzen zur Technik und anderen Untersuchungsmerkmalen, behandelt das Teilthema Arbeitnehmer. Außer der zahlenmäßigen Entwicklung innerhalb der Farbenindustrie, der Arbeitnehmerzahl pro Betrieb, der geschlechts- und altersmäßigen Struktur werden Herkunft, Funktion und Qualifikation der Arbeitnehmer untersucht. Arbeitsrechtliche Fragen leiten dann über zur Schilderung der sozialen Lage der Arbeitnehmer. Die Arbeits- und Beschäftigungszeit, Fluktuation und Arbeitslohn sind Größen, mit denen eine Beurteilung der Lage unter quantitativen Gesichtspunkten möglich wird. Ergänzt werden diese Ergebnisse durch konkrete Beispiele zu den Arbeitsplatzbedingungen, der Arbeitnehmergesundheit, der Krankenversorgung und der Familien- und Lebensverhältnisse der Arbeitnehmerschaft.

Den Abschluß bildet das Teilthema Unternehmer. Erfaßt werden nicht nur die bereits durch die Literatur bekannten, bedeutenden Unternehmerpersönlichkeiten, die unter Umständen nicht unbedingt typisch sind, sondern auch die Inhaber kleiner und mittlerer Betriebe. Eine quantitative Untersuchung der regionalen, beruflichen und sozialen Herkunft der Unternehmer der Farbenindustrie zeigt typische Merkmale dieses Bereichs auf. In einem Abschnitt über Finanzierungsfragen versuchen wir, einen Beitrag zur Frage der Kapitalbeschaffung zu liefern.

In allen vier Fragenkomplexen werden, soweit wie möglich, quantifizierende Arbeitsmethoden angewandt und eine ausgewogene quantitativ-qualitative Betrachtungsweise angestrebt. Im Bereich Technik werden Beginn, Einsatz und Verbreitung technischer Neuerungen mit der Berechnung des Intervalls zwischen Invention und Innovation, der Häufigkeit und des Diffusionsgrades von Innovationen bis zu einem gewissen Grade quantitativ bestimmt. Im Bereich von Produktion und Absatz ist Quantifizierung eine Selbstverständlichkeit, obwohl wir bei der Aufstellung von Produktionsreihen immer wieder auf das Problem der Unvergleichbarkeit einzelner Daten und der Unvollständigkeit des Materials gestoßen sind, die eine Aggregation der Daten vielfach nicht möglich machten.

Ähnliche Probleme entstanden bei der quantitativen Darstellung der Arbeitnehmerschaft. Das Problem der ungenauen statistischen Erfassung im Untersuchungszeitraum ist bekannt und erforderte hier häufig größte Vorsicht bei der Zusammenstellung von Daten verschiedener Herkunft.

Die Untersuchung einer möglichst großen Zahl von Unternehmern ermöglichte in diesem Bereich die tabellarische Formulierung von Ergebnissen für jeweils gleiche Zeiträume. Diese Quantifizierung ist die Grundlage für die Einordnung typischer Unternehmermerkmale in die historischen Bedingungen des Zeit- und Wirtschaftsraumes.

Wir haben uns bemüht, die Farbenindustrie in ihrer ganzen Breite zu untersuchen. Der Lückenhaftigkeit und Ungenauigkeit mancher Aussage, auch bedingt durch das unvollständige Datenmaterial, sind wir uns bewußt.

1.4. RAHMENBEDINGUNGEN FÜR DIE CHEMISCHE INDUSTRIE DER RHEINLANDE IM 19. JAHRHUNDERT

1.4.1. DIE POLITISCHE ENTWICKLUNG IN DEN RHEINLANDEN

Die in unserer Untersuchung über die chemische Industrie betrachteten Rheinlande unterstanden erst in preußischer Zeit einer einheitlichen politischen Leitung. Die für unseren Gegenstand wichtigsten Standorte lagen im ausgehenden 18. Jahrhundert in den Kurfürstentümern Köln und Trier und in den Herzogtümern Jülich und Berg. Gewaltige Veränderungen traten in diesem Raum, in dem schon frühzeitig die Industrialisierung mit dem Einsatz der ersten Dampfmaschine im Wurmrevier und mit der Errichtung der ersten mechanischen Spinnerei (Cromford bei Ratingen) begann, im Gefolge der französischen Revolutionskriege ein. Nach vorübergehendem Eindringen französischer Truppen nach Mainz und Aachen besiegten sie 1794 die Reichsarmee, besetzten das linke Rheinufer und vereinigten es 1795 mit Frankreich. 1796 übernahmen zwei von Franzosen geleitete Generaldirektionen in Aachen und Koblenz die Verwaltung, 1797 wurden die alten Institutionen wieder eingesetzt, 1798 erfolgte die endgültige verwaltungsmäßige Angleichung an Frankreich durch die Einteilung des Rheinlands in Departements entgegen den alten Territorialgrenzen. Die Präfektur des Departements Roer mit den Arrondissements Aachen, Kleve, Krefeld und Köln saß in Aachen, die des Departements Rhein-Mosel mit den Arrondissements Koblenz, Bonn und Simmern in Koblenz und die des Departements Saar mit Trier, Prüm, Birkenfeld und Saarbrücken in Trier. Während Preußen und Österreich bereits 1795 bzw. 1797 den neuen Zustand anerkannt hatten, wurde vom Reich erst im Frieden von Lunéville (1801) die Abtretung des linken Rheinufers sanktioniert. Damit war die endgültige Reunion vollzogen. Aus den Gebietsveränderungen durch den Reichsdeputationshauptschluß ging schließlich 1806/07 ein um u.a. das rechtsrheinische Kleve, Essen und Werden erweitertes Großherzogtum Berg hervor, das nun Napoleons Schwager Joachim Murat als Pufferstaat gegen Preußen verwaltete. 1808 wurde auch in Berg die Departementseinteilung eingeführt. Für uns sind hier von den bergischen Departements lediglich das Departement Rhein mit Düsseldorf, Mülheim am Rhein, Essen und Elberfeld wichtig.[37]

In dieser Übergangszeit der rheinischen Geschichte wurden neben der verwaltungsmäßigen Neuaufteilung des Landes auch eine Reihe anderer Veränderungen von den Franzosen vorgenommen, die in preußischer Zeit noch lange weiterbestanden. „Übersichtlichkeit und Technik der Verwaltung", Gleichberechtigung der religiösen Bekenntnisse, Reformen im Rechts-, Schul- und Steuerwesen folgten. Der in den linksrheinischen Gebieten 1804, im Großherzogtum Berg 1810 eingeführte Code Napoléon brachte die Gleichheit aller vor dem Gesetz und blieb auch in den früheren preußischen Ländern und im ostrheinischen Teil des Reg. Bezirks Koblenz weiterhin gültig. Wirtschafts-politisch waren Bauernbefreiung und Gewerbefreiheit, Beseitigung von Son-derrechten und Binnenzöllen, Normung von Maß und Gewicht im linksrhei-nischen Gebiet schon von den Franzosen vorweggenommen. Sie, zusammen mit der Verlegung der Zollgrenze an den Rhein und der Abschließung gegen die englische Konkurrenz, hatten zu einer vorteilhaften wirtschaftlichen Entwicklung des Gewerbes im linksrheinischen Rheinland geführt, das ber-gische Land dagegen vom Absatz abgeschnitten.[38]

Nach dem Sieg über Napoleon (1813/14) wurden drei Generalgouverne-ments (Berg, Mittel- und Niederrhein) eingerichtet, die 1815 von Preußen zum Großherzogtum Niederrhein zusammengefaßt wurden. Der Wiener Kongreß sprach Preußen die Rheinlande von Kleve bis Kreuznach und Saarbrücken zu. Die preußischen Lande am Rhein umfaßten damit drei historische Räume: den niederrheinisch-kölnischen, den mittelrheinisch-trierischen und den saarländisch-pfälzischen. Sie wurden in den folgenden Jahren verschiedenen Provinzen zugeteilt. Zur Provinz Großherzogtum Niederrhein kamen 1816 die Reg. Bezirke Aachen, Koblenz und Trier, zur Provinz Jülich – Kleve – Berg die Reg. Bezirke Köln, Düsseldorf und Kleve. Im Juni 1822 wurden beide Provinzen unter einem Oberpräsidium in Koblenz zusammengefaßt. Be-reits seit 1815/16 wurde der Gesamtraum inoffiziell als „Rheinprovinzen" um-schrieben. 1830 wurde offiziell die Bezeichnung „Rheinprovinz" für die beiden

[37] M. Braubach, Vom Westfälischen Frieden, S. 325 ff. u. 341 ff.; R. Schütz, Preußen und die Rheinlande, S. 14 ff.; E. Wisplinghoff, H. Dahm, Die Rheinlande, S. 177 f. u. D. Höroldt, Rheinlande, S. 319 f.; H. Pohl, Wirtschaftsgeschichte Kölns im 18. und beginnen-den 19. Jahrhundert, S. 21 f.
[38] M. Braubach, Vom Westfälischen Frieden, S. 333 ff., 343 ff., 344 (Zitat); D. Höroldt, Rheinlande, S. 320 ff.; R. Schütz, Preußen und die Rheinlande, S. 1.

zusammengelegten Provinzen eingeführt. Die Reg. Bezirke blieben bestehen bis auf Kleve, dessen Regierung Ende 1821 aufgelöst und mit Düsseldorf vereinigt wurde.[39]

Die politischen Verhältnisse entwickelten sich in den Rheinlanden nicht so, wie die Rheinländer es gehofft hatten und auf Grund der Besitzergreifungspatente von 1815 und einem Aufruf Friedrich Wilhelms erwarten konnten. Das überwiegend katholische Rheinland begleitete zwar die Übernahme der Staatsverwaltung durch das protestantische Preußen mit Skepsis, aber auch mit „Hoffnungen auf eine gedeihliche Zusammenarbeit", zumal die Stein-Hardenbergschen Reformen die Rheinländer auf eine stärkere Selbstverwaltung hoffen ließen. Dem Herausgeber des „Rheinischen Merkur", Joseph Görres, der die Preußen begrüßte, wurde aber schon 1816 im Zuge der Reaktion in Preußen die Weiterführung seiner Zeitung verboten.[40] Während das französische Recht beibehalten wurde, hielt der König sein Verfassungsversprechen nicht; dafür folgte die Zensur. Die Demagogenverfolgung griff auch voll auf die Rheinprovinz und ihre Bonner Universität über. Die Einführung der Provinzialstände (1824) im Rheinland stellte die seit der französischen Zeit an Gleichheit gewohnten Rheinländer nicht zufrieden, denn die Provinziallandtage wurden nach alten ständischen Gesichtspunkten (Fürsten und Standesherren, Ritterschaft, Städte, Bauern) beschickt und das Grundeigentum „durchgehend zur Voraussetzung oder Standschaft gemacht". Grundbesitzer und Gewerbetreibende waren also vertreten, Bildungsbürgertum und Geistlichkeit benachteiligt. Dennoch entwickelten sich die rheinischen Provinziallandtage zu einer wichtigen Institution, die gegenüber der Berliner Regierung die Wünsche der Bevölkerung der Rheinlande artikulierte.[41] Ein bedeutender Vertreter des rheinischen liberalen Besitzbürgertums, der Aachener Großkaufmann David Hansemann, setzte sich seit 1830 in seinen Denkschriften nicht nur für wirtschafts- und sozialpolitische Veränderungen wie den Eisenbahnbau, ein neues Steuersystem oder die Verbesserung der wirtschaftlichen Lage der unteren Schichten der Bevölkerung ein, sondern auch für ein Zweikammersystem, das wesentlich vom Besitz- und Bildungsbürgertum getragen werden und die Adelsprivilegien beseitigen sollte. Friedrich Wilhelm III. lehnte Hansemanns verfassungspolitische Vorschläge ab. „Die relative verfassungspolitische Ruhe" in den 1830er Jahren ist auf eine gewisse „Zufriedenheit der Wirtschaftskreise mit der liberalen Wirtschaftspolitik" zurückzuführen. Allerdings kam es erneut zu Demagogenverfolgungen und seit 1837 zur Auseinan-

[39] M. Braubach, Vom Westfälischen Frieden, S. 346 ff.; R. Schütz, Preußen und die Rheinlande, S. 18 ff., bes. S. 26 f. u. Anm. 62.; D. Höroldt, Rheinlande, S. 319 f.; K.-G. Faber, Die südlichen Rheinlande, S. 371 ff.; H. Lademacher, Die nördlichen Rheinlande, S. 94 f.
[40] R. Schütz, Preußen und die Rheinlande, S. 22 f. u. M. Braubach, Vom Westfälischen Frieden, S. 351 (Zitat).
[41] R. Schütz, Preußen und die Rheinlande, S. 238 ff., 243 (Zitat); H. Lademacher, Die nördlichen Rheinlande, S. 488 ff., 507 ff. u. 523; K.-G. Faber, Die südlichen Rheinlande, S. 376; D. Höroldt, Rheinlande, S. 320 u. 329.

dersetzung mit der katholischen Kirche im Kölner Kirchenstreit, in dessen Verlauf der König jedoch beim katholischen Adel keine Unterstützung erfuhr, obwohl er dessen Privilegien wiederhergestellt hatte.[42]

Friedrich Wilhelm IV. milderte zwar die Pressezensur, stellte die Demagogenverfolgungen ein und einigte sich mit der katholischen Kirche, aber die vom wirtschaftlich erstarkten rheinischen Bürgertum geforderte Gesamtvertretung lehnte auch er ab. Allerdings wurde nach 30jährigen Bemühungen 1845 die rheinische Gemeindeordnung erlassen, die die Gleichstellung von Städten und Landgemeinden, den Zusammenschluß mehrerer Ortschaften zu sogenannten Bürgermeistereien als untersten Verwaltungsinstanzen mit staatlicherseits ernannten Bürgermeistern und die Wahl der Gemeindevertretungen nach dem seit 1849 dann in ganz Preußen geltenden Dreiklassenwahlrecht eingeführt hat. In seiner Hoffnung, mit der Kirche und den Konservativen die Reformrufe aus den Rheinlanden zum Verstummen zu bringen, sah sich der König bald getäuscht. Gerade die rheinischen Vertreter wie Ludolf Camphausen, David Hansemann und Gustav von Mevissen artikulierten auf dem Vereinigten Landtag (1847) die Wünsche der Liberalen sehr deutlich. Im Revolutionsjahr 1848 führten die Ereignisse in Paris zum Ausbruch von sozialistischen Unruhen in Köln und Arbeiterdemonstrationen im Bergischen und in Krefeld. Auch 1849 flackerten die Unruhen hier und da noch einmal auf.[43] Die Rheinländer Ludolf Camphausen und David Hansemann wurden Ministerpräsident bzw. Finanzminister und bildeten liberale Ministerien. Rheinische Liberale waren auch in der Berliner und Frankfurter Nationalversammlung vertreten. „Die Kraft liberaler Ministerien" unter Führung der beiden rheinischen Liberalen „verbrauchte sich in dem aussichtslosen Versuch, eine Basis der Verständigung zwischen dem sich radikalisierenden Parlament und der erstarkenden Reaktion zu schaffen." Die am 5. Dezember 1848 vom König oktroyierte Verfassung zeigte in mancher Hinsicht den Einfluß liberal-konstitutioneller Prinzipien.[44] Die revidierte Verfassung vom 31. Januar 1850 sicherte die Abhängigkeit der Beamtenschaft und des Heeres vom König. Die Gesetzgebung der konstitutionellen Monarchie lag bei König und Kammern (Herrenhaus und Abgeordnetenhaus).[45] In der Zeit der Reaktion war auch die preußische Politik „bürokratisch-staatlich" unter starkem Einfluß feudaler Kräfte. Die an der Staatsspitze beobachtete „Gegensätzlichkeit bürokratisch-

---

[42] H. Lademacher, Die nördlichen Rheinlande, S. 514 ff. (bes. 520, Zitat u. 527 ff.); D. Höroldt, Rheinlande, S. 327 ff.

[43] R. Schütz, Preußen und die Rheinlande, S. 147 ff. u. 249; D. Höroldt, Rheinlande, S. 320 f. und 330 f.; H. Lademacher, Die nördlichen Rheinlande, S. 539, bes. 544 ff.

[44] H. Lademacher, Die nördlichen Rheinlande, S. 551 ff.; D. Höroldt, Rheinlande, S. 330 f.; Th. Schieder, Vom Deutschen Bund, S. 143 (Zitat); W. Hubatsch, Grundriß zur deutschen Verwaltungsgeschichte (1815–1945), S. 86, 90 u. 108.

[45] W. Hubatsch, Preußen, S. 85; H. Lademacher, Die nördlichen Rheinlande, S. 557 f.

staatlicher und feudaler Tendenzen" hob sich auf dem Lande „durch den monopolartigen Einfluß des Adels auf die staatliche Ämterbesetzung großenteils auf."[46]

Für die Rheinlande ist um die Mitte des 19. Jahrhunderts ein Einschnitt ihrer Entwicklung festzustellen, weil die Zeit der Integration der Rheinprovinz in das übrige Preußen weit fortgeschritten war. Die Rheinlande waren jedoch nicht nur nehmender, sondern auch gebender Partner, und die rheinischen Sonderinteressen traten hinter den gemeinsamen preußischen zurück. Ein entscheidender Faktor war dabei die Industrialisierung, die verstärkt eingesetzt hatte und von Berlin gefördert wurde. Dieses Einschwenken auf Gesamtpreußen war vor allem durch die Reaktion in Preußen und die neue Verfassung bedingt. Hatten vor 1850 gerade die rheinischen Liberalen immer eine parlamentarische Vertretung für Gesamtpreußen gefordert, so hatte diese jetzt zur Herabsetzung der Bedeutung des Rheinischen Provinziallandtags und damit zum Rückgang des Einflusses der fortschrittlichen rheinischen Liberalen in Gesamtpreußen geführt. Sie wandten sich nahezu alle von der Politik ab und ausschließlich der aufblühenden, sich industrialisierenden Wirtschaft zu.[47]

Die Zeit der Reaktion, die 1858 mit der Übernahme der Regentenschaft durch Friedrich Wilhelm IV., den Bruder Wilhelms I., seit 1861 König von Preußen, in die Neue Ära überging, war eine Zeit großen wirtschaftlichen Aufschwungs, zunehmenden Wohlstands und des Ausbaus des Bildungswesens, besonders auch der Naturwissenschaften. Im Bildungswesen verdankten die Rheinlande Preußen entscheidende Impulse, die auch für die entstehende chemische Industrie von Bedeutung waren. Der preußische Schulzwang trug zur Beseitigung des Analphabetentums entscheidend bei, denn 1814 waren noch drei Viertel der Rheinländer Analphabeten. Neben die humanistischen Gymnasien waren Bürger- und Realschulen getreten. Nach der Auflösung der rheinischen Universitäten hatten die Preußen 1818 den Rheinländern mit Bonn eine paritätisch evangelisch-katholische Universität nach Breslauer Vorbild zurückgegeben. Sie wurde bald nach Berlin die bedeutendste preußische Universität. Ihr chemisches Institut war in den 1860er Jahren das größte der Welt und erlangte nach der Übernahme des Lehrstuhls durch Friedrich August Kekulé (1867) bald auch weltweiten Ruf.[48]

Die Liberalen faßten in den 1850er Jahren neuen Mut, wurden aber realistischer und revolutionärer Ideologie weniger aufgeschlossen. Es gelang ihnen damit 1858 wieder der Einzug in die Regierung, die gemäßigt liberal war. In dem 1862 einsetzenden Streit um die Reorganisation der Heeresverfassung,

---

[46] Th. Schieder, Vom Deutschen Bund, S. 161.
[47] R. Schütz, Preußen und die Rheinlande, S. 246 ff; D. Höroldt, Rheinlande, S. 331 u. H. Lademacher, Die nördlichen Rheinlande, S. 570 ff.
[48] Th. Schieder, Vom Deutschen Bund, S. 167 f.; D. Höroldt, Rheinlande, S. 323 f. u. 331 f.; H. Lademacher, Die nördlichen Rheinlande, S. 573 ff.; M. Braubach, Geschichte der Universität Bonn, S. 11 ff., bes. S. 17 u. 26.

ein dringendes Anliegen des nüchternen und härteren jungen Königs, standen die Rheinlande freilich wieder auf Seiten der Opposition. Die liberalen Minister hatten ihren Abschied erhalten, und Otto von Bismarck wurde preußischer Ministerpräsident (1862), dessen Politik bis zum Sieg von Königgrätz (1866) bei den Rheinländern zunächst auf wenig Verständnis stieß.[49] Nach dem Frieden von Prag änderte sich die Einstellung der Rheinländer: Sie fanden sich mit den Tatsachen ab und unterstützten Bismarcks Einigungspläne, indem sie bei den Wahlen zum norddeutschen Reichstag wie zum preußischen Abgeordnetenhaus überwiegend Nationalliberale und Freikonservative wählten. Auch die neuen Bismarckschen Zollvereinsverträge kamen ihnen wohl gelegen. Schon 1867 war in den Rheinlanden „ein nicht zu übersehender preußischer Patriotismus" festzustellen, weshalb schon Hansen meinte, zwischen 1864 und 1871 sei „die Verschmelzung mit Preußen durchweg vollzogen" worden.[50] Mit der Gründung des Deutschen Reiches wurde die politische Einheit hergestellt. Wirtschaftspolitisch setzte damit eine neue Periode ein, äußerlich für uns Wirtschaftshistoriker erkennbar an einer sehr wichtigen Einrichtung, nämlich den Reichsstatistiken des 1872 gegründeten Kaiserlichen Statistischen Amtes.[51]

1.4.2. DIE WIRTSCHAFTSPOLITIK PREUSSENS

Die preußische Wirtschaftspolitik vom Wiener Kongreß bis zum Beginn der 1870er Jahre ist grundsätzlich gekennzeichnet durch die Praktizierung liberaler Wirtschaftsprinzipien — wenngleich dieser Zeitraum auch die Gegensätze von „Schutzzoll und Freihandel, Zunftwesen und Gewerbefreiheit, Industrie und Handwerk"[52] zu bewältigen hatte. Diese Kräfte gewannen jeweils zeitlich und auf den einzelnen Gebieten von Handel und Gewerbe unterschiedlich stark an Einfluß. So setzte nach einer liberalen Anfangsphase in der Gesetzgebung und Wirtschaftspolitik ab 1816 eine Periode ein, die Treue „noch liberal und schon konservativ" nennt.[53] Das Ziel der Wirtschaftspolitik Preußens — die wirtschaftliche Einheit Deutschlands — ging später über den rein ökonomischen Zweck hinaus und wird als Beitrag zur politischen Einheit gesehen. So bildeten u.a. der Zollverein, das Zollparlament und das Reichshandelsministerium (1848) Grundlagen für eine deutsche Wirtschaftseinheit und damit auch für die politische Einheit.[54] Hatte die

---

[49] Th. Schieder, Vom Deutschen Bund, S. 169 ff. u. 179 ff.; D. Höroldt, Rheinlande, S. 331 f.

[50] H. Lademacher, Die nördlichen Rheinlande, S. 570 u. 580 (Zitate); D. Höroldt, Rheinlande, S. 332; Th. Schieder, Vom Deutschen Bund, S. 173 f. u. 176 f.

[51] Bevölkerung und Wirtschaft 1872–1972, S. 13 ff.

[52] W. Zorn, Staatliche Wirtschafts- und Sozialpolitik, S. 150 f.; M. Schwann, Grundlagen S. 218.

[53] W. Treue, Gesellschaft, Wirtschaft und Technik, S. 431.

[54] Ebd., S. 412 f.; M. Schwann, Grundlagen, S. 208 f.; E.R. Huber, Verfassungsgeschichte, Bd. 3, S. 629.

allgemeine preußische Politik in Bezug auf die Rheinlande einen konserva-
tiv-restaurativen Charakter, so entsprach die Wirtschafts- und Zollpolitik zu
Beginn doch weitgehend liberalen Grundsätzen und den Vorstellungen des
liberalen rheinischen Wirtschaftsbürgertums.[55]

Im Vergleich zu den altpreußischen Provinzen besaßen die Rheinlande beim
Übergang zu Preußen ihr eigenes Gesicht, das auf wirtschaftlichem Gebiet
stark durch die teilweise französische Besetzung und Eingliederung in das
französische Kaiserreich geprägt war. Die unterschiedliche verfassungsmäßige
Stellung der rheinischen Gebiete während der französischen Zeit und die
teils merkantilistische, teils physiokratisch-liberal ausgerichtete Zoll-, Handels-
und Wirtschaftspolitik führten links des Rheins zu einem relativ raschen Aufschwung alter und neuer Gewerbe, während die rechtsrheinischen Territorien
dadurch erheblich beeinträchtigt wurden.[56] Der Anschluß an Preußen bedeutete für die Rheinprovinzen den Verlust des französischen Absatzmarktes. Außerdem wirkten hohe Zölle in Belgien, Holland, Frankreich und in den deutschen Nachbargebieten sowie die Importe von Manufakturwaren aus England
negativ auf die entstehende rheinische Industrie und den Handel und erforderten
eine grundlegende Neuorientierung.[57] Diese vollzog sich bei der unterschiedlichen Struktur und Interessenlage der preußischen Provinzen nicht ohne
Schwierigkeiten.[58] Anfangs vermochten sich die liberalen Kräfte des preußischen Beamtentums durchzusetzen, die eine Lösung für die Zusammen-
führung Preußens und zur Aufholung des wirtschaftlich-technischen Rück-
standes in der Erschließung der innerdeutschen und ausländischen Märkte
sahen. Erster Ausdruck dieser Bestrebungen war das Zollgesetz von 1818.[59]
Durch dieses „Gesetz über den Zoll und die Verbrauchssteuern von ausländischen Waren" wurde der preußische Staat, der geographisch geteilt war, zu
einem einheitlichen Wirtschaftsraum zusammengeschlossen, in dessen Grenzen die alten Binnenzölle aufgehoben wurden und ein einheitlicher, freier
Markt entstand. Es beseitigte fast alle Ein- und Ausfuhrverbote. An den Grenzen des Staates wurde eine einheitliche Zollinie geschaffen und eine in der
Regel zehnprozentige Verbrauchssteuer für Fabrik- und Manufakturprodukte
aus dem Ausland eingeführt. Das Gesetz beabsichtigte nicht Schutzzoll, sondern Handelsfreiheit, die man sich auch von den Partnern auf der Grundlage

---

[55] H. Lademacher, Die nördlichen Rheinlande, S. 519.
[56] B. Kuske, Gewerbe, Handel und Verkehr, S. 190 f.; W. Treue, Gesellschaft, Wirtschaft und Technik, S. 381; J. Hashagen, Die Rheinlande beim Abschlusse der französischen Fremdherrschaft, S. 21 ff.; M. Schultheis-Friebe, Die französische Wirtschaftspolitik, S. 290 ff.
[57] M. Schwann, Grundlagen, S. 202; W. Treue, Wirtschaftszustände.
[58] M. Schwann, Grundlagen, S. 207; H. Kellenbenz, Grundzüge der Wirtschaftsgeschichte, S. 125.
[59] M. Schwann, Grundlagen, S. 206 ff.; W. Treue, Gesellschaft, Wirtschaft und Technik, S. 412 f.; ders., Wirtschaftszustände.

der Reziprozität erhoffte.[60] Besonders die Einfuhr englischer Textilien beeinträchtigte die Entwicklung der rheinischen Textilindustrie. Die Situation wurde noch verschärft durch die nach wie vor hohen Zölle in England, Holland, Frankreich, Österreich etc. und den technologischen Rückstand der heimischen Industrie. Die preußische Regierung änderte ihre Wirtschaftspolitik jedoch nicht dahingehend, Schutzzölle einzuführen, wie dies bereits teilweise auf den ersten rheinischen Provinziallandtagen (1826, 1828 und 1830) gefordert wurde. Sie versuchte nur, durch Milderung der im Gesetz liegenden Grundtendenz und durch Zoll- und Handelsverträge den inneren Markt auszuweiten und damit die wirtschaftliche Einheit Deutschlands zu fördern und den preußischen Einfluß zu verstärken.[61]

Im Jahre 1828 gelang es Preußen, auf der Grundlage seines Zollgesetzes einen Zollvereinsvertrag mit Hessen-Darmstadt abzuschließen und damit eine Verbindung nach Süddeutschland herzustellen. Eine Vereinigung mit dem bayerisch-württembergischen Verein wurde durch den Handelsvertrag vom 27. Mai 1829 vorbereitet. Auch die Rheinlande profitierten von diesen Zollverträgen durch eine Ausweitung der Handelsbeziehungen mit diesen Gebieten. Die preußische Politik, durch Verträge den innerdeutschen Markt auszuweiten, führte schließlich nach zahlreichen Einzelverträgen zur Bildung des Deutschen Zollvereins, der am 1. Januar 1834 in Kraft trat. Durch diesen wurde ein einheitliches Zollgebiet, bestehend aus Bayern, Württemberg, Thüringen, Sachsen, Kurhessen, Hessen-Darmstadt und Preußen, geschaffen. In den 30er, 40er und 50er Jahren folgten Baden, Nassau, Frankfurt/Main, Braunschweig, Luxemburg, Hannover und damit der Steuerverein.[62] Die Entwicklung des Vereins bis 1866/71 blieb jedoch ein Spiegelbild der deutschen Zerrissenheit und des Kampfes zwischen Preußen und Österreich.[63] Parallel dazu war Preußen bemüht, den Handel mit dem Ausland zu erleichtern und auszuweiten. Die Rheinschiffahrtsakte vom März 1831 wurde insofern für die Rheinlande von besonderer Bedeutung, als sie den Rheinverkehr bis zur völligen Abgabenfreiheit 1850/68 schon erheblich erleichterte und damit die Handelsmöglichkeiten der rheinischen Provinz ausweitete.[64] Es folgten Schiffahrts- und Handelsverträge mit den Niederlanden (1837/39), mit der Türkei (1840), mit England (1841), Belgien (1844), Österreich (1853/65) und Frankreich (1862). Mit dem letzteren wurde ein Jahrzehnt des Freihandels eingeleitet.[65]

---

[60] W. Treue, Wirtschaftszustände, S. 153; M. Schwann, Grundlagen, S. 207; V. Hentschel, Deutsche Wirtschafts- und Sozialpolitik, S. 19 f.
[61] W. Treue, Wirtschaftszustände, S. 242 ff.; M. Schwann, Grundlagen, S. 208.
[62] W. Treue, Gesellschaft, Wirtschaft und Technik, S. 413 ff.
[63] Ebd., S. 417.
[64] E. Gothein, Geschichtliche Entwicklung der Rheinschiffahrt im XIX. Jahrhundert, S. 199 ff.; H. Kellenbenz, K. van Eyll, Selbstverwaltung, S. 64 f.
[65] A. Sartorius von Waltershausen, Die Entstehung der Weltwirtschaft, S. 277, 306.

Die handels- und zollpolitischen Maßnahmen Preußens fanden ihre Ergänzung im Ausbau der Infrastruktur. Anknüpfend an französische Vorleistungen wurden die Fernstraßen in der Rheinprovinz rasch ausgebaut.[66] Wirtschaftlich zunehmende Bedeutung erlangte vor dem Ausbau der Eisenbahnen auch der Flußverkehr bei allmählich sich durchsetzenden schiffstechnischen und schiffahrtsorganisatorischen Neuerungen. Von der Zunahme des Gütertransports profitierte aber dann später in weit größerem Maße die Eisenbahn.[67]

Ihr früher Ausbau im Rheinland ist der Initiative von Camphausen, Hansemann und Mevissen zu verdanken. 1841 stellte die Rheinische Eisenbahngesellschaft AG die Köln-Antwerpener Bahn bis Aachen fertig und baute ihr Netz dann bis in die 60er Jahre in Richtung Pfalz, Süddeutschland, nach Lothringen und Holland systematisch aus. Rechtsrheinisch erschloß die 1843 gegründete Köln-Mindener-Eisenbahngesellschaft AG in diesen Jahrzehnten das Ruhrgebiet, erstellte Anschlüsse auch nach Holland, Hessen, Berlin und den altpreußischen Provinzen.[68]

Einen wichtigen Bestandteil der preußischen Reformgesetzgebung bildete die Gewerbefreiheit. Das linksrheinische Rheinland kannte sie seit der französischen Zeit ebenso wie die Grundsätze des „Code de Commerce", die auch nach 1815 weitergalten. Allerdings machten einschränkende Bestimmungen, wie das napoleonische „Décret imperial relatif aux manufactures qui répandent une odeur insalubre ou incommode"[69] von 1810 und das preußische Edikt vom 2.11.1810, Gewerbe, „bei deren ungeschickten Gebrauch eine allgemeine Gefahr obwaltet"[70], und damit chemische Betriebe konzessions- und publikationspflichtig. Diese Einschränkungen blieben auch in der allgemeinen Gewerbeordnung von 1845[71] und der Gewerbeordnung für den Norddeutschen Bund von 1869[72] erhalten.

Die preußische Gewerbegesetzgebung erfuhr im Verlaufe der ersten Hälfte des 19. Jahrhunderts unter restaurativen Bestrebungen Veränderungen, die bei grundsätzlicher Beibehaltung des Prinzips der Gewerbefreiheit zunehmend zünftlerischen Wünschen entsprachen (1820er, 1845er, 1849er Gesetze). Bei der preußischen Gewerbeordnung vom Januar 1845 ist der

---

[66] H. Kellenbenz, K. van Eyll, Selbstverwaltung, S. 64; K. van Eyll, Wirtschaftsgeschichte Kölns vom Beginn der preußischen Zeit, S. 214; M. Schwann, Grundlagen, S. 207 f.

[67] K. van Eyll, Wirtschaftsgeschichte Kölns vom Beginn der preußischen Zeit, S. 216 ff.; W. Treue, Gesellschaft, Wirtschaft und Technik, S. 505.

[68] K. van Eyll, Wirtschaftsgeschichte Kölns vom Beginn der preußischen Zeit, S. 222 ff.

[69] Bulletin des Lois, T. 13, Nr. 323.

[70] Gesetz-Sammlung für die Königlich Preußischen Staaten 1810, Gesetz-Nr. 9.

[71] Ebd., 1845, Gesetz-Nr. 2541.

[72] Bundesgesetzblatt des Norddeutschen Bundes 1869, Gesetz-Nr. 312.

Einfluß rheinischer Kreise deutlich feststellbar.[73] Sie galt auch in den Rheinlanden, die der preußische Staat durch einige voraufgegangene Verordnungen bereits mit den alten Landesteilen anzugleichen sich bemüht hatte. Zu nennen sind hier u.a. das Preußische Gesetz über die Aktiengesellschaften (Nov. 1843), das Gesetz über die Nachahmung der Fabrikzeichen (Mai 1842) und das Gesetz über die Erfindungspatente und Privilegien (Sept. 1842).[74] Ein Aufhalten dieser Tendenz und eine Rückkehr zu den Gesetzen von 1810/11 manifestierte sich erst in der Gewerbeordnung für den Norddeutschen Bund (1868/69).[75]

Zur Gewerbepolitik gehörten in der ersten Jahrhunderthälfte auch die staatlichen Organe der Gewerbeförderung, wie zum Beispiel die preußische Technische Deputation für Gewerbe, der Verein zur Beförderung des Gewerbefleißes, die königliche Seehandlung, Gewerbeinstitute und der Ausbau des gewerblich-technischen Schulwesens. Zunehmende Bedeutung für Industrie und Handel gewann das Ausstellungswesen. Um den technologischen Rückstand aufzuholen, unterstützte der Staat den Import von Maschinen sowie zahlreiche Auslandsreisen von Beamten und Industriellen. Sie dienten der Aneignung von technologischem Wissen zum Zwecke des Ausbaus der einheimischen Industrie. Die Handhabung des Erfindungsschutzes nach den Patentregelungen von 1815 und 1842 war Ausdruck der jeweils herrschenden Wirtschaftspolitik in Preußen. Erst die einheitliche Lösung mit dem Reichspatentgesetz von 1877 hob die Bedeutung des Erfindungsschutzes für die Entwicklung der Volkswirtschaft klar hervor.[76]

Die Wirtschaftsinteressen in der Rheinprovinz und in Gesamtpreußen waren zu unterschiedlich, um der preußischen Wirtschaftspolitik in den Rheinlanden einhellige Zustimmung zu sichern. Der wirtschaftlich-technische Entwicklungsstand, die wachsenden Bevölkerungszahlen, der Konkurrenzdruck für die rheinische Industrie auf den Binnen- und Auslandsmärkten und allgemein die Umstrukturierungsprobleme führten in den 40er Jahren zu einer Wirtschaftskrise, von der v.a. das Textilgewerbe und die Roheisenindustrie betroffen waren.[77] Die Handwerker, die wegen des Wegfalls des Schutzes durch die

---

[73] H. Kellenbenz, Wirtschafts- und Sozialentwicklung, S. 51; H. Lademacher, Die nördlichen Rheinlande, S. 511 f.; B. Kuske, Gewerbe, Handel u. Verkehr, S. 248; H. Kellenbenz, Grundzüge der Wirtschaftsgeschichte, S. 126; R. Koselleck, Preußen zwischen Reform und Revolution, S. 597 f.

[74] M. Schwann, Grundlagen, S. 225; H. Kellenbenz, K. van Eyll, Selbstverwaltung, S. 65; K. Bösselmann, Aktienwesen, S. 63.

[75] W. Treue, Gesellschaft, Wirtschaft und Technik, S. 432 f.

[76] Ebd., S. 438 ff.; A. Heggen, Erfindungsschutz, S. 141; V. Hentschel, Deutsche Wirtschafts- und Sozialpolitik, S. 24 ff.

[77] H. Lademacher; Die nördlichen Rheinlande, S. 486 f.; H. Kellenbenz, Grundzüge der Wirtschaftsgeschichte, S. 125, 131; B. Kuske, Gewerbe, Handel und Verkehr, S. 219 f.; K. Borchardt, Wirtschaftliches Wachstum, S. 258.

Zünfte unter starker Konkurrenz litten, forderten die Wiedereinführung des Zunftzwanges. Die preußische Gewerbegesetzgebung der 1840er Jahre entsprach weitgehend diesen Wünschen. Aus dem Kreise der Textil- und Eisenindustrie wurde der Ruf nach Schutzzöllen gegen die ausländische Konkurrenz lauter. Dieser Forderung gaben die preußische Regierung und der Zollverein durch eine Anhebung des Zolles auf Baumwoll-, Leinen-, Woll-, Seidengarne und -artikel sowie auf Roh- und Stabeisen nach.[78] Dem Wunsch rheinischer Wirtschaftskreise nach Bildung eines Handelsministeriums, das sich mit den speziellen Problemen von Handel, Landwirtschaft und Industrie beschäftigen sollte, wurde nur teilweise entsprochen. Die beiden vom König errichteten Institutionen, der Handelsrat und das Handelsamt, hatten keine Entscheidungsbefugnis, sondern lediglich eine beratende Funktion. Hier zeigte sich die fehlende Flexibilität der preußischen Regierung, auf die Belange der Wirtschaft einzugehen und diese an Entscheidungen in der Wirtschaftspolitik teilnehmen zu lassen.[79] In dieser Situation konzentrierte sich das Interesse von Industrie und Handel auf die Institution der Handelskammern. Sie waren teilweise bereits während der Franzosenzeit in den Rheinlanden entstanden und hatten sich zu einer wirklichen Interessenvertretung von Industrie, Gewerbe und Handel gegenüber dem Staat entwickelt. Die preußische Regierung ließ diese Einrichtung ebenso unangetastet wie das rheinische Recht, das mit Ausnahme des Strafgesetzbuches weitgehend bestehen blieb. In den Handelskammern wurde erstmals die Zusammenarbeit von Vertretern unterschiedlicher Interessen praktiziert. Der Herstellung eines preußisch-deutschen Wirtschaftsgebietes durch Einführung eines einheitlichen Handelsrechts, Gewichts-, Maß- und Münzwesens und durch den Ausbau des Verkehrswesens galt ihre besondere Aufmerksamkeit. Eine königliche Verordnung (Februar 1848) regelte die Einrichtung von Handelskammern in ganz Preußen; auch in diesem Fall wirkten die Rheinlande auf die preußische Gesetzgebung ein. In der Folgezeit entstanden zahlreiche neue Handelskammern, und 1861 trat zum ersten Mal der Deutsche Handelstag zusammen.[80]

Die Aufbringung des für den infrastrukturellen, industriellen und städtischen Ausbau notwendigen Kapitals wurde durch die Entwicklung des Effekten- und Bankwesens mit seinen Beziehungen zu den westeuropäischen Nachbarstaaten und durch die gesetzlichen Regelungen über Gesellschaftsunternehmungen (1843, 1862, 1870) erleichtert.[81] Förderlich wirkten ebenso die zunehmend wirtschaftsliberalen Entscheidungen, wie sie die Berggesetzgebung zwischen 1851 und 1865, der freihändlerische Handelsvertrag mit Frankreich

---

[78] B. von Borries, Deutschlands Außenhandel, S. 18; H. Böhme, Deutschlands Weg zur Großmacht, S. 71 f.
[79] H. Lademacher, Die nördlichen Rheinlande, S. 520 f.
[80] W. Treue, Gesellschaft, Wirtschaft und Technik, S. 443 f.
[81] H. Kellenbenz, Verkehrs- und Nachrichtenwesen, S. 412 ff. und die dort angegebene Literatur; B. Kuske, Gewerbe, Handel und Verkehr, S. 224; K.E. Born, Geld und Banken, S. 84–112; K. Bösselmann, Aktienwesen, S. 63 ff.

(1862), die Gewerbeordnung von 1868/69 und der Übergang zum Normativ-system bei der Zulassung von Aktiengesellschaften ab 1870 dokumentieren. Unabhängig davon ist das Problem der teilweise schwierigen Kapitalakkumulation während der ersten Hälfte des 19. Jahrhunderts anders gelagert.[82]

1.4.3. DIE WIRTSCHAFTLICHE ENTWICKLUNG

Betrachtet man während der hier untersuchten Zeitspanne die wirtschaftliche Entwicklung in den Rheinlanden, die auch als Parameter des Industrialisierungsprozesses in Deutschland bezeichnet wird, vor dem Hintergrund der gesamtwirtschaftlichen Entwicklung, muß man feststellen, daß sich eindeutige Aussagen über das wirtschaftliche Wachstum pro Kopf der Bevölkerung nicht machen lassen. Vieles spricht für Hennings Annahme eines nur geringen Wachstums.[83] Für die konjunkturelle Situation ist bis in die 40er Jahre das Vorherrschen von Krisen alten Typs charakteristisch; konjunkturelle Bewegungen neuen Typs lassen sich klar seit den 70er Jahren bestimmen, während in den Übergangsjahrzehnten eine entsprechende Zuordnung Schwierigkeiten bereitet.[84] Eine Hungersnot (1816/17), eine landwirtschaftliche Überproduktionskrise bis in die Mitte der 20er Jahre mit ihren Übertragungseffekten und die internationale Wettbewerbslage belasteten zunächst den Entwicklungsgang der Wirtschaft. Auch nach Überwindung der Überproduktionssituation wurde ein deutlicher wirtschaftlicher Fortgang durch die weiterhin nicht günstige Lage in der deutschen Landwirtschaft, durch die Verkehrsverhältnisse und politischen Gegebenheiten, durch mangelnde Konkurrenzfähigkeit und wegen des geringen Schutzes des deutschen Gewerbes auf heimischen und ausländischen Märkten gehemmt. Erst um die Mitte der 30er Jahre zeichneten sich Entwicklungsbrüche im Wirtschaftsverlauf ab. Zollverein und Eisenbahnbau, Entstehung gewerblicher Großbetriebe, Produktionssteigerungen im Montanbereich, in der Metallverarbeitung und in Zweigen des Textilgewerbes brachten nicht zu leugnende Vorteile, die aber ein Massenelend nicht verhindern konnten. Wegen des Bevölkerungsanstiegs und der Gewerbefreiheit kam es trotz beginnender Industrialisierung zu einer Übersetzung des Handwerks und zu einem Überangebot an Arbeitskräften.[85] Dieser dualistische Charakter der Übergangssituation wird auch in den Aufschwungtendenzen der 40er Jahre deutlich.

[82] K. Borchardt, Kapitalmangel, S. 416 ff.
[83] H. Lademacher, Die nördlichen Rheinlande, S. 572; B. Kuske, Gewerbe, Handel und Verkehr, S. 193, 204; F.-W. Henning, Industrialisierung in Deutschland 1800 bis 1914, S. 26; K. Borchardt, Wirtschaftliches Wachstum, S. 201 f.
[84] K. Borchardt, Wirtschaftliches Wachstum, S. 257 ff.; K.H. Kaufhold, Handwerk und Industrie 1800−1850, S. 357.
[85] K. Borchardt, Die industrielle Revolution, S. 139 ff.; ders., Wirtschaftliches Wachstum, S. 202 f., 256 f.; K.H. Kaufhold, Handwerk und Industrie 1800−1850, S. 354 ff.; H. Kellenbenz, Wirtschafts- und Sozialentwicklung, S. 69.

Die Investitionsgüter- und Schwerindustrie lagen 1844/45 bis 1847 im konjunkturellen Aufschwung, die Konsumgüterindustrien (Nahrungs-, Genußmittel-, Textil-) entwickelten sich zwischen 1841 und 1847 schon entgegengesetzt, allerdings mit zeitlich unterschiedlichen Wendepunkten. Die Landwirtschaft war durch eine gute wirtschaftliche Situation der großen bis mittelgroßen Betriebe, aber durch eine schleichende Krise in den kleinbäuerlichen Wirtschaften und die Hungerjahre 1846/47 bestimmt. Der folgende Abschwung wurde erst 1853 durch eine allgemein gute, von Binnen- und Auslandsnachfrage getragene Konjunktur abgelöst, von der die Schwerindustrie, das Verkehrswesen und die Textilindustrie profitierten. Die 1857er Krise brachte in Deutschland eine Schmälerung der Expansionsraten und Preisbrüche. Konjunkturell glatter verliefen die 60er Jahre. Der Aufschwung seit 1860/61 wurde 1866 unterbrochen und setzte sich dann verstärkt fort, wobei Textilindustrie und Wohnungsbau einer differenzierten Betrachtung bedürfen.[86]

Für die Rheinlande glaubt Kuske, die Voraussetzungen für den Aufschwung im 19. Jahrhundert bereits im letzten Viertel des 18. Jahrhunderts zu sehen. Er mißt der französischen Zeit trotz aller Künstlichkeit der Situation einen Einfluß auf den beschleunigten Fortgang der Entwicklung in einigen Gewerbezweigen sowie auf den Gleichheits- und Einheitsgedanken bei, wenngleich die Verschlechterung der Situation für das rheinische Gewerbe auf dem Weltmarkt und die Unterbrechung alter Beziehungen schwerer wogen.[87] Vielmehr erwiesen sich langfristig die Verbindungen zu England, Belgien und Frankreich im Hinblick auf Kenntnisvermittlung, Kapitalverflechtung und persönliche Initiative seit dem 18. Jahrhundert als entscheidend.[88]

Entsprechend der Stellung der Rheinlande in der deutschen Volkswirtschaft fügte sich deren konjunkturelle Entwicklung gut in die allgemeine ein. Die schwierige Konkurrenzsituation nach 1815 und die beschränkte Aufnahmefähigkeit des deutschen Binnenmarktes belasteten das traditionelle, exportorientierte rheinische Gewerbe.[89] Die Aufschwungtendenzen in den Bereichen Schwerindustrie, Investitionsgüterproduktion, Baugewerbe und die Schwierigkeiten im Konsumgütersektor während der ersten Hälfte des fünften Jahrzehnts galten auch für die Rheinlande. Nach der Wirtschaftskrise der 40er Jahre waren die 50er und 60er Jahre mit Ausnahme von 1857 und 1866

---

[86] H. Kellenbenz, Wirtschafts- und Sozialentwicklung, S. 69 f.; K. Borchardt, Wirtschaftliches Wachstum, S. 256 ff. Vgl. S. 32 ff.

[87] B. Kuske, Gewerbe, Handel und Verkehr, S. 190 f.; M. Schultheis-Friebe, Die französische Wirtschaftspolitik, S. 293 ff.

[88] B. Kuske, Gewerbe, Handel und Verkehr, S. 198 f.; U. Troitzsch, Belgien als Vermittler technischer Neuerungen; M. Schumacher, Auslandsreisen.

[89] B. Kuske, Gewerbe, Handel und Verkehr, S. 204, 219; H. Kellenbenz, Grundzüge der Wirtschaftsgeschichte, S. 131.

Zeiten eines wirtschaftlichen Aufschwungs, der den Durchbruch der Industriewirtschaft in Deutschland und im Rheinland[90] einleitete. „Die Rheinlande sind Kennzeichen — gleichsam Parameter — dieses quantitativen und qualitativen technisch-industriellen Fortschritts mit allen seinen politischen und sozialen Konsequenzen".[91] In dieser Zeit entstanden die Grundlagen der rheinisch-westfälischen Montanindustrie. Sie wie auch die Textilindustrie wiesen hohe Zuwachsraten auf.[92]

1.5.DIE FARBENINDUSTRIE.
BEGRIFF — ZWEIGE — STANDORTE — ABNEHMERINDUSTRIEN.

Farben werden je nach zugrundegelegtem Kriterium in unterschiedlicher Weise klassifiziert. So spricht man hinsichtlich der Beschaffenheit des Produkts von Körperfarben, wenn sie dem Gegenstand, auf den sie aufgetragen werden, die entsprechende Farbe verleihen, oder man spricht von Farbstoffen, wenn sie erst durch zusätzliche Verwendung von Chemikalien den Gegenstand, z.B. Tuche, einfärben.[93] Eine andere Aufteilung der verschiedenen Farben richtet sich nach dem Anwendungsbereich. Hier unterscheidet man üblicherweise zwischen Maler-, Porzellan-, Glas-, Textilfarben usw., ohne deren physikalische oder chemische Eigenschaften in Betracht zu ziehen.[94]

Die vorliegende Untersuchung folgt jedoch einer dritten Klassifikationsmöglichkeit, bei der die Substanz der Stoffe ausschlaggebend ist. Eine erste große Gruppe umfaßt die Mineralfarben, die auf der Grundlage einer Mineralsubstanz produziert werden. Dazu gehören:
- die Erdfarben wie Schwerspat, natürlicher Zinnober, Ocker und Umbra,
- die chemischen Mineralfarben wie Bleifarben (Bleiweiß, Bleiglätte, Mennige), Bariumfarben (Barytweiß), Kadmiumfarben (Kadmiumgelb), Kupferfarben (Schweinfurthergrün), Zinkfarben (Zinkweiß), Kobaltfarben (Smalte, Kobaltblau), Chromfarben (Chromgrün), Manganfarben (Manganweiß), Eisenfarben (Eisencyanfarben, Berliner-, Pariserblau) und Ultramarin,
- die sog. Farblacke, die einer unlöslichen Verbindung von organischen Farbstoffen und mineralischen Substanzen entsprechen. Farblacke dürfen nicht verwechselt werden mit Lackfarben, die durch die Verwendung von Kopalharzen[95] oder anderen Harzsorten charakterisiert sind.

---

[90] B. Kuske, Gewerbe, Handel und Verkehr, S. 191, 193; K. Borchardt, Die industrielle Revolution, S. 144, 184; C.-L. Holtfrerich, Ruhrkohlebergbau, S. 167 f.; H. Kellenbenz, Wirtschafts- und Sozialentwicklung, S. 17 f., 69 f.

[91] K. Borchardt, Wirtschaftliches Wachstum, S. 258 ff.; H. Lademacher, Die nördlichen Rheinlande, S. 572 (Zitat).

[92] H. Böhme, Prolegomena, S. 70 f.; H. Lademacher, Die nördlichen Rheinlande, S. 573.

[93] G.A. Walter, Mineralfarbenindustrie, S. 1.

[94] Statistik des Deutschen Reichs, AF, Bd. 34,1, S. 10 ff.

[95] G.A. Walter, Mineralfarbenindustrie, S. 2 f.

Eine zweite Gruppe bilden die organischen Farben, die aus pflanzlichen oder tierischen Rohstoffen aufbereitet werden und vorwiegend Färbereizwecken dienen. Bekannte Farben wie Indigo, Krapp, Blauholz, Koschenille, Orseille usw. gehören dazu.[96] Diese Farben wurden gänzlich ersetzt durch eine dritte Gruppe, die Teerfarben, die als Teerderivate zu den Kohlenwasserstoffen gehören. Bekannt geworden sind die Farben Mauvein, Fuchsin, Aldehydgrün, Hofmansviolett, Anilinschwarz, Jodgrün und Alizarin.[97]

Verkohlungsprodukte verschiedener Art bilden eine weitere Gruppe und werden zusammengefaßt unter dem Namen Schwärze.[98]

Schließlich sind als letzte Gruppe die Lacke und Firnisse zu erwähnen, deren Ausgangsstoffe verschiedene Öle und Harze sind und die deshalb in Statistiken des 19. Jahrhunderts zur Kategorie der Heiz- und Leuchtstoffe, Fette, Öle, Harze und Firnisse gezählt werden.[99]

Die in der chemischen Industrie allgemein zu beobachtende intensive Verflechtung der verschiedenen Zweige, hauptsächlich aufgrund der Kuppelproduktion, ist in der Farbenindustrie weniger deutlich zu finden. Die Ausgangsstoffe der einzelnen Farbengruppen haben so unterschiedliche chemische Eigenschaften, daß sich relativ unabhängige Zweige der Farbenindustrie herausbildeten und durch die oben angeführte Klassifikation eine zutreffende Abgrenzung möglich ist. Die größte Bedeutung für die Rheinlande hatten dabei zweifellos die Mineral- und die Teerfarbenindustrie. Organische Farben, Schwärze und Ruß wurden nur von wenigen Betrieben hergestellt, während Firnisse und Lacke als typische Produkte von Kleinstbetrieben, sogenannten Firnis- oder Lackkochereien, v.a. im Köln-Bonner Raum, in Düsseldorf und Barmen erzeugt wurden.[100]

[96] H. Schultze, Entwicklung der chemischen Industrie, S. 156.

[97] L.F. Haber, The Chemical Industry, S. 80 ff.; J.J. Beer, German Dye Industry, S. 32 f.

[98] R. Rose, Mineralfarben, S. 30.

[99] Statistik des Deutschen Reichs, AF, Bd. 34, 1, S. 16 ff.

[100] Vgl. auch für die folgenden Ausführungen Tab. 1, S. 26.

[101] Erläuterungen zur Tab. 1 und zur folgenden Karte: Die Standorte der Farbenproduktion in der Rheinprovinz nach der Anzahl der Betriebe, 1800–1875.
Quelle: Tab. 37 im Anhang, S. 210 ff.
Aufnahmekriterien: Aufgeführt sind alle Betriebe, die zwischen 1800 und 1875 zeitweilig oder ständig existierten. Bei Unternehmen mit mehreren Produktionsstätten sind alle Betriebe aufgeführt. Standortwechsel innerhalb der Rheinprovinz ist in drei Fällen bekannt. Gebrüder Mannes verlegten ihren Betrieb 1829 von Altenberg nach Kunstfeld bei Dünnwald, Leverkus 1861 von Wermelskirchen nach Wiesdorf (Leverkusen), Carl Diederichs 1870 von Goldenberg nach Düsseldorf. Die Betriebe wurden an beiden Standorten in der Übersicht und in der Karte berücksichtigt. Die Gesamtzahl in Klammern schließt die Doppelzählung ein.

[102] Mit Cleverthal, Heidt.

[103] Mit Endenich.

[104] Mit Oberbilk, Lohausen, Pempelforth.

[105] Mit Ruhrort.

[106] Mit Bayenthal, Deutz, Dünnwald und Kunstfeld bei Dünnwald, Ehrenfeld, Longerich, Merheim, Melaten, Mülheim, Müngersdorf, Nippes, Raderthal, Riehlau bei Riehl, Sülz.

Tab. 1: Die Standorte der Farbenproduktion in der Rheinprovinz nach der Anzahl der Betriebe, 1800–1875[101]

	Aachen	Barmen[102]	Bonn[103]	Düsseldorf[104]	Duisburg[105]	Elberfeld	Köln[106]	Krefeld	übrige	Summe
Mineral-farben	4	1	1	4	3	2	24 (25)	1	27 (28)	67
Organ. Farben	1			1						2
Teer-farben		7		1	1	8	2	1	2	22
Schwär-ze, Ruß							6		3	9
Firmis, Lacke		5	6	4 (5)		1	14	1	8	39
nicht eindeu-tig zuzu-ordnen							3			3
Summe	5	13	7	10 (11)	4	11	49 (50)	3	40 (41)	142

Die Standorte der Farbenproduktion in der Rheinprovinz nach der Anzahl der Betriebe, 1800—1875

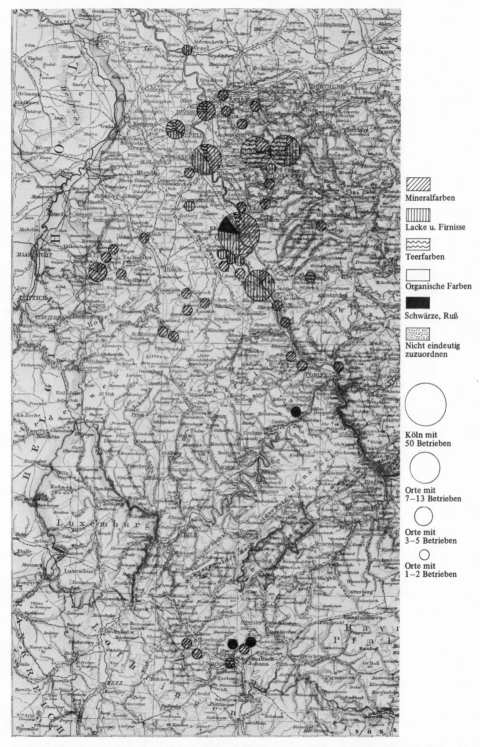

Mineralfarben

Lacke u. Firnisse

Teerfarben

Organische Farben

Schwärze, Ruß

Nicht eindeutig
zuzuordnen

Köln mit
50 Betrieben

Orte mit
7—13 Betrieben

Orte mit
3—5 Betrieben

Orte mit
1—2 Betrieben

Quellennachweis: Die Grundkarte ist ein Teilausschnitt aus der Karte: Rheinprovinz, Westfalen, Hessen-Nassau, Waldeck und Großherzogtum Hessen in Richard Andree's Allgemeiner Handatlas, Bielefeld/Leipzig 1881, S. 30/31.

Damit ist die Frage der Standorte in der Farbenindustrie angesprochen. Der genaue Standort konnte im Rahmen dieser Untersuchung für 142 Betriebe der Farbenindustrie festgestellt werden. Listet man die Standorte mit drei und mehr Betrieben tabellarisch auf, lassen sich unschwer acht Zentren der Farbenindustrie erkennen. Es handelt sich um die Städte Aachen, Barmen, Bonn, Düsseldorf, Duisburg, Elberfeld, Köln und Krefeld mit ihren heutigen Stadtteilen. Zwei Drittel der Betriebe der Farbenindustrie sind damit an relativ wenigen Standorten konzentriert. Es sind an erster Stelle Betriebe der Mineralfarben-, der Teerfarben-, Firnis- und Lackproduktion. Mit 50 Betrieben ist Köln unter Einbeziehung der heutigen Stadtteile mit Abstand der bevorzugteste Standort im Rheinland. Es folgen Barmen, Düsseldorf, Elberfeld, Bonn, Aachen, Duisburg, Krefeld.

Dabei ist auffallend, daß in Köln vorwiegend Betriebe der Mineralfarbenindustrie und zahlreiche Firnis- und Lacksiedereien bestanden, während es nur sechs Hersteller von Schwärze und Ruß und zwei Betriebe der Teerfarbenindustrie gab. Barmen und Elberfeld dagegen waren eindeutig die Zentren der jüngeren Teerfarbenindustrie. Aachen wiederum war ein bevorzugter Standort der Mineralfarbenherstellung und hatte einen Betrieb des Zweiges organische Farben. Dies scheint den Schluß zuzulassen, daß traditionelle Zweige der Farbenindustrie Handels-und Gewerbestandorte der Rheinlande bevorzugten, während die erst in der zweiten Hälfte des 19. Jahrhunderts entstehende Teerfarbenindustrie sich außerhalb der traditionellen Zentren niederließ. In diesem Fall scheint die ansässige Textilindustrie und die Nähe zum Kohlenbergbau für die Wahl des Standortes zumindest mit entscheidend gewesen zu sein. Die Verlagerung der Produktionsstätten für Teerfarben an die großen Flüsse, an den Rhein, gehört nicht mehr in unseren Untersuchungszeitraum. Sie wurde veranlaßt durch die notwendigen Erweiterungen der Fabrikanlagen, dem damit steigenden Wasserbedarf und Abwasserproblem und den erleichterten Transport der Rohstoffe und Fertigprodukte.[107]

Die reiche Palette der im Rheinland hergestellten Farben ergab sich aus der vielseitigen Rohstoffbasis, der günstigen verkehrsgeographischen Lage der Rheinlande und einem traditionellen Textil-, Färberei-, Papier-, Glas- und Porzellangewerbe mit industriellem Ausbau seit der ersten Hälfte des 19. Jahrhunderts.

Primär rohstofforientiert war die Mineralfarbenherstellung in den Rheinlanden. Verschiedenartige Tonerden in der Eifel und im Westerwald ließen

---

[107] F. Redlich, Teerfarbenindustrie, S. 25 f.

eine Reihe von meist kleineren Erdfarbenwerken verstreut an den Fundorten der Rohmaterialien entstehen. Der Betrieb dieser Werke geschah teils im Nebenerwerb. So wurden Zinnober bis etwa 1820 in Weinsheim bei Bad Kreuznach, Rötel bis in die 60er Jahre in mehreren Orten bei Saarbrücken, Brauneisenstein in der Trierischen Gegend und Braunstein in der Eifel (Dalbenden, Kommern) gewonnen. In Kommern wurde außerdem ein roter Ton, der rote Bolus, gefördert und für die Papierindustrie aus feinem Gips das weiße Lenzin geschlemmt. Aus Köln kam das sogenannte "Kölnisch Braun", hergestellt aus Braunkohle. Der Ockerbedarf wurde während des ganzen 19. Jahrhunderts hauptsächlich durch Lieferungen aus Hessen-Nassau gedeckt, wenn auch seit den 50er Jahren im Ahrtal bei Ringen und seit 1874 im Ruwergebiet Ockergruben ausgebeutet wurden.[108] Der Kupfer- und Bleibergbau, v.a. in der Eifel, war teilweise mit der Farbenproduktion verbunden. Aus Erzen und metallhaltigen Grubenwässern wurden Berggrün und Bergblau, im Handel auch als Neuwieder Blau, Chromgelb und Schweinfurther Grün erzeugt.[109]

Auf der rheinischen Eisenvitriolherstellung aufbauend, entstand die für den Tuchdruck wichtige Berlinerblauproduktion. Herstellungsbetriebe fanden sich seit 1780 in Sulzbach bei Saarbrücken, dann in Kunstfeld bei Dünnwald/Köln, in Aachen, Krefeld, Koblenz, im Bergischen Land und im Hunsrück. Das Blau diente auch zum Färben von Stärkemehl (= Neublau), das in den Dürener und Bergisch-Gladbacher Papiermühlen verwandt wurde. Als Standortfaktoren für die Produktion von Berlinerblau waren außer der Nähe zur Kohle als dem Gewichtsverlustmaterial (Kohle: blausaurem Kali = 7:1) und zum Absatz eine Lage fernab von menschlichen Siedlungen wegen des üblen Geruchs bestimmend.[110]

Die Mineralfarbe Smalte, die zum Färben von Kristall- und Schmelzgläsern, zum Dekor verschiedener Porzellan-, Fayence- und Steingutwaren, zur Pastell-, Wasser- und Ölmalerei und zum Bläuen von Wäsche, gebleichter Garne und Bänder sowie von Papier diente[111], wurde aus Kobalterz gewonnen, das aus den Gebieten Altenkirchen, Waldbröl und vor allem aus dem Siegerland bezogen wurde. In Dattenfeld an der Sieg stellte man schon seit dem 18. Jahrhundert Smalte her. Die größten rheinischen Produktionsstätten im 19. Jahrhundert aber befanden sich bei Werden und Steele an der Ruhr. Kuske führt daneben fünf Kölner Smaltefabriken an, die bereits seit der französischen Zeit bestanden haben sollen.[112] Walter meint, daß die Kölner Firmen in

[108] B. Kuske, Die übrigen Industrien, S. 452 f.; G.A. Walter, Mineralfarbenindustrie, S. 27 ff.
[109] B. Kuske, Die übrigen Industrien, S. 452.
[110] Ebd., S. 453; G.A. Walter, Mineralfarbenindustrie, S. 55 ff.
[111] H. Rößler, Mainzer Industrieausstellung 1842, S. 293 f.; G.A. Walter, Mineralfarbenindustrie, S. 53.
[112] B. Kuske, Die übrigen Industrien, S. 452; J. Kermann, Manufakturen, S. 445.

erster Linie Handel mit Smalte betrieben, höchstens durch weiteres Sieben und Schlämmen verschiedene Smaltesorten herstellten.[113]

Seit den 40er Jahren ersetzte das künstliche Ultramarin allmählich Smalte und teils Berlinerblau, ebenso die aus Lapislazuli gewonnenen teuren Tüncher- und Malerfarben. Die Ultramarinfabrikation erforderte Kaolin, Soda oder Schwefel, bestimmte Tonsorten und Kohle für den langen Brennvorgang. Während die Materialorientierung seit den 50er Jahren im Zuge steigender Rohstoffkosten an Bedeutung gewann, war die Aufbauphase dieser Produktion mehr durch Lösungsversuche chemisch-technischer Probleme und damit das Erfordernis guter Fachkenntnisse und Fachkräfte gekennzeichnet.[114] Die nach Aufhebung des Leverkus-Patents zwischen 1848 und 1865 gegründeten Ultramarinfabriken in der Rheinprovinz lagen sowohl für die Beschaffung von Steinkohle und Soda wie für den Absatz günstig in Düsseldorf, Duisburg und Ruhrort. Für den Standort Andernach sprachen die nahegelegenen Tongruben und der Transportweg Rhein. Die Vorteile der Rheinlage waren auch ausschlaggebend für Leverkus, sein Unternehmen 1861 von Wermelskirchen nach Wiesdorf zu verlegen.[115]

Günstige Standortfaktoren bestanden im Rheinland für die ausgesprochenen Metallfarben Bleiweiß und Zinkweiß. Reiche Bleierzlager, die sich linksrheinisch vor allem in vielen Orten in der Eifel, aber auch bei Trier und St. Goar sowie rechtsrheinisch bei Neuwied, Altenkirchen, im Siegkreis und im Kreise Mülheim/Rhein befanden, bildeten die Grundlage für das Entstehen der rheinischen Bleiweiß- und Mennigeherstellung. Nach Aufhebung der Kontinentalsperre wurde auch englisches Blei eingeführt und damit eine bessere Qualität des Endproduktes ermöglicht, denn die Verunreinigungen des rheinischen Bleis verursachten unerwünschte Farbtönungen. Erst als in den 1840er Jahren in Stolberg neue Erzgruben erschlossen und Verfahren zur Entsilberung des Bleis entwickelt worden waren, sanken die Importe von ausländischem Blei wieder. Eine weitere günstige Voraussetzung für die Bleiweißherstellung lag in der traditionellen, auf dem Weinhandel beruhenden Essigherstellung. Auf dieser Basis entwickelte sich schon 1810 eine Bleiweißproduktion in Köln, seit den 20er Jahren folgten Betriebe in den Reg. Bezirken Köln, Düsseldorf, Koblenz und Trier, die z. T. aber nach wenigen Jahren bereits wieder geschlossen wurden. Gelegentlich wurde die Produktion von Bleiweiß auch an die bei der Branntweinbrennerei freigesetzte Kohlensäure oder an natürliche Kohlensäurevorkommen angegliedert. Köln mit seinen heutigen Stadtteilen entwickelte sich um 1850 zum Zentrum der rheinischen Bleiweißindustrie.[116]

In direktem Zusammenhang mit der Verhüttungsindustrie stand die Fabrikation von Zinkweiß. Diese basierte auf der 1836 bei Stolberg und 1845 bei

---

[113] G.A. Walter, Mineralfarbenindustrie, S. 51 f.

[114] E. Schmauderer, Ultramarin-Fabrikation, S. 130 ff.

[115] Ebd., S. 143; G.A. Walter, Mineralfarbenindustrie, S. 69 f.

[116] G.A. Walter, Mineralfarbenindustrie, S. 84–87; B. Kuske, Die übrigen Industrien, S. 453 f.

Mülheim/Ruhr aufgenommenen Rohzinkfabrikation und hatte somit weitgehend vorgegebene Standorte. 1849 produzierte die Zinkhütte Rochaz & Co. in Eppinghofen bei Mülheim/Ruhr das erste Zinkweiß im Rheinland, später kamen Werke in Oberhausen, dem Aachener Revier und Köln hinzu. Im Eppinghofener Werk wurden neben heimischen Zinkerzen bald Zinkblende aus Bensberg, Mayen und Uckerath, Galmei aus Moresnet und Wiesloch/Baden (seit 1856) sowie ab 1858 auch spanische Erze verarbeitet.[117] Die Kohlenbeschaffung bereitete sowohl in Eppinghofen als auch in Oberhausen keine Probleme.[118] Die übrigen Metallfarben wie Zinkgelb, Arsenkupferfarben, Chrom- und Bronzefarben waren in allen Fällen Nebenprodukte und deshalb hinsichtlich des Standortes an das Hauptprodukt gebunden.

Die Farbe Blancfixe, die im Gegensatz zu Bleiweiß nicht durch Schwefelwasserstoff angegriffen und geschwärzt wird, war seit etwa 1830 im Handel. Die an sie geknüpften Erwartungen, daß sie Bleiweiß und Zinkweiß verdrängen werde, erfüllten sich aber wegen ihrer geringen Deckkraft und Wetterfestigkeit nicht. Dennoch fand Blancfixe in der Tapeten-, Buntpapier-, Kartenherstellung und später in der Farblackindustrie Verwendung.[119] Diese Industrien induzierten in den 50er Jahren neben den Zentren Berlin und Charlottenburg auch im Rheinland die Gründung von Blancfixebetrieben. Standorte der rheinischen Produktion waren Köln mit drei sowie Stolberg und Barmen mit je einem Unternehmen.[120] Es wurde hier aber kaum der einheimische Schwerspat verarbeitet, sondern der aus dem Ausland bezogene Witherit, der eine qualitativ bessere und säurefreie Farbe lieferte.[121]

Die Aachener Farbenindustrie war wesentlich auf das ansässige Textilgewerbe ausgerichtet. Neben Mineralsubstanzen wurden hier auch Rohstoffe kolonialen Ursprungs verarbeitet, die über die niederländischen Häfen ins Land kamen, ein weiterer Standortvorteil für Aachen und die Rheinlande.[122] Den Anschluß an die Teerfarbenindustrie konnte die Stadt wegen ihrer ungünstigen Wasserverhältnisse und geographischen Lage nicht finden. – Auf die Zufuhr exotischer Hölzer und Leinsamenöl über die Nordseehäfen war ebenso die Lack- und Firniskocherei angewiesen.

Rohstoffversorgung und Abnehmerindustrien waren auch schon für die Teerfarbenindustrie im Wuppertaler Raum als standortbestimmende Faktoren konstatiert worden. Daneben wurden Teerfarben in Schanzenberg bei Trier

---

[117] G.A. Walter, Mineralfarbenindustrie, S. 124 ff.; B. Kuske, Die übrigen Industrien, S. 455.

[118] C.C. Christiansen, Chemische und Farbenindustrie, S. 83.

[119] G. von Viebahn, Statistik des zollvereinten und nördlichen Deutschlands, Teil 3, S. 842; G.A. Walter, Mineralfarbenindustrie, S. 133; B. Kuske, Die übrigen Industrien, S. 455.

[120] G.A. Walter, Mineralfarbenindustrie, S. 133 ff.; B. Kuske, Die übrigen Industrien, S. 455.

[121] B. Kuske, Die übrigen Industrien, S. 455; G.A. Walter, Mineralfarbenindustrie, S. 133 ff.

[122] G.A. Walter, Mineralfarbenindustrie, S. 37.

und in Longerich bei Köln hergestellt.[123] In Köln und Duisburg entstanden schließlich zwei Unternehmen, die sich mit der Produktion von Anilinöl und Anilinfarben beschäftigten.[124] Das Duisburger Unternehmen war das erste in unmittelbarer Nähe des Rohstoffes Kohle. Bevor Steinkohlenteer als Nebenprodukt der trockenen Destillation der Steinkohle in großen Mengen zur Verfügung stand, mußte Teer aus den holzreichen Ländern wie Schweden und Rußland eingeführt werden. Der Kohlenteer kam ebenso wie die Derivate Benzin, Anthracen und Anilin vorwiegend aus Großbritannien. Noch 1876 erreichte die Einfuhr von Teer, Teer- und Mineralölen, Benzin und Karbolsäure das Dreifache der Ausfuhr.[125]

Die vorindustrielle Produktion von Schwärze und Ruß auf der Basis von verkohlten Knochen, Reben und anderen organischen Materialien war bis in die 30er Jahre hauptsächlich im Regierungsbezirk Trier angesiedelt und verlagerte sich später zu der im Kölner Gebiet entstehenden Benzolchemie.[126]

Generell galten für die Standortwahl der Farbenindustrie eine Rohstoff-Absatz-Orientierung und das Vorhandensein von Wasser, geeigneter Transportwege für Massengüter und ausreichenden, am Rande von Wohngebieten gelegenen Fabrikationsgeländes zum Schutz der Umgebung vor Geruchsbelästigung und Vergiftungsgefahren, also ähnliche Bedingungen wie bei der chemischen Industrie insgesamt.

Die entscheidenden Nachfrager für die Farbenindustrie waren und sind das Textil- und Baugewerbe, so daß wir auf deren Entwicklung etwas näher eingehen. Trotz struktureller und betriebsorganisatorischer Veränderungen war die erste Hälfte des 19. Jahrhunderts für den Textilbereich mit Ausnahme des Leinengewerbes eine Zeit des Wachstums. Dies traf besonders für die Baumwollspinnerei zu, die schon während der französischen Zeit eine günstige Entwicklung nahm. Deutliche Wachstumsschübe beobachten wir in der Baumwollspinnerei und -weberei in den 1820er/30er und 1850er Jahren und dann wieder 1882–1913. Hierfür sprechen die Produktionszahlen, die in der Spinnerei von 1963 t (1815) auf 11.615 t (1844/48), 53.473 t (1860) und 90.844 t (1871) stiegen, in der Weberei sich von 1800 t (1800) auf 31.100 t (1844/48), 71.211 t (1860) und 103.342 t (1871) erhöhten.[127] Diese Entwicklung wurde unterbrochen durch die Krisen der 40er und 50er Jahre, weit stärker

[123] Gebr. Appolt, Schanzenberg; Ph. Greiff, Longerich; vgl. HStA D., Reg. Köln 8855, fol. 100 ff.; G.A. Walter, Mineralfarbenindustrie, S. 58 f.
[124] J.W. Weiler, Köln; Siegle & Co., Duisburg; vgl. C. Eberhardt, Chemische Fabriken vorm. Weiler-ter-Meer, o.p.
[125] Vgl. S. 79.
[126] Vgl. J. Kermann, Manufakturen, S. 453; G. Adelmann, Der gewerblich-industrielle Zustand, S. 18 f., 190 f., 220 f.; J.A. Demian, Statistisch-politische Ansichten, S. 86; HStA D., BA Düren 431, fol. 260 f., 270 f.; s. Tab. 1, S. 26.
[127] K.H. Kaufhold, Handwerk und Industrie 1800–1850, S. 329 ff.; G. Kirchhain, Baumwollindustrie, S. 29 f.

aber durch die unterbundene Rohstoffzufuhr während des amerikanischen Bürgerkrieges (1861–1865).[128]

Im Zuge dieser Entwicklung nahm die Wollverarbeitung im Textilsektor den zweiten Platz ein. Die Absatzsituation dieses Gewerbezweiges wurde im 19. Jahrhundert durch einen nach wie vor hohen und seit den 1830er Jahren zunehmenden Exportanteil (1852 = 25 %, 1858 = 27 %, 1864 = 29 %) sowie einen erstarkenden Binnenmarkt charakterisiert, was aber auch eine relativ hohe Abhängigkeit von Schwankungen auf dem Welt-, u.a. dem USA-Markt bedeutete.[129] Nach Absatzschwierigkeiten der Wollweberei auf den ausländischen und deutschen Märkten in den 1820er Jahren kam es seit dem vierten Jahrzehnt zu einer Belebung.[130] Die deutsche Wollwarenproduktion erhöhte sich zwischen 1834 und 1870 von 277.400 Ztr. auf 1.072.500 Ztr., wobei das stärkste Wachstum in den 30er, 50er und in der ersten Hälfte der 60er Jahre zu verzeichnen war.[131] Konjunkturell schlechte, krisenhafte Jahre (1836/37, 1846/47, 1857–1859 und 1865/66–1868/69) unterbrachen den Trend.[132]

Auch in der rheinischen Seiden- und Halbseidenindustrie erhöhte sich die Produktion im untersuchten Zeitraum, wie aus der Entwicklung der Webstühle zwischen 1816 und 1858 von 5.534 auf 32.970 geschlossen werden darf. Allein die Zahl der für Krefelder Firmen arbeitenden Webstühle stieg nochmals von 1867–1872 von 20.449 auf 33.310.[133]

Über die Entwicklung des Baugewerbes als Abnehmer der Farbenindustrie in der ersten Hälfte des 19. Jahrhunderts liegen keine Angaben vor. Nur indirekt kann aus der Bevölkerungsentwicklung, dem anlaufenden Industrialisierungs- und Verstädterungsprozeß[134] in Deutschland und vor allem in der gewerbereichen nördlichen Rheinprovinz mit den vielfältigen Baumaßnahmen auf eine Ausdehnung des Gewerbes geschlossen werden. Mit einem Anstieg des Beschäftigtenanteils des Bauhandwerks im Rahmen des preußischen Handwerks von 12,4 % (1816) auf 17,5 % (1846) gehörte es neben dem holzverarbeitenden Gewerbe zu den überproportional expandierenden Sektoren.[135]

Diese Entwicklung setzte sich in der zweiten Jahrhunderthälfte verstärkt fort. Bevölkerungsschwerpunkt wurde u.a. die rheinisch-westfälische Industrielandschaft. In der Rheinprovinz stieg die Bevölkerung zwischen 1871 und 1900 von 3,5 auf 7,1 Millionen; 1910 wies die Region den höchsten Verstädterungsgrad (75 %) auf.[136] Die durchschnittliche jährliche Wachstums-

[128] G. Kirchhain, Baumwollindustrie, S. 29 f., 66.
[129] H. Blumberg, Textilindustrie, S. 210 ff., 221;
[130] Ebd., S. 149 ff.
[131] Ebd., Tabelle 8, S. 386.
[132] Ebd., S. 158, 170, 194, 205, 239, 273 ff.
[133] H. Lehmann, Textilindustrie, S. 404 f; Hae-Bon Chung, Seidengewerbe, S. 99 ff.
[134] W. Köllmann, Bevölkerungsgeschichte, S. 11, 14. Die Wanderungsüberschüsse der Rheinprovinz beliefen sich zwischen 1817 und 1846 auf 155.325. H. Kellenbenz, Wirtschafts- und Sozialentwicklung, S. 17 f.
[135] K.H. Kaufhold, Handwerk und Industrie 1800–1850, S. 325 f.
[136] W. Köllmann, Bevölkerungsgeschichte, S. 18 ff.

rate des Baugewerbes lag nach Hoffmann zwischen 1850 und 1913 bei 3,3 %. Dabei zeigen die von ihm ermittelten Zahlen über die Investitionen im Wohnungsbau die für diesen Wirtschaftszweig typische, konjunkturgegenläufige Tendenz. In Phasen allgemeiner Hochkonjunktur zeigten sie deutlich Einbrüche (1854–1856, 1869–1872), während sie dann in der Krise oder in konjunkturell schwächeren Zeiten bereits wieder anstiegen.[137]

---

[137] W.G. Hoffmann, Wachstum, S. 63, 259; E. Pohle, Wohnungsverhältnisse, S. 12; K. Borchardt, Wirtschaftliches Wachstum, S. 262.

2. TECHNISCHE NEUERUNGEN IN DER FARBENINDUSTRIE

2.1. DER STAND DER VORINDUSTRIELLEN TECHNIK

Mineralfarben entstanden nach einfacher mechanischer Bearbeitung des Rohstoffes durch Mahlen und Schlämmen oder in chemischen Reaktionen.

Die wichtigsten weißen Erdfarben wurden aus Kreide (Kalziumkarbonat), Schwerspat (Bariumsulfat) oder Kaolin hergestellt, bunte Erdfarben aus Graphit, Braunkohle oder Mineralien mit Metallen wie Eisen, Chrom, Kupfer, Mangan usw. Ein Beispiel ist der Ocker, dessen Farbe vom Eisenhydroxydgehalt herrührt und der durch Erhitzen die Farben von gelb bis rot lieferte. Einen geringeren Ton- und höheren Eisenoxydgehalt hatte der rote Bolus, eine billige Malerfarbe. Zinnober, die feinste rote Farbe, stellte eine Verbindung von Schwefel und Quecksilber dar; eine dauerhafte rote Farbe entstand beim Zermahlen des Roteisensteins. Eisenrot (Caput mortuum) war als Eisenoxyd keine eigentliche Erdfarbe, sondern vielfach Abfallprodukt der rauchenden Schwefelsäurefabrikation und der Alaunherstellung.[1] Zu den braunen Erdfarben zählten Umbra, ein erdiger Toneisenstein, der im natürlichen wie gebrannten Zustand als Öl- und Wasserfarbe diente, und Brauneisenstein. Eine bekannte braune Farbe hieß Kölner Braun, eine Braunkohlenart, die in den Braunkohlenfeldern zwischen Brühl und Bonn lagerte und aus der durch einen einfachen Schlämmprozeß der Farbstoff gewonnen wurde.[2] Die grünen und blauen Erdfarben bestanden aus Kalium oder Magnesium enthaltenden Eisenoxydulsilikaten oder waren Verwitterungsprodukte des Kupfersulfids. Die Erdfarbenherstellung erstreckte sich also außer auf den Abbau der Erden im Prinzip auf das Zerkleinern, Sieben, Schlämmen oder Brennen des Materials. Im einzelnen richtete sich dabei das Verfahren nach der Beschaffenheit der Roherden.

Die blaue Farbe Smalte war ein fein gemahlenes Kobaltkaliumglas, das aus geröstetem Kobalterz, Quarz und Pottasche hergestellt wurde. Die bekannte Tatsache, daß Kobalt Glas blau färbt, benutzte erstmalig der Glasmacher Chr. Schürer 1540. Er pulverisierte das mit Kobalt versetzte Glas und erhielt einen blauen Farbkörper.[3] Am Anfang des Smaltegewinnungsprozesses stand die Röstung der aufbereiteten Erze zur Verflüchtigung des im Kobalterz enthaltenen Arsens. Die gerösteten Erze wurden dann mit naßgepochtem Quarz und reiner Pottasche eingeschmolzen, die Schmelze abgeschreckt, zerkleinert,

---

[1] H. Schultze, Entwicklung der chemischen Industrie, S. 127; G.A. Walter, Mineralfarbenindustrie, S. 6.

[2] G.A. Walter, Mineralfarbenindustrie, S. 7.

[3] Ebd., S. 18; ausführliche Beschreibung bei St. Jacob, Vor- und Frühindustrie, S. 145–161.

gesiebt, naß gemahlen, mehrfach geschlämmt und in verschiedener Feinheit auf den Markt gebracht. Die Verwendung der Smalte in der Fresko- und Porzellanmalerei, zum Bläuen des Papiers, der Wäsche und des Zuckers zeigt den vielseitigen Einsatz und die Bedeutung dieser Farbe vor der Entwicklung des künstlichen Ultramarins.[4]

Eine andere Farbe, Berlinerblau, wurde 1704 von dem Berliner Farbenfabrikanten J. C. Diesbach entdeckt, als dieser zur Herstellung von Florentiner-Lack Koschenille mit Alaun und Eisenvitriol abkochte und Kali hinzufügte.[5] Die Ausgangsstoffe für die Herstellung von Berlinerblau bildeten also Eisenvitriol und blausaures Kali. Das blausaure Kali (gelbes Blutlaugensalz, Gelbkali, Ferrocyankalium) entstand bei der Verkohlung von Horn, Wolle oder Lederabfällen unter Zugabe von Eisen in glühender Pottasche. Der Energieeinsatz war beträchtlich: Zur Herstellung von einer Tonne blausaurem Kali wurde die siebenfache Menge Steinkohle benötigt. Die Farbe entstand dann dadurch, daß das Ferrocyankalium mit Ferrisalz oder Eisenvitriol gefällt wurde, bis es einen weißen Niederschlag bildete, das sogenannte Berlinerweiß, das durch Oxydation einen blauen Farbton bekam. Bis zur Verbreitung des Ultramarins und der Anilinfarben, aber auch darüberhinaus, fand Berlinerblau Anwendung im Papier- und Tapetendruck, als Aquarell-, Leim- und Wollfarbe.[6]

Bleiweiß ist eine Metallfarbe und hat entweder das Metall selbst oder dessen Oxyd als Ausgangsstoff, d.h. Produkte der Hüttenindustrie. Zugesetzt werden Essig und Kohlensäure. In der chemischen Zusammensetzung ist Bleiweiß ($2PbCO_3$ Pb $(OH)_2$) basisches Bleikarbonat, eine chemische Verbindung von Bleihydroxyd und Bleikarbonat. Es war außerordentlich deckkräftig und wetterfest, zugleich aber giftig und bildete mit Schwefelwasserstoff aus der Luft schwarzes Bleisulfid.[7]
Die in der Frühindustrialisierung bekannten Herstellungsverfahren waren das holländische oder Loogenverfahren und das deutsche oder Kammerverfahren. Nach dem herkömmlichen holländischen Verfahren befanden sich hölzerne, kreuzförmige Gestelle in walzenförmigen, irdenen Töpfen. Sie nahmen in der Höhe etwa ein Viertel der Gefäße ein, die bis dahin mit Essig aufgefüllt wurden. Auf die Gestelle wurden im oberen Teil der Töpfe dann spiralförmige, dünne Bleiplatten gelegt, die Töpfe mit losen Deckeln verschlossen und in einer Kammer, der Looge, reihenweise aufgestapelt. Sehr aufwendig war bei diesem Verfahren das Auffüllen der Zwischenräume mit Pferdemist oder Gerberlohe. Da bei der einsetzenden Gärung der Lohe oder des Mists Wärme frei wurde, verdunstete die Essigsäure in den Töpfen, und das Blei verwandelte sich in basisch-essigsaures Blei. Bei gleichzeitiger Einwirkung

---

[4] F. Rose, Mineralfarben, S. 278; St. Jacob, Vor- und Frühindustrie, S. 157 ff.
[5] F. Rose, Mineralfarben, S. 226 ff; G.A. Walter, Mineralfarbenindustrie, S. 56.
[6] F. Rose, Mineralfarben, S. 235 f; G.A. Walter, Mineralfarbenindustrie, S. 20.
[7] H. Schultze, Entwicklung der chemischen Industrie, S. 132 f.

der Gärungskohlensäure wurde in einem Zeitraum von vier bis fünf Monaten das gesamte basisch-essigsaure Blei in basisch-kohlensaures Blei überführt. Das Bleiweiß konnte dann durch Schlagen oder Walzen vom Rest der Bleirollen entfernt werden. Außer seiner langen Dauer und einer hohen Arbeitsintensität war der Hauptnachteil dieses jahrhundertealten Verfahrens die Unkontrollierbarkeit des Vorgangs und die beim Gärprozeß entstehenden Schwefelwasserstoffgase, die das Bleiweiß schwärzten.[8]

Eine Verbesserung in dieser Hinsicht brachte das deutsche Kammerverfahren, das 1756 Michael Ritter v. Herbert in seinem Bleiweißbetrieb in Klagenfurt erstmalig anwendete. Dabei hängte man gegossene Bleiplatten in eine große, begehbare Kammer und bereitete in einem Nebenraum Essigsäuredämpfe und Kohlensäure. Die Kohlensäure wurde anfänglich aus gärendem Obst und Weinreben gewonnen und mit den Essigsäuredämpfen durch Kanäle von unten in die Kammer geleitet, wo der gleiche chemische Umsetzungsprozeß stattfand wie beim herkömmlichen Verfahren. In ungefähr acht Wochen bildete sich ein reines Bleiweiß, das auch Kremserweiß hieß.[9] Die Durchsetzung dieses Verfahrens erfolgte in den Rheinlanden erst in modifizierter Form seit den 1860er Jahren.[10]

Die Aufbereitung von pflanzlichen und tierischen Rohstoffen zur Herstellung von organischen Farbstoffen für Färbereizwecke wurde zum größten Teil in den Produktionsländern ausgeführt. Die Farbmaterialien wie Indigo, Krapp, Blauholz, Koschenille, Orseille u.a. bildeten also bis in die zweite Hälfte des 19. Jahrhunderts keine eigentliche Industrie, sondern waren in der Hauptsache Handelsprodukte. Vereinzelt wurden in den Rheinlanden Farbhölzer durch Raspeln, Zermahlen oder durch Extraktion des Farbstoffs verarbeitet. Dazu kochte man feingeraspelte Hölzer mit Wasser und ließ die Extrakte in Vakuumapparaten auf die erforderliche Konzentration verdampfen oder völlig trocknen. Das geschah vielfach in den Färbereien selbst und nur das Zerkleinern der z.T. harten Farbhölzer wurde selbständigen Farbholzmühlen überlassen.[11]

Die vorindustrielle Produktion von Farben kann damit prinzipiell auf einige wenige Vorgänge wie Rösten, Brennen, Auslaugen, auf die chemische Umsetzung einzelner Stoffe in wärmeenergetischen Prozessen und auf Kristallisations-, Reinigungs- oder Zerkleinerungsvorgänge zurückgeführt werden. Häufig wurden maschinelle Produktionsmittel wie Mahl-, Stampf- oder Walzmühlen eingesetzt, die durch Menschen-, Tier- oder Wasserkraft betrieben wurden und einer Produktionsausweitung natürliche Grenzen setzten.

[8] G.A. Walter, Mineralfarbenindustrie, S. 10 f.
[9] Ebd., S. 11; vgl. ZStA Merseburg, Rep. 120, D XVII–1–4, Bd. 1, fol. 130 ff.
[10] R. Schaumann, Technik und technischer Fortschritt, S. 227–233.
[11] H. Schultze, Entwicklung der chemischen Industrie, S. 156.

2.2. BASISINVENTIONEN UND -INNOVATIONEN

2.2.1. VERFAHRENSBESCHREIBUNG

Die technische Entwicklung bei der Produktion von Mineralfarben, organischen Farben, Lacken und Firnissen verlief äußerst unterschiedlich. Keine technischen Veränderungen zeigt die Herstellung von Erdfarben, Lacken und Firnissen. Entscheidende Produkt- und Prozeßinnovationen erfolgten aber bei der Produktion von Metall- und organischen Farben.[12]

Eine erste Neuerung veränderte die Herstellung der Metallfarbe Bleiweiß. Das 1801 entwickelte sogenannte französische Verfahren hatte gegenüber den herkömmlichen Methoden den großen Vorteil, daß es keinen gesundheitsschädigenden Bleistaub entstehen ließ und die bisher lange Prozeßdauer wesentlich verkürzte. Bleiglätte (PbO), das Oxyd des metallischen Bleis, kochte man nach diesem Verfahren in einer Bleizuckerlösung,[13] blies durch die filtrierte Flüssigkeit Kohlensäure und fällte dabei Bleiweiß aus. Das geschah so rasch, daß in wenigen Stunden jede gewünschte Menge Bleiweiß hergestellt werden konnte. Es hatte jedoch gegenüber dem traditionellen Bleiweiß eine geringere Deckkraft und war weniger wetterfest. Diese Nachteile ließen sich nicht umgehen, da das Niederschlagsbleiweiß chemisch ein Gemenge und keine Verbindung von Bleikarbonat und Bleihydroxyd bildete.[14] Außer der Zeitersparnis und der verminderten Gefährlichkeit brachte das Verfahren den Vorteil, daß das Bleiweiß in der entstehenden, kristallinen Form direkt in den Handel gehen konnte. Die neue Methode setzte sich aber weder in Frankreich durch, noch hatte sie Erfolg in den Rheinlanden, obwohl die noch Bleioxyd enthaltenden Restwässer der Bleizuckerlösung zur Erhöhung der Wirtschaftlichkeit erneut verwendet werden konnten.[15]

Andere Bleifarben basieren auf den Sauerstoffverbindungen des Bleis. Je nach der Oxydationsstufe erhielt man gelbe Ablagerungen (PbO, Massicot, Glätte, Königsgelb) oder rote (Pb_3O_4, Mennige). Die gelbe Glätte bildete sich entweder als Nebenprodukt der Bleihütten beim Entsilbern des Bleis oder war Vorstufe bei der Gewinnung von Mennige durch die Oxydation von metallischem Blei. Das rote Bleioxyd Mennige wurde nach zwei Methoden hergestellt: Entweder wurde Mennige durch vorsichtiges Glühen von Massicot in einem flachen Ofen unter ständigem Umrühren erzeugt oder durch Glühen von

---

[12] Vgl. R. Schaumann, Technik und technischer Fortschritt, S. 99–108.

[13] Bleizucker oder Bleiazetat ist das neutrale Bleisalz der Essigsäure, das durch Auflösen von Bleiglätte in Essigsäure als weißes, kristallines Salz entsteht. Es wird in Färbereien zur Bereitung der essigsauren Tonerde und als Ausgangsprodukt bei der Bleiweiß- und Chromgelbherstellung gebraucht. In mehreren Bleiweißbetrieben ist Bleizucker ein eigenes Nebenprodukt.

[14] G.A. Walter, Mineralfarbenindustrie, S. 11 f.

[15] HStA D., Reg. Düsseldorf 10749, fol. 27, 36.

Bleiweiß oder Bleikarbonat gewonnen. Die zweite Methode lieferte die feinere Mennigesorte, das Bleirot, Pariserrot, Saturnrot oder Orange-Mennige.[16]

Das im Gegensatz zum Bleiweiß ungiftige Zinkweiß ist ein Oxyd des Zinks. Zur Herstellung dieser Farbe aus Rohzink mußten Zinkblöcke auf über 920°C, den Siedepunkt des Zinks, erhitzt und verdampft werden. Durch Hinzugabe von Luft oxydierte das flüchtige Zink zu weißem Zinkoxyd und konnte in Kondensationskammern niedergeschlagen werden.[17]

Ein anderes Verfahren, das in den Rheinlanden vielfach versucht und angewendet wurde, ersetzte metallisches Zink durch Zinkerz, das dann ebenfalls bis zum Verdampfen erhitzt und in der üblichen Weise niedergeschlagen wurde. Das aus dem ersten Verfahren gewonnene Zinkweiß war teurer, aber auch besser und reiner als das direkt aus Zinkerz gewonnene. Mit dem Aufbau der Rohzinkfabrikation seit 1836 bei Stolberg und Mülheim/Ruhr und der Einführung des Zinkweißes 1845 durch Leclaire in Grenelle bei Paris konnte die rheinische Zinkweißindustrie ihren Anfang nehmen.[18]

Blancfixe (Permanentweiß, Barytweiß) war eine Farbe auf der Grundlage des künstlich gewonnenen schwefelsauren Baryts. Sie hatte als Leimfarbe die gleiche Deckkraft wie Bleiweiß, war aber wesentlich billiger und wurde durch Schwefelwasserstoff nicht geschwärzt. 1830 machte diese Weißfarbe C. F. Kuhlmann aus Lille bekannt. Nach dem ursprünglichen Herstellungsverfahren mußte Schwerspat in gemahlenem Zustand mit pulverisierter Kohle erhitzt und zu Schwefelbarium reduziert werden. Durch Zusatz von Salzsäure führte man das Schwefelbarium in Schwefelwasserstoff und Chlorbarium über und fällte dann mit verdünnter Schwefelsäure das Barytweiß aus.[19]

Mitte der 50er Jahre des 19. Jahrhunderts kam die Gewinnung aus Witherit auf. Durch Salzsäure wurde Witherit, eine kohlensaure Verbindung des Bariums, zu Chlorbarium umgesetzt, dann verdünnte Schwefelsäure zugesetzt bis sich Blancfixe als weißer Niederschlag bildete. Die dabei eingesetzte Salzsäure konnte wiedergewonnen werden. Es war ein einfaches Verfahren, das zudem den Vorteil hatte, daß das Endprodukt immer gleich beschaffen war und ein schönes Weiß lieferte.[20] Nach einer Beschreibung des Kölner Unternehmens Oberreich & Schwenzer wurde Witherit mit verdünnter Salzsäure in hölzernen, mit Deckeln versehenen Bottichen aufgelöst und die auftretende Kohlensäure durch hölzerne Kanäle abgeleitet. Es entstand eine neutrale Chlorbariumlösung, die in Abdampf- bzw. Kalzinieröfen eingedampft und zu Chlorbarium kalziniert werden konnte. Löste man das gewonnene Chlor-

---

[16] G.A. Walter, Mineralfarbenindustrie, S. 17.
[17] Ebd., S. 12 f.; H. Ost/B. Rassow, Technologie, S. 1149.
[18] G.A. Walter, Mineralfarbenindustrie, S. 12 f.
[19] Ebd., S. 13 f.; H. Ost/B. Rassow, Technologie, S. 212.
[20] G.A. Walter, Mineralfarbenindustrie, S. 13 f.

barium mit Wasser auf, brauchte man Blancfixe nur noch mit verdünnter Schwefelsäure oder einem Alkalisulfat niederzuschlagen.[21]

Chromfarben wurden 1809 erstmals von N. L. Vauquelin hergestellt. Das Oxyd des Metalls war 1767 in der Verbindung als Rotbleierz aufgefunden worden. Als Ausgangsstoff hatte die Metallfarbe das chromsaure Kali, das durch Glühen von Chromerz und Pottasche mit anschließender Oxydation in einem Ofen entstand. Dieses chromsaure Kali fällte dann aus einer Bleizucker- lösung Chromgelb aus und lieferte durch abgestuften Zusatz von Schwefel- säure oder Salmiak verschiedene gelbe Farbtöne. Behandelte man Chromgelb mit Ätznatron oder Ätzkali, bildete sich Chromrot, das mit Chromgelb ge- mischt Chromorange ergab.[22] Alle drei Chromfarben hatten eine große Farb- tiefe und hohe Deckkraft und konnten als Wasser-, Öl- und Zeugdruckfarbe eingesetzt werden. Als Bleisalz waren sie wie Bleiweiß giftig und dunkelten durch den in der Luft vorhandenen Schwefelwasserstoff mit der Zeit nach.[23]

Das Chromoxydgrün, eine Schmelzfarbe für Porzellan und Glas, das eben- falls chromsaures Kali als Ausgangsstoff hatte, bildete sich durch Erhitzen von chromsaurem Kali mit Schwefel oder Kohle. Dieses Verfahren ist 1824 erst von Moses entdeckt worden. Mineralgrün, das auch Milori- oder Seidengrün hieß, war dagegen ein Gemisch aus Chromgelb und Pariserblau bzw. Ultrama- rin. Das Seidengrün zeichnete sich dabei durch einen besonderen Glanz aus, den ein Zusatz von Blancfixe bewirkte.[24]

Seit 1830 wurde vermehrt Zinkgelb statt Chromgelb als Malerfarbe einge- setzt. Bei dessen Herstellung verwendete man Zinkweiß, Schwefelsäure und chromsaures Kali. Mischte man Zinkgelb mit Pariserblau, erhielt man Zink- grün, eine Farbe, die an die Stelle der äußerst giftigen Arsenkupferfarbe Schweinfurthergrün treten konnte. Letztere hatte von Mitis 1800 in Wien entdeckt und auf der Basis von Grünspan, Essig und arseniger Säure in Kirch- berg dargestellt. Vielfach ist Schweinfurthergrün auch als Mitis-, Wiener-, Kirchberger-, Neuwieder-, Kaiser-, Neu- oder Papageigrün bezeichnet worden.[25]

Bronzefarben waren im Gegensatz dazu keine chemischen Verbindungen, sondern zerkleinerte Legierungen von Zink, Zinn und Kupfer. Die Legie- rungen dieser Metalle wurden in Stangen gezogen, ausgewalzt und dann zu einem feinen Pulver zerstampft. Je nach der Zusammensetzung erhielt man Farben von gelb bis rot.[26]

---

[21] Der Betrieb von Oberreich & Schwenzer in Köln wurde 1869 konzessioniert, vgl. HStA D., Reg. Köln 8856, fol 202, 209; B. Kuske, Die übrigen Industrien, S. 455; G.A. Walter, Mineralfarbenindustrie, S. 133 f.
[22] F. Rose, Mineralfarben, S. 259.
[23] Ebd., S. 259.
[24] G.A. Walter, Mineralfarbenindustrie, S. 23 f.
[25] Ebd., S. 24; F. Rose, Mineralfarben, S. 140.
[26] H. Schultze, Entwicklung der chemischen Industrie, S. 134.

Die Mineralfarbe Ultramarin war eine seit langem bekannte, durch Glühen, Mahlen und Schlämmen des nicht kristallisierten Lapislazuli in Italien hergestellte wertvolle blaue Malerfarbe. Das Ergebnis einer Analyse von Vauquelin ließ 1823 den Verein zur Beförderung des Gewerbefleißes in Preußen und die Société d' Encouragement 1824 einen Preis für ein Verfahren zur Herstellung dieser Farbe aussetzen.[27]

Das erste unter gewerblich technischen Bedingungen durchführbare Verfahren zur künstlichen Ultramarinerzeugung entwickelten J. B. Guimet 1826/27 und Chr. G. Gmelin, der seine Ergebnisse aus dem Jahre 1826 aber erst 1828 veröffentlichte. Erst 1891 wurde bekannt, daß F. A. Köttig ebenfalls bereits 1828 ein technisch gangbares Verfahren zur Herstellung von Ultramarin in der Meißener Porzellanmanufaktur benutzt hatte.[28] Drei Verfahren bildeten sich bei der Ultramarinherstellung aus: das Sodaverfahren von Guimet, das Sulfatverfahren und das gemischte Soda-Sulfatverfahren. Dementsprechend waren die Rohstoffe Kaolin, Kohle, Schwefel, Harz, Kolophonium oder Steinkohlenteerpech und Soda beim Sodaverfahren bzw. Glaubersalz beim Sulfatverfahren oder ein Gemisch von beiden beim Soda-Sulfatverfahren.

Nach dem Glühen dieses Gemisches in Tiegeln und einem letzten Feinbrand unter Schwefelzusatz wurde das Rohprodukt naß gemahlen, geschlämmt, getrocknet und gesiebt.[29] Je nach Verfahren und Größe der Tiegel oder Muffeln dauerte der Rohbrand 12–18 Stunden, beim Sodaverfahren 24 Stunden länger; die Abkühlung nahm mehrere Tage in Anspruch. Es gab Muffelöfen, deren Kästen aus feuerfestem Ton 2000–5000 kg Mischung aufnehmen konnten und bis zu 20 Tage dauerndes Glühen und achttägiges Abkühlen verlangten. Da jeder Ofen also höchstens dreimal im Monat benutzt werden konnte, war eine große Zahl von Öfen erforderlich.[30]

Verkohlungsprodukte der verschiedensten Art können unter dem Namen Schwärze zusammengefaßt werden. Schwärze erhielt man beim trockenen Destillieren von Knochen und ähnlichen tierischen Abfällen, die anschließend gemahlen, gestampft und geschlämmt wurden. Die verschiedenen Rohstoffe der Schwärzefabrikation wie entfettete Knochen, Elfenbeinabfälle und Knochenkohle, die als Beinschwarz zu Ölfarbe und schwarzer Wichse verarbeitet wurde, wurden während der Industrialisierung zunehmend von Steinkohlenteer und Naphthalin ersetzt.[31]

Die Entdeckung des Benzols (C_6H_6) durch M. Faraday im Jahr 1825, des Anilins ($C_6H_5NH_2$, ein Benzolderivat) durch F. F. Runge 1832, die

[27] F. Rose, Mineralfarben, S. 175; E. Schmauderer, Ultramarin-Fabrikation, S. 127.
[28] E. Schmauderer, Ultramarin-Fabrikation, S. 128.
[29] Ebd., S. 128 f., 132 f.; vgl. Verfahrensbeschreibung der Methode von Leverkus in: ZStA Merseburg, Rep. 120, D XVII–1–7, Bd. 1, fol. 53–55.
[30] F. Rose, Mineralfarben, S. 178 f., 183.
[31] H. Ost/B. Rassow, Technologie, S. 1150.

Isolierung des Benzols aus dem Steinkohlenteer durch A. W. Hofmann und die Aufschlüsselung des sechseckigen Benzolmoleküls durch A. Kekulé 1865 waren die entscheidenden wissenschaftlichen Voraussetzungen für die neue Teerfarbenindustrie.[32] In kurzen Abständen erschienen zahlreiche neue Farben: Mauvein (1856), Fuchsin (1856), Aldehydgrün (1862), Hofmannsviolett, Anilinschwarz (1862), Azofarben (1864), Jodgrün (1866) und Alizarin (1869). Alle waren Derivate der Benzolkohlenwasserstoffe Phenol, Toluol, Naphthalin, Anthracen und Benzol, die bei der fraktionierten Destillation des Teers entstanden.[33] Als wichtigster Kohlenwasserstoff ist das Benzol zu nennen, das unter Einwirkung von Salpeter- und Schwefelsäure in das Zwischenprodukt Nitrobenzol und in einer zweiten Stufe durch die Reduktionsmittel Salzsäure und Eisenspäne in Anilin überführt wurde. Das so hergestellte Anilin war im ersten Jahrzehnt der Teerfarbenherstellung der Ausgangsstoff der meisten Farben. Es wurde entweder in den Farbenfabriken selbst produziert oder aus den Anilinfabriken, v.a. des Auslandes, fertig bezogen.[34]

Die Überführung des Anilins oder des entsprechenden Zwischenproduktes in die eigentliche Farbe geschah durch verschiedene Oxydationsmittel. Oxydationsmittel waren Kaliumbichromat bei der Herstellung des violetten Mauvein und wasserfreies Zinnchlorid (nach Verguin), salpetersaures Quecksilber (nach Gerber) oder Arsensäure (nach Medlock und Nicholson) bei der Erzeugung von Fuchsin.

Die Mauvein- und Fuchsinherstellung umfaßte schematisch folgende Stadien:[35]

Chem. Prozeß:

	Kohlenteer	Kohlenteer	Ausgangsprodukt
Rektifizierung			
	Benzol	Toluol	
Nitrierung			Zwischen-
	Nitrobenzol	Nitrotoluol	
Reduktion			produkte
	Anilin	Toluidin	
Oxydation			
	Mauvein	Fuchsin	Endprodukte

[32] L.F. Haber, The Chemical Industry, S. 80 ff.; R. Schaumann, Technik und technischer Fortschritt, S. 56 ff., 76, 105; J. Strube, Chemie und Industrielle Revolution, S. 121 f.

[33] L.F. Haber, The Chemical Industry, S. 80 ff.; J.J. Beer, German Dye Industry, S. 32 f., 63; dort auch genaue Verfahrensbeschreibung.

[34] H. Schultze, Entwicklung der chemischen Industrie, S. 197 f.; Beschreibung des Verfahrens von J.W. Weiler in Ehrenfeld (1861 konz.) in: HStA D., Reg. Köln 8853, fol. 146, 122; 8856, fol. 96, 100; 8863, fol. 79, 81; C. Eberhardt, Chemische Fabriken vorm. Weiler-ter-Meer, o.p.

[35] Nach: L.F. Haber, The Chemical Industry, S. 82.

Behandelte man Fuchsin mit Salzsäure, erhielt man eine neue Farbe, Anilinblau, die je nach Zusammensetzung und Herstellungsbedingungen verschiedene Schattierungen von Rot bis Blau lieferte, darunter ein besonders schönes Violett.[36]

Je nach dem verwendeten Oxydationsmittel erhielt man Anilinschwarz, Jodgrün oder Anilingelb, die erste Azofarbe. Zahlreiche neue Azofarben kamen auf, als der bisherige Ausgangsstoff Anilin durch Naphthalinderivate ersetzt wurde.[37]

Phenol, ein Alkohol der Benzolreihe, war der Ausgangsstoff für verschiedene Phenylfarben wie Pikrinsäure, Rosolsäure und Corallin. Der schon länger bekannte gelbe Textilfarbstoff Pikrinsäure bildet sich in einer chemischen Reaktion zwischen Phenylsäure (= Phenol) und Salpetersäure in tönernen Gefäßen.[38] Rosolsäure, die zur Herstellung von gelben Lacken gebraucht wurde, erforderte nach der Persozschen Methode ein Gemisch von Phenylsäure, Oxolsäure und Schwefelsäure, das in gläsernen Retorten erhitzt wurde. Corallin schließlich entstand durch längeres Erhitzen der Rosolsäure mit wässrigem Ammoniak. Der Prozeß fand in geschlossenen Gefäßen statt, die in einem Ölbad erhitzt wurden.[39]

Alizarin, das den roten Farbstoff der Krappflanze ersetzte, ist als synthetische Farbe ein Derivat des Anthracens. Perkin, Graebe und Liebermann fanden eine Synthese auf der Grundlage der Berliner Zinkstaub-Experimente von A. v. Baeyer. Das Verfahren eignete sich jedoch noch nicht für die industrielle Fertigung. Es wurde von Caro und Perkin zur wirtschaftlichen Anwendung weiterentwickelt. Der Herstellungsprozeß beruhte im wesentlichen auf der Verwendung von rauchender Schwefelsäure als Reaktionsmittel. Dabei behandelte man Anthracen mit oxidierenden Reagentien, Braunstein oder Chromkali und Schwefelsäure, löste das Zwischenprodukt mit Soda und konnte aus dieser Lösung den reinen Farbstoff ausscheiden. Das bei diesem Prozeß entstehende Chromalaun ließ sich wieder zu Chromkali regenerieren.[40]

2.2.2 ERSTE BASISINNOVATIONEN

Die Vielzahl von Basisinnovationen, die der Farbenindustrie im 19. Jahrhundert zur Verfügung standen, hatte im rheinischen Wirtschaftsraum prozeßauslösenden Charakter.[41]

[36] Ebd., S. 82; J.J. Beer, German Dye Industry, S. 27, 29 f.; zur Violettherstellung bei Jäger, Barmen (1865 konz.) vgl. HStA D., Reg. Düsseldorf 24645, fol. 51, 54.
[37] J.J. Beer, German Dye Industry, S. 27, 29 f.
[38] HStA D., Reg. Köln 8855, fol. 143 ff., 160.
[39] HStA D., Reg. Düsseldorf 24604, fol. 134; 24605, fol. 17.
[40] Verfahrensbeschreibung für die Firma Gebr. Gessert in Elberfeld in: WA Bayer 20/3; vgl. L.F. Haber, The Chemical Industry, S. 83 f.
[41] Anderer Ansicht ist I. Strube, Chemie und Industrielle Revolution, S. 118–123; vgl. im Folgenden: R. Schaumann, Technik und technischer Fortschritt, S. 130–133.

Der erste Bleiweißhersteller der Rheinlande, P. A. Fonck in Köln (1810 konzessioniert), arbeitete wahrscheinlich noch nach dem holländischen Verfahren, obwohl die Entwicklung des Kammerverfahrens schon ca. 50 Jahre und die des französischen Niederschlagsverfahrens zehn Jahre zurücklagen. Die relativ hohe Zahl der Arbeiter und die niedrige Produktion (1810: 15 Arbeiter, 5.000 Ztr. Bleiweiß) legen diese Annahme nahe.[42]

Das erwähnte französische Niederschlagsverfahren ist 1824 in dem in Euchen bei Aachen bestehenden Betrieb der Gebr. Wildenstein innovatorisch in der Rheinprovinz eingeführt worden.[43] Die Wirtschaftlichkeit des Verfahrens und die geographische Nähe zu Frankreich waren offensichtlich die Gründe für diese frühe Innovation.

In Deutschland erstmalig übernommen wurde das Verfahren wahrscheinlich 1821 von dem Apotheker Zellner in Plerf.[44] Zwischen Entdeckung und erster Anwendung des Niederschlagsverfahrens lag also ein relativ kurzes Intervall von 20 bzw. 23 Jahren.

Mennige ist im Rheinland seit Beginn des 19. Jahrhunderts von dem Steingutbetrieb Villeroy in Wallerfangen und dann von Villeroy & Boch in Wadgassen (seit 1841) im Nebenbetrieb für die Kristallwarenerzeugung hergestellt worden.[45]

Als Folge der verbesserten Bleientsilberung durch Karstens (1842) und damit des größeren und billigeren Angebots an rheinischem Blei seit 1850 entstand der erste selbständige rheinische Mennigebetrieb von Lindgens & Söhne, Mülheim/Rhein (1851 konzessioniert), nachdem A. Lindgens das technische know-how in England eingehend studiert hatte. Das Verfahren war für 2000 Rtlr. von Dr. Chr. Wöllner übernommen worden und weiterentwickelt. Ein von Wöllner eingereichtes Patentgesuch auf einen stehenden Gefäßofen zur Mennigeherstellung wurde jedoch vom Ministerium für Handel und Gewerbe abgelehnt.[46]

Die Zinkhütte Rochaz & Co. in Eppinghofen bei Mülheim/Ruhr, die 1853 an die Vieille Montagne kam, stellte 1849 das erste Zinkweiß in den Rheinlanden her. Dieses nach dem direkten Verfahren unmittelbar aus Galmei ($ZnCO_3$, Zinkspat), dem weniger reichlich vorhandenen Erz, hergestellte Produkt kam 1851 auf die Londoner Weltausstellung. 1853 wurde jedoch auf der Eppinghofener Hütte nach dem Rohzinkverfahren gearbeitet, so daß beide Verfahren in der Folgezeit nebeneinander herliefen.[47]

[42] G.A. Walter, Mineralfarbenindustrie, S. 85 f.; H. Milz, Kölner Großgewerbe, S. 65.
[43] ZStA Merseburg, Rep. 120, D XVII—1—4, Bd. 1, fol. 187 ff.; HStA D., Reg. Düsseldorf 10749, fol. 27, 36.
[44] ZStA Merseburg, Rep. 120, D XVII—1—4, Bd. 1, fol. 160.
[45] G.A. Walter, Mineralfarbenindustrie, S. 92.
[46] B. Kuske, Die übrigen Industrien, S. 454; G.A. Walter, Mineralfarbenindustrie, S. 92 f.; F. Blumrath, 100 Jahre Lindgens & Söhne, S. 9, 11; ZStA Merseburg, Rep. 120, D XVII—1—4, Bd. 3, fol. 44 f.
[47] G.A. Walter, Mineralfarbenindustrie, S. 124 f.; 1872 wurde die Produktion eingestellt.

Die ebenfalls weiße Farbe Blancfixe wurde seit 1856, vier Jahre nach einem mit dem Witheritverfahren arbeitenden Betrieb in Berlin, von dem Kölner Unternehmen J. Müller hergestellt. Trotz der nahegelegenen Rohstoffquellen scheint das Schwerspatverfahren zur Herstellung von Blancfixe in den Rheinlanden im Untersuchungszeitraum nicht eingeführt worden zu sein. Die Ursachen dafür könnten in der englischen und Berliner Konkurrenz, der geringen Qualität der Schwerspatblancfixe und in den Schwierigkeiten der Verfahrenstechnik gelegen haben.[48]

Mit der Herstellung von Ultramarin begann in den Rheinlanden C. Leverkus Mitte der 30er Jahre nach Studien bei Gay Lussac, Thenard und Dumas in Paris und Versuchen in Wermelskirchen. 1838 erhielt er ein zehnjähriges Patent für Preußen. Das zuerst angewandte Sulfatverfahren benutzte Leverkus dann nur noch für gewöhnliche Sorten und richtete für Spitzenqualitäten das Sodaverfahren ein. Nach einem Revisionsbericht von 1874 verarbeitete er aber im Gegensatz zu anderen Ultramarinwerken Kaolin und nicht ungeschlämmten Ton, so daß ein weiterer Feinbrand nötig war.[49] Das Intervall zwischen Entdeckung des Verfahrens durch Guimet bzw. Gmelin und der ersten industriellen Anwendung in Deutschland durch Leverkus betrug also acht Jahre. Da sich Leverkus jedoch schon seit Beginn seiner Studien im Jahre 1826 mit der Darstellung von Ultramarin beschäftigt hatte,[50] entsprechen diese acht Jahre eher dem in der Innovationsforschung als Vervollkommnungszeit bezeichneten Intervall.

Auf der Grundlage der Kohlenwasserstoffe bzw. seiner Derivate entwickelte sich in der zweiten Hälfte des 19. Jahrhunderts die Teerfarbenindustrie, die entscheidenden Einfluß auf die chemische Industrie hatte. Dabei war das Benzolderivat Anilin im ersten Jahrzehnt der Teerfarbenherstellung der Ausgangsstoff aller neuen Farben.

Der erste und zehn Jahre lang der einzige Anilinhersteller Deutschlands war das 1861 konzessionierte Unternehmen von J. W. Weiler in Ehrenfeld.[51] In dem Herstellungsprozeß wurde in der Anfangszeit noch ein unreines Gemenge des Benzols mit seinen Homologen verwendet, das das Endprodukt verschlechterte. Um 1870 unternahm Weiler dann Versuche, die homologen Kohlenwasserstoffe durch eine einfache Fraktionierung zu trennen.[52] Das Intervall

[48] Ebd., S. 133 f.; B. Kuske, Die übrigen Industrien, S. 455.
[49] HStA D., LA Solingen 366, fol. 5; E. Schmauderer, Ultramarin-Fabrikation, S. 128 f., 132 f.; Patentverfahren in: ZStA Merseburg, Rep. 120, D XVII—1—7, Bd. 1, fol. 50—59.
[50] E. Schmauderer, Ultramarin-Fabrikation, S. 129.
[51] Vgl. im Folgenden die Aufstellung über die neu entstehenden Farbenfabriken bei I. Strube, Chemie und Industrielle Revolution, S. 121 f.
[52] HStA D., Reg. Köln 8853, fol. 122, 146; 8856, fol. 96, 100; 8863, fol. 79, 81; C. Eberhardt, Chemische Fabriken vorm. Weiler-ter-Meer, o.p.
Gleichzeitig versuchten die Gebr. Gessert in Elberfeld, ein Verfahren zur Darstellung von salzsaurem Anilin patentieren zu lassen, vgl. ZStA Merseburg, Rep. 120, D XVII—1—139, fol. 75 ff.

zwischen wissenschaftlicher Entdeckung des Anilins und erster industrieller Herstellung betrug demnach in Deutschland 29 Jahre. Die eigentliche Teerfarbenindustrie begann in den Rheinlanden dann mit der Darstellung der Anilinfarben Fuchsin und Mauvein bei C. Jäger in Barmen 1861.[53] Die Herstellung von Aldehydgrün begann bei H. Tillmanns in Krefeld 1864[54] und die von Alizarin bei Gessert in Elberfeld 1871.[55] Bei Fuchsin und Mauvein betrugen die Intervalle zwischen Entdeckung und Fabrikation nunmehr nur noch fünf Jahre, bei Aldehydgrün und Alizarin nur zwei Jahre.

2.2.3. DIE VERBREITUNG VON BASISINNOVATIONEN

Einige der neuen Verfahren fanden in den Rheinlanden starke Verbreitung und hatten Ausbau und Differenzierung der rheinischen Farbenproduktion zur Folge. Das bedeutete gleichzeitig eine erhöhte Nachfrage nach Produkten der schwerchemischen Industrie.[56]

Die Entwicklung in der Bleiweißindustrie wurde nicht von der Einführung eines modernen Verfahrens bestimmt, denn das französische Niederschlagsverfahren findet sich nur in zwei Fällen und zwar bei:

– Gebrüder Wildenstein   Euchen   1824[57]
– Bischof & Rhodius   Burgbrohl   1834.[58]

Die stärkste Verbreitung fand zunächst das vorindustrielle holländische Loogenverfahren. Nach der Aufnahme dieses Verfahrens bei P. A. Fonck in Köln 1810 verbreitete es sich bei:

– P. J. Mehlem   Bonn   1822[59]
– Deus/Deus & Moll   Düsseldorf   1826[60]
– de Raadt & Co   Elberfeld   1826[61]

[53] HStA D., Reg. Düsseldorf 24654, fol. 7, 31, 33, 39.

[54] C. Eberhardt, Chemische Fabriken vorm. Weiler-ter-Meer, o.p.

[55] WA Bayer 20/3; Gessert produzierte seit 1865 Jodäthyl und Jodmethyl.

[56] Im Folgenden: R. Schaumann, Technik und technischer Fortschritt, S. 165–172.

[57] ZStA Merseburg, Rep. 120, D XVII–1–4, Bd. 1, fol. 187 ff.; HStA D., Reg. Düsseldorf 10749, fol. 27, 36.

[58] ZStA Merseburg, Rep. 120, D XVII–1–4, Bd. 2, fol. 2 ff.; B. Kuske, Die übrigen Industrien, S. 454; G.A. Walter, Mineralfarbenindustrie, S. 88.

[59] StA Bonn, P 5614, fol. 4; Datum d. Konzession.

[60] HStA D., Reg. Düsseldorf 2106, fol. 10; 10749, fol. 20 ff., 85 f., 137 f.; G.A. Walter, Mineralfarbenindustrie, S. 89; Deus & Moll ging 1864 zum deutschen Kammerverfahren über; Datum der Gründung.

[61] HStA D., Reg. Düsseldorf 10749, fol. 9, 15, 57; anfangs mit J.P. Kleberger in einem Unternehmen, vgl. ZStA Merseburg, Rep. 120, D XVII–1–4, Bd. 1, fol. 152, 1823 geplant.

– J. P. Kleberger & Co	Elberfeld	1826[62]
– B. Sternenberg	Deutz	1835[63]
– Gebr. Uckermann	Köln	1840[64]
– Bergmann & Wagner	Deutz	1861[65]
– Leyendecker & Co	Ehrenfeld	1869.[66]

Die Diffusion erfolgte demnach verstärkt in den 1820er Jahren, zeitgleich mit der innovatorischen Einführung des französischen Niederschlagsverfahrens.

Von den folgenden fünf Bleiweißunternehmen konnte das eingeführte Herstellungsverfahren nicht ermittelt werden. Wahrscheinlich handelte es sich aber überall um das vorindustrielle Loogenverfahren:

– Bleiweißbetrieb in	Broich	1826[67]
– Brasseur & Co	Nippes	1848[68]
– J. J. Steinbüchel	Brühl	1851[69]
– Lindgens & Söhne	Mülheim/Rhein	1858.[70]

Im Anschluß an den ersten selbständigen rheinischen Mennigebetrieb von Lindgens & Söhne (1851) wurde die Mennigefabrikation von folgenden Unternehmen betrieben:

– Odenthal & Leyendecker	Köln	seit 1854[71]
– Bergmann & Wagner	Deutz	1861[72]
– F. W. Remy & Co	Bendorf	seit 1863[73]
– Bergmann & Co	Mülheim/Rhein	1870[74]

[62] HStA D., Reg. Düsseldorf 10749, fol. 9, 15, 57; der Betrieb ist in den 1860er Jahren erloschen.
[63] G.A. Walter, Mineralfarbenindustrie, S. 88 f.
[64] Ebd., S. 89.
[65] HStA D., Reg. Köln 8853, fol. 172, 180; 8854, fol. 2.
[66] HStA D., Reg. Köln 8856, fol. 90; Beschreibung des Verfahrens fol. 75; die Konzessionserlaubnis umfaßte die Produkte Bleiweiß, Mennige und Glätte. Leyendecker arbeitete bei der Bleiweißherstellung nach dem Kammerverfahren und der holländischen Methode. Der erforderliche Essig wurde in einem eigenen Betrieb nach der Schützendorfschen Methode hergestellt.
[67] HStA D., Reg. Aachen 1567, fol. 338.
[68] G.A. Walter, Mineralfarbenindustrie, S. 89, 172.
[69] HStA D., Reg. Köln 8851, fol. 165 f., 197; Datum der Konzession.
[70] G.A. Walter, Mineralfarbenindustrie, S. 92 f.; F. Blumrath, 100 Jahre Lindgens & Söhne, o.p.
[71] HStA D., Reg. Köln 8856, fol. 75, 90; G.A. Walter, Mineralfarbenindustrie, S. 173.
[72] HStA D., Reg. Köln 8853, fol. 172, 180; G.A. Walter, Mineralfarbenindustrie, S. 173 f.
[73] G.A. Walter, Mineralfarbenindustrie, S. 174.
[74] Ebd., S. 174.

– Zigan	Ehrenfeld	1868[75]
– Gierlich & Helmers	Ehrenfeld	1870.[76]

Bei fünf Unternehmen stand die Mennige- oder Glättefabrikation in Verbindung mit der Herstellung von anderen Bleiprodukten wie Bleiröhren, Bleiwalzprodukten oder Bleiweiß. Die Produktion basierte auf der Verwendung von metallischem Blei; nur für Odenthal & Leyendecker ist der Einsatz von Bleiweiß oder Bleikarbonat zur Herstellung von Orange-Mennige seit 1855, für Bergmann & Co. seit 1880 belegt.[77]

In der Herstellung der Metallfarbe Zinkweiß folgten auf die Zinkhütte Rochaz & Co. in Eppinghofen (1849) weitere Unternehmen:

– W. Grillo	Oberhausen	1866[78]
– L. Wagner	Deutz	ca. 1870[79]
– Zinkhütte Münsterbusch		1872/73.[80]
– Zinkhütte Birkengang		

Das erste war ursprünglich ein Zinkwalzwerk, das zweite ein Mennige- und Bleiweißbetrieb.

Vier von fünf rheinischen Blancfixeherstellern arbeiteten mit dem Witheritverfahren, wie es von J. Müller 1856 in den Rheinlanden eingeführt worden war. Dazu gehörten:

– Hasenclever & Co./	Stolberg	1860[81]
Rhenania AG		
– C. A. Lindgens	Köln	1866[82]
– Oberreich & Schwenzer	Köln	1869.[83]

Die im 19. Jahrhundert neu entwickelten Buntfarben wie Zinkgelb, Chrom- und Bronzefarben sind von den folgenden Unternehmen hergestellt worden:

---

[75] HStA D., Reg. Köln 8855, fol. 11, 197, 225; 8856, fol. 113; G.A. Walter, Mineralfarbenindustrie, S. 175; 1875 Produktion eingestellt.
[76] HStA D., Reg. Köln 8857, fol. 158, 162, 166.
[77] G.A. Walter, Mineralfarbenindustrie, S. 173 f.
[78] Ebd., S. 125; HStA D., Reg. Düsseldorf 388, fol. 136 v. Gegr. 1854.
[79] G.A. Walter, Mineralfarbenindustrie, S. 174; gegr. 1861 unter der Firma Bergmann & Wagner.
[80] Zeitschrift für das Berg-Hütten- und Salinenwesen, Statistischer Teil, Jg. 21, 1873, S. 40 f., 202; 22, 1874, S. 42 f., 196.
[81] G.A. Walter, Mineralfarbenindustrie, S. 133 f. und vgl. S.78.
[82] G.A. Walter, Mineralfarbenindustrie, S. 134.
[83] HStA D., Reg. Köln 8856, fol. 202, 209; G.A. Walter, Mineralfarbenindustrie, S. 133 f.; Datum der Konzession.

– Gebr. Mannes	Altenberg	1816[84]
– F. A. Abels	Kommern	1818[85]
– Koch jr. & Co./F. Vossen/	Aachen	1829[86]
Gebr. Vossen & Co.		
– G. Angenstein	Bayenthal	1861[87]
– Müller & Nahroth	Barmen	1868.[88]

Typisch für die Verbreitung einer Neuerung bei zunächst versperrtem Zugang zu der Erfindung war die Entwicklung der Ultramarinfabrikation in den Rheinlanden. Das dem Innovator C. F. Leverkus 1838 auf zehn Jahre verliehene preußische Patent verhinderte die Diffusion der Basisinnovation für diesen Zeitraum. Nach Ablauf der Frist entstanden die folgenden vier neuen Unternehmen innerhalb von zwei Jahrzehnten:

– Gebr. Curtius et comp.	Duisburg	1850[89]
– G. G. Stinnes	Ruhrort	1852/60[90]
– Aug. Vorster/J. P. Piedboeuf	Düsseldorf	1862[91]
– J. Nuppeney & Co.	Andernach	1865.[92]

Während Leverkus mit dem Sulfatverfahren und erst später mit dem Sodaverfahren arbeitete[93], führten Curtius gleich das Sodaverfahren und Piedboeuf das gemischte Soda-Sulfatverfahren ein[94]. Die von Stinnes und Nuppeney benutzten Verfahren sind unbekannt. Beide Unternehmen werden aber aus Gründen der Wirtschaftlichkeit eines der neueren Verfahren übernommen haben. Ein nicht freier Zugang zu einer Erfindung bzw. Basisinnovation bedeutete bei diesem Beispiel also eine um die Laufzeit des Patents verschobene Diffusion unter gleichzeitigem Einsatz von technischem Fortschritt.

Mit der Diffusion der Ultramarinfabrikation kam das Ende der Smalteherstellung. Nachweislich endete die Fabrikation bei Niemann & Co. 1854 und bei Horstmann & Co. 1858.[95]

[84] G.A. Walter, Mineralfarbenindustrie, S. 36.

[85] HStA D., Reg. Aachen 1567, fol. 166; Reg. Köln 2150.

[86] HStA D., Reg. Aachen 13631, fol. 31–36, 42; Jahr der Konzession.

[87] HStA D., Reg. Köln 8852, fol 177; 8853, fol. 25, 39; Jahr der Konzession.

[88] HStA D., Reg. Düsseldorf 387, fol. 245; WA Henkel, Bestand Matthes & Weber 125; E. Schmauderer, Ultramarin-Fabrikation, S. 145 f.; Jahr der Konzession.

[89] HStA D., Reg. Düsseldorf 387, fol 245; WA Henkel, Bestand Matthes & Weber 125; E. Schmauderer, Ultramarin-Fabrikation, S. 145 f. Vgl. Anm. 41, S. 69.

[90] HStA D., Reg. Düsseldorf 388, fol. 104 v. Vgl. Anm. 41, S. 70.

[91] HStA D., Reg. Düsseldorf 24605, fol. 67. STA Düsseldorf, II 1563, fol. 36; Datum der Konzession.

[92] E. Schmauderer, Ultramarin-Fabrikation, S. 152; Jahr der Gründung.

[93] Ebd., S. 128 f., 132 f.

[94] Vgl. Anm. 89 und 91. Ein Teilhaber von Curtius hatte 1849 ein Patentgesuch auf ein neues Verfahren eingereicht. Es wurde abschlägig beschieden. Vgl. ZStA Merseburg, Rep. 120, D XVII–1–7, Bd. 1, fol. 165 ff.

[95] Vgl. S. 67; G.A. Walter, Mineralfarbenindustrie, S. 54.

Die Veränderungen auf dem Gebiete der organischen Farbstoffe führten zur Gründung von zahlreichen neuen Unternehmen in der zweiten Hälfte des 19. Jahrhunderts. Die Einführung von Kohlenteerderivaten stellte z.B. die Fabrikation von Schwärze auf eine ganz neue Basis und ließ in Köln in den 1850er Jahren mehrere neue Betriebe entstehen u.a.:

— W. A. Hospelt	Ehrenfeld	1854[96]
— Wegelin	Köln	1862[97]
— Weide & Klaus	Sülz	1864[98]
— L. Wagner	Mülheim/Rhein	1873[99]
— C. Tutt & J. Geller	Raderthal	1874[100]

Auch die natürlichen Farbstoffe, die bisher in der rheinischen Textilindustrie einen sicheren Abnehmer gefunden hatten, verloren mit dem Aufkommen der neuen Teerfarbenindustrie an Bedeutung. Nach dem ersten Anilinbetrieb von Weiler in Ehrenfeld (1861) und dem ersten Fuchsin- und Mauveinhersteller C. Jäger in Barmen (1861, 1863 konz.)[101] entstanden in kurzen Abständen die folgenden Unternehmen und Betriebe zur Herstellung von Anilinfarben:

— H. Tillmanns	Krefeld	1862[102]
— F. Bayer	Barmen	1863[103]
— C. Jäger	Barmen, 2. Betrieb	1864 konz.[104]
— Gebr. Appolt	Schanzenberg	1864[105]
— C. Jäger	Barmen, 3. Betrieb	1865 konz.[106]
— Dahl & Co.	Barmen	1865[107]
— O. Bredt & Co.	Barmen	1863 Konz. gesuch[108]
— F. Bayer	Elberfeld	1866 konz.[109]
— Friedr. Frische jr.	Elberfeld	1867[110]

[96] J. Horadam, Die Chemische Industrie, S. 322.
[97] Festschrift Wegelin, S. 44.
[98] HStA D., Reg. Köln 8863, fol. 95, 108; Jahr der Konzession.
[99] HStA D., Reg. Köln 8858, fol. 42.
[100] HStA D., Reg. Köln 8858, fol. 222 f.
[101] Vgl. Tab. 37, S. 214, 220.
[102] C. Eberhardt, Chemische Fabriken vorm. Weiler-ter-Meer, o.p.
[103] Farbenfabriken vorm. Friedr. Bayer & Co., Bd. 1, S. 3 f.
[104] HStA D., Reg. Düsseldorf 24645, fol. 39.
[105] G.A. Walter, Mineralfarbenindustrie, S. 58.
[106] HStA D., Reg. Düsseldorf 24645, fol. 51, 54.
[107] Im Jahre 1842 als Farbwarenhandlung gegr.; 1865 Aufnahme der Anilinfarbenherstellung. Vgl. HStA D., Reg. Düsseldorf 24645, fol. 15; Die deutsche Industrie, Bd. 2, S. XXIa, 42.
[108] HStA D., Reg. Düsseldorf 24645, fol. 38.
[109] WA Bayer 20/1; Jahr der Konzession.
[110] HStA D., Reg. Düsseldorf 388, fol. 144 v.

– H. Siegle	Duisburg	1870 konz.[111]	
– F. Bayer	Heckinghauserstr.	1871 konz.[112]	
– C. Richter/Elberfelder Alizarin- und Anilinfarbenfabrik	Elberfeld	1873 konz.[113]	
– C. Jäger	Lohhausen	1875 konz.[114]	

Während Phenylfarben nur bei W. Hilgers in Riehlau 1868 in die Produktion aufgenommen worden sind,[115] entstanden nach dem ersten Alizarinbetrieb der Gebr. Gessert in Elberfeld (1871) die folgenden acht Unternehmen oder Betriebe zur Herstellung des roten Farbstoffs Alizarin:

– F. Bayer	Elberfeld	1872 konz.[116]
– C. F. Leverkus	Wiesdorf	1872 konz.[117]
– C. Richter/Elberfelder Alizarin- u. Anilinfarbenfabrik	Elberfeld	1873 konz.[118]
– Schöneberg u. Hufschmidt	Elberfeld	1873 konz.[119]
– AG für Stückfärberei	Elberfeld	1873 konz.[120]
– F. Frische	Barmen	1873 konz.[121]
– Ph. Greiff	Longerich	1873 konz.[122]
– Gauke & Co.	Eitorf	1875.[123]

1875, d.h. 14 Jahre nach der regionalen Erstinnovation von Anilinfarben und vier Jahre nach der regionalen Erstinnovation des Alizarins bestanden in der Rheinprovinz 23 Teerfarbenbetriebe. Der Verlauf des Diffusionsprozesses für die Anilin- und Anthracenfarben ist gekennzeichnet durch zunehmend kürzere Phasen. Innerhalb der ersten sieben Jahre (1861 – 1867) entstanden zehn der vierzehn Anilinbetriebe; zwischen 1870 und 1875 weitere vier. Dagegen nahmen in den drei Jahren nach der regionalen Produktionsaufnahme des Alizarins (1871–1873) acht von neun Betrieben die Herstellung auf; der neunte Betrieb ist für 1875 belegt. Als Erklärung für die kürzer werdenden Diffusionsphasen sind im vorliegenden Fall sicher die wachsende Vertrautheit mit den Teerfarben wie auch die stimulierende Wirkung der Gründerjahre anzuführen.

[111] HStA D., Reg. Düsseldorf 24631, fol. 3, 113; Datum der Konzession; der Betrieb wurde 1873 stillgelegt und 1874 von der BASF übernommen.
[112] HStA D., Reg. Düsseldorf 24631, fol. 20; Jahr der Konzession.
[113] HStA D., Reg. Düsseldorf 24631, fol. 72; Jahr der Konzession.
[114] HStA D., Reg. Düsseldorf 13260, fol 3; 24645, fol. 183, 257, 338.
[115] HStA D., Reg. Köln 8855, fol. 143 ff., 160.
[116] HStA D., Reg. Düsseldorf 24603, fol. 62; Beiträge Bayer, S. 7 f.; Konzession.
[117] G.A. Walter, Mineralfarbenindustrie, S. 76; HStA D., LA Solingen 366, fol. 5.
[118] HStA D., Reg. Düsseldorf 24631, fol. 72; Konzession.
[119] Ebd., fol. 80; Jahr der Konzession.
[120] Ebd., fol. 61; Konzessionsdatum.
[121] Ebd., fol. 55; Jahr der Konzession.
[122] HStA D., Reg. Köln 8857, fol. 200; Konzession.
[123] HStA D., Reg. Köln 2158, fol. 39 f.; Farbenfabriken vorm. Friedr. Bayer & Co., Bd. 2, S. 292.

2.3. VERBESSERUNGSINVENTIONEN UND -INNOVATIONEN

2.3.1. VERFAHRENSBESCHREIBUNG

Im Verlaufe der hier behandelten Zeit wirkten sich prozeßverändernde Maßnahmen sowohl auf alte wie neue Produkte und Verfahren aus.

Das seit 1704 bekannte Berlinerblau hatte Eisenvitriol und blausaures Kali (Ferrocyankalium) als Ausgangsstoff.[124] Der Herstellungsprozeß unterschied sich im 19. Jahrhundert vom ursprünglichen dadurch, daß das Ferrocyankalium nicht unmittelbar mit Ferrisalz oder Eisenvitriol gefällt wurde, sondern in einer indirekten Weise, bei der man Ferrocyankalium zuerst mit Ferrosalz versetzte. Dabei bildete sich zunächst das sogenannte Berlinerweiß, das erst durch Oxydation die blaue Farbe erhielt.[125]

In der so veränderten Form fand die Berlinerblauherstellung im 19. Jahrhundert Eingang in die Rheinprovinz. Berlinerblau blieb auch nach der Verbreitung des Ultramarins und der Anilinfarben von Bedeutung. Der Grund dafür lag darin, daß das blausaure Kali seit 1877 der Gasreinigermasse, einem Abfallprodukt der Leuchtgaserzeugung, entzogen werden konnte. Das Ferrocyankalium erzeugte man seitdem so, daß man die aus Raseneisenstein bestehende Reinigermasse, die aus dem Rohgas Schwefel und Blausäure absorbiert hatte, mit Kalkmilch und einem Zusatz von Chlorkalk und Pottasche bis zum Kochen erhitzte.[126]

Eine interessante Veränderung betraf das französische Niederschlagsverfahren zur Herstellung von Bleiweiß. Der Bonner Chemiker Prof. Bischof veränderte das Verfahren für einen Betrieb im Regierungsbezirk Koblenz 1830 dahingehend, daß die am Standort vorhandene natürliche Kohlensäure im Herstellungsprozeß genutzt werden konnte. Er ließ die Kohlensäure aus der luftdicht gefaßten Quelle durch ein Pumpwerk ansaugen und in einen ca. vier Meter hohen hölzernen Turm leiten. Von der Decke des Turms tropfte der Kohlensäure eine konzentrierte Lösung von basisch-essigsaurem Bleioxyd entgegen. Das sich dabei bildende Bleiweiß wurde in einem unter dem Turm befindlichen Kasten gesammelt.[127]

Dieses einfache und kostensparende Verfahren stand in seiner Bedeutung jedoch weit hinter dem 1756 entwickelten deutschen Kammerverfahren zurück. Es war Ende der 1820er Jahre in Süddeutschland mit einer leichten

---

[124] Beschreibung der Herstellung auf S. 36.
[125] F. Rose, Mineralfarben, S. 235 f.; G.A. Walter, Mineralfarbenindustrie, S. 20; vgl. R. Schaumann, Technik und technischer Fortschritt, S. 223–225, 200 f.
[126] G.A. Walter, Mineralfarbenindustrie, S. 20, 61 f.
[127] ZStA Merseburg, Rep. 120, D XVII–1–4, Bd. 2, fol. 2 ff.; B. Kuske, Die übrigen Industrien, S. 454; G.A. Walter, Mineralfarbenindustrie, S. 87 f.

Modifikation eingeführt worden. Das zur Bildung von Bleikarbonat erforderliche Kohlensäuregas erzeugte man nicht mehr wie bisher aus gärendem Obst oder Weintreber, sondern durch glühende Holzkohle.[128] An diesem Punkt setzte dann um 1860 auch die entscheidende Verbesserungsinnovation an. Dietel in Eisenach ersetzte die Holzkohle durch Koks und erzielte damit eine bedeutend größere Menge von Kohlensäuregas. Benötigte das traditionelle holländische Verfahren noch große Massen frischen Pferdemists und eine große Zahl von Arbeitskräften beim Einsetzen der Bleirollen in besondere Töpfe, beim Aufschichten der 6–8000 Töpfe zu einer Looge, zur Umkleidung mit Mist und zum Entfernen des fertigen Bleiweiß, ermöglichte das deutsche Kammerverfahren einen kontinuierlichen Betrieb. Statt nur 11 t Bleiweiß aus 10 t Blei nach drei bis vier Monaten konnten nach Einführung der Verbesserungsinnovation in einer Kammer 35 t Bleiweiß aus 30 t Blei in sieben bis acht Wochen gewonnen werden, so daß sechs Kammern für einen ununterbrochenen Betrieb ausreichten.[129]

Das Sodaverfahren zur Herstellung von künstlichem Ultramarin erhielt eine bedeutende Verbesserung durch eine Innovation in den 1850er Jahren. Man verwendete statt Kaolin bestimmte nichtgeschlämmte Tonsorten, die nach dem Rohbrand ein reines Ultramarinblau entstehen ließen. Es unterschied sich von dem Blau aus Kaolin durch einen schöneren Farbton. Da der vorher nötige Feinbrand wegfallen konnte, war es möglich, mit dieser Innovation Arbeitskräfte und Brennstoffkosten einzusparen, so daß das ursprüngliche Sulfatverfahren entscheidend an Bedeutung verlor.[130]

In der Teerfarbenindustrie war die Eigenschaft des Endprodukts in entscheidendem Maße vom Reinheitsgrad der verwendeten Kohlenwasserstoffe abhängig. Deshalb bedeutete eine zusätzliche oder verbesserte Sublimierung der Ausgangsstoffe eine wesentliche Verbesserung des Endprodukts. In der Alizarinherstellung war der Zeitpunkt für derartige Maßnahmen 1874 gekommen, als die Anzahl der Alizarinbetriebe sprunghaft in die Höhe geschnellt und der Absatz der Farbe zunehmend schwieriger geworden war.[131] Einer der führenden Alizarinbetriebe ging in diesem Zusammenhang dazu über, gereinigtes Anthracen, den Ausgangsstoff der Alizarinbereitung, in eisernen, geschlossenen Retorten zu erhitzen und mit Hilfe von Dampf in Kondensationskammern zu leiten, wo das Gas-Dampfgemisch durch eingespritztes Wasser verdichtet wurde. Dadurch erhielt man ein sehr reines Anthracen. Zusätzlich

[128] G.A. Walter, Mineralfarbenindustrie, S. 11; zur Beschreibung des deutschen Kammerverfahrens vgl. S. 37.

[129] G.A. Walter, Mineralfarbenindustrie, S. 94 f.; bereits 1843 in ähnlicher Weise von Dr. Chr. Wöllner, Mülheim zur Patentierung vorgelegt und abgelehnt, ZStA Merseburg, Rep. 120, D XVII–1–4, Bd. 2, fol 137 ff.

[130] F. Rose, Mineralfarben, S. 181.

[131] Vgl. S. 50 f., 82.

konnten die brennbaren Rückstände zur Heizung der Dampfkessel verwendet werden.[132]

2..3.2. DIE EINFÜHRUNG VON VERBESSERUNGEN

Verbesserungen sind nur in Ausnahmefällen schon in der ersten Hälfte des 19. Jahrhunderts in der Rheinprovinz eingeführt worden.

Traditionelle Unternehmen wie das 1780 gegründete Alaun-, Vitriol-, Salmiak- und Berlinerblauwerk L. Vopelius in Sulzbach bei Trier stellten die bekannte Farbe Berlinerblau auf der Grundlage des vorindustriellen direkten Verfahrens her.[133] Erst das Unternehmen von J. Rethel in Aachen, das mit der Herstellung von Salmiak und Berlinerblau im Jahre 1804 begann, führte höchstwahrscheinlich das indirekte Verfahren ein und stellte den Ausgangsstoff Ferrocyankalium bis zum Jahr 1861 selbst her.[134] Der Betrieb bereitete in der Folgezeit das Berlinerblau mit gekauftem blausaurem Kali, bis der Farbstoff von der übrigen Fabrikation getrennt und zusammen mit Ferrocyankalium in einem ehemaligen Werk für blausaures Kali von L. Vossen & Cie. in Neuß produziert wurde.[135]

Das empirisch entdeckte Berlinerblau, das erst 1822 chemisch analysiert werden konnte, ist im Gebiet der späteren Rheinprovinz mit einer Verzögerung von fast 80 Jahren durch ein modifiziertes, aber im Prinzip vorindustrielles Verfahren eingeführt worden.

Eine sehr unterschiedliche Entwicklung ist in der rheinischen Bleiweißindustrie festzustellen. Obwohl die Bleiweißproduktion schon 1810 in Köln belegt ist,[136] das französische Niederschlagsverfahren 1824 in Euchen bei Aachen von den Gebr. Wildenstein eingeführt worden war, übernahmen die meisten der in der ersten Hälfte des 19. Jahrhunderts gegründeten Betriebe das vorindustrielle Loogenverfahren. Erst W. O. Waldthausen führte das seit dem 18. Jahrhundert bekannte und in Süddeutschland schon erprobte deutsche Kammerverfahren in seinem 1843 in Clarenburg bei Wesseling neugegründeten Unternehmen ein.[137] Dabei wurde das erforderliche Kohlensäuregas schon durch Glühen von Holzkohle gewonnen; die Substitution der Holzkohle durch Koks war aber noch nicht erfolgt. Es handelte sich also bei der Einführung des Kammerverfahrens um die Übernahme eines leicht veränderten vorindustriellen Verfahrens, 87 Jahre nach dessen Entwicklung.

[132] WA Bayer 20/3; es handelte sich um die Gebr. Gessert in Elberfeld.
[133] HStA D., Reg. Köln 2150.
[134] HStA D., Reg. Aachen 1540, fol. 100; A.J. Roth, Aachener Farbindustrie, S. 24 f.; C. Bruckner, Wirtschaftsgeschichte, S. 215 f. Zu den Besitzveränderungen des Betriebes vgl. Tab. 37, S. 217.
[135] HStA D., Reg. Aachen 13631, fol. 31–36; C. Bruckner, Wirtschaftsgeschichte, S. 215 f.; R.G. Bojunga, 100 Jahre L. Vossen & Co., o.p.
[136] Vgl. S. 44.
[137] Jahresbericht der HK Köln, 1850, S. 27.

Die für dieses Verfahren wichtigere Verbesserungsinnovation, die Kohlensäuregasgewinnung aus Koks, erfolgte erst um 1860 und wurde in den Rheinlanden bei M. Müller & Söhne 1862 in Düsseldorf eingeführt.[138] Es ist bemerkenswert, daß ein altes Verfahren mehr als 100 Jahre nach der Erfindung durch eine einfache Verbesserung, die sich nach ein oder zwei Jahren durchsetzte, konkurrenzfähig blieb, ja sogar neuen Verfahren überlegen war.

Unter den Ultramarinherstellern hatte Leverkus, der mit der Produktion von Ultramarin in den Rheinlanden begonnen hatte, im Jahre 1874 noch nicht die entsprechende Verbesserungsinnovation übernommen, die die Herstellung eines hervorragenden Ultramarins ohne zusätzlichen Feinbrand ermöglichte.[139]

Dagegen begannen die Gebr. Curtius in Duisburg mit der Ultramarinproduktion 1850 nach einem von ihrem stillen Teilhaber P. Jäger aus Frankfurt eingebrachten, geheimgehaltenen Verfahren. Es handelte sich um die Herstellung eines säurefesten Ultramarins auf der Grundlage des Sodaverfahrens, ein eindeutiger Hinweis auf das verbesserte Sodaverfahren.[140] Führend in der Übernahme eines verbesserten Verfahrens war in diesem Fall also nicht das ältere und längere Zeit privilegierte Unternehmen, sondern ein neugegründeter Betrieb.

Der ungeheure Anstieg der deutschen Alizarinproduktion von 15.000 kg im Jahre 1871 auf 400.000 kg 1874, der gleichzeitige Rückgang der Verkaufspreise von 270 M pro kg Alizarin 1869 auf 120 M 1873 und die Übernahme der Alizarinsynthese in sechs Elberfelder bzw. Barmer Unternehmen bis 1874 verschärften den Konkurrenzkampf wie in keinem anderen Bereich[141] und veranlaßten die Gebr. Gessert, eine erste Verbesserung, die Sublimierung des Ausgangsstoffes Anthracen, 1874 in Elberfeld einzuführen.[142] Anders als in der Ultramarinindustrie war es hier der älteste Betrieb des Produktionszweiges, der als erster auf eine Konkurrenzsituation mit der Einführung einer Verbesserungsinnovation reagierte.

2.3.3. DIE DIFFUSION VON VERBESSERUNGSINNOVATIONEN

Eine Diffusion von Verbesserungsinnovationen ist in der Rheinprovinz bis 1875 nur bei den Herstellern von Berlinerblau und Bleiweiß nachzuweisen.[143]

[138] HStA D., Reg. Düsseldorf 10749, fol. 66 f., 85 f., 137.
[139] HStA D., LA Solingen 366, fol. 5; E. Schmauderer, Ultramarin-Fabrikation, S. 128 f., 132 f.
[140] HStA D., Reg. Düsseldorf 387, fol. 245; WA Henkel, Bestand Matthes & Weber 125; E. Schmauderer, Ultramarin-Fabrikation, S. 145 f.
[141] Zahlen bei H. Schultze, Entwicklung der chemischen Industrie, S. 165 f.
[142] WA Bayer 20/3.
[143] R. Schaumann, Technik und technischer Fortschritt, S. 226 f.

Dem Salmiak- und Berlinerblaubetrieb von J. Rethel (später Monheim & Vossen, F. Vossen, Gebr. Vossen) 1804 in Aachen folgten in der Herstellung des Textilfarbstoffes nach dem indirekten Verfahren folgende Unternehmen:

— Gebr. Mannes	Altenberg/Kunstfeld	1809[144]
— Giersberg	Köln	1812[145]
— G. Wöllner/Wöllner & Sternenberg	Dünnwald	1817[146]
— J. J. Schüll	Köln	1819[147]
— Chr. Weber	Kirchberg	1821[148]
— Koch jr. & Comp.	Aachen	1829[149]
— H. W. von der Linden	Krefeld	1831[150]
— B. & F. Sternenberg	Kunstfeld	ca. 1835[151]
— C. Möller	Bielstein	vor 1836[152]
— Ed. Halbach	Dünnwald	vor 1858[153]
— E. Küderling & Quade	Duisburg	1860[154]
— L. Vossen & Cie.	Neuß	1870[155]

Im Normalfall erzeugten die Berlinerblaubetriebe das erforderliche blausaure Kali selbst, nur Giersberg in Köln (1812) und Koch jr. & Comp. in Aachen (1829) kauften blausaures Kali/Ferrocyankalium. Da die Bereitung dieses Ausgangsstoffes mit einer außerordentlichen Beeinträchtigung der Umwelt verbunden war, machte die Behörde die Trennung der Ferrocyankaliumherstellung von der Berlinerblauproduktion in allen Fällen zur Konzessionsauflage, in denen die Standortbedingungen nicht den sanitätspolizeilichen Vorschriften entsprachen. Seit Mitte der 40er Jahre entstanden daher Betriebe, die sich auf die Fabrikation des Vorproduktes beschränkten.[156]

[144] HStA D., Grh. Berg 10235 I, fol. 354 f., G.A. Walter, Mineralfarbenindustrie, S. 36, 55.
[145] G.A. Walter, Mineralfarbenindustrie, S. 163.
[146] HStA D., Reg. Köln 2062, fol. 3 f.
[147] G.A. Walter, Mineralfarbenindustrie, S. 37, 55; HStA D., Reg. Köln 2150.
[148] HStA D., Reg. Aachen 1575, fol. 78 ff.; BA Düren 431, fol. 241 f.
[149] Jahr der Konzession. HStA D., Reg. Aachen 13631, fol. 32, 42; 1837 an F. Vossen.
[150] HStA D., Reg. Düsseldorf 2106, fol. 92, 188; Jahr der Konzession.
[151] G.A. Walter, Mineralfarbenindustrie, S. 55.
[152] G. Adelmann, Der gewerblich-industrielle Zustand, S. 182 f.
[153] Tabellen und Nachrichten über den Preußischen Staat, 1858, S. 582 f.
[154] HStA D., Reg. Düsseldorf 388, fol. 104 v; Adreßbuch Duisburg, 1862, S. 40; G.A. Walter, Mineralfarbenindustrie, S. 58.
[155] G.A. Walter, Mineralfarbenindustrie, S. 37, 163; R.G. Bojunga, 100 Jahre L. Vossen & Co., o.p.
[156] Z.B. HStA D., Reg. Aachen 13631 fol. 3, 42 f.; R. Schaumann, Technik und technischer Fortschritt, S. 230.

Das deutsche Kammerverfahren verbreitete sich in der Bleiweißproduktion zwei Jahrzehnte nach der Einführung des Verfahrens bei W. O. Waldthausen (1843). Es wurde in der beschriebenen modifizierten Form von folgenden Betrieben übernommen:

– M. Müller & Söhne	Düsseldorf	1862 Konz.gesuch[157]
– Deus & Moll	Düsseldorf	1864[158]
– Schmoll & Cie.	Ehrenfeld	1868 konz.[159]
– Leyendecker & Co.	Ehrenfeld	1869 konz.[160]

Die entscheidende Diffusion erfolgte also erst im siebten Jahrzehnt mit der Verwendung von Koks statt Holzkohle zur Kohlensäuregasherstellung. d.h., als das aus dem 18. Jahrhundert stammende Verfahren durch eine Verbesserungsinnovation den industriellen Möglichkeiten und Erfordernissen angepaßt war.

2.4 DIE BEDEUTUNG VON ARBEITS- UND ANTRIEBSMASCHINEN

Die Farbenindustrie ist innerhalb der chemischen Industrie einer der wenigen Zweige, in dem Arbeitsmaschinen ihren angestammten Platz haben. Bei den anfallenden Zerkleinerungs-, Mahl-, Misch- und Rührvorgängen im Bereich der Mineralfarbenproduktion und der Bereitung pflanzlicher Farbstoffe wurden unterschiedliche Arbeitsmaschinen wie Poch-, Sieb-, Mahlwerke und Zentrifugen eingesetzt. Erdfarben wurden z.B. bei F. Vossen in Aachen noch in den 1830er Jahren mit Handmühlen auf nassem Wege zerkleinert, bis in der Folgezeit Göpelwerke, Kollergänge und um 1840 sogar Siebmaschinen aufkamen.[161]

In der Bleiweißindustrie gab es besondere Vorrichtungen, um die beim holländischen Verfahren durch das Ablösen des Bleiweisses entstehenden gefährlichen Staube in Grenzen zu halten. Der Vorgang fand in einem geschlossenen Kasten statt, in dem sich zahlreiche, durch eine Kurbel bewegte Stößel und Klöppel drehten. Solche Vorrichtungen waren schon 1826 bei Deus (später Deus & Moll) in Düsseldorf,[162] de Raadt & Co. und J. P. Kleberger & Co. in Elberfeld[163] in Gebrauch. Im weiteren Prozeß wurde das Bleioxyd auf beson-

---

[157] Datum des Konzessionsgesuchs; HStA D., Reg. Düsseldorf 10749, fol. 66 f., 85 f., 137; Müller & Söhne betrieben seit 1842 eine Holzessigfabrikation.

[158] HStA D., Reg. Düsseldorf 10749, fol. 83, 85 f.

[159] Jahr der Konzessionierung; HStA D., Reg. Köln 8855, fol. 185; Schmoll & Cie stellte neben Bleiweiß auch Bleigrün, Zinkgrün, rote Lacke, Alaun und Erdfarben her.

[160] HStA D., Reg. Köln 8856, fol. 90; Jahr der Konzession.

[161] HStA D., Reg. Aachen 13631, fol. 31–36, 42; G.A. Walter, Mineralfarbenindustrie, S. 28, 39, vgl. R. Schaumann, Technik und technischer Fortschritt, S. 249, 253 f.

[162] HStA D., Reg. Düsseldorf 10749, fol. 20–23.

[163] HStA D., Reg. Düsseldorf 10749, fol. 9, 15, 27.

deren Zerkleinerungsmühlen in nassem Zustand pulverisiert und dann mit Bindemitteln vermischt.[164]

Neben den Arbeitsmaschinen spielten Apparaturen für die chemisch-technischen Vorgänge in der Farbenherstellung eine zunehmend wichtigere Rolle; denn die industrielle Entwicklung wird in diesem Bereich durch neue Produkte, Verfahren und Verfahrenstechnologien und damit neuen oder technisch veränderten Ausrüstungsgegenständen bestimmt.[165]

Über die technischen Vorrichtungen allein der kleinen Lack- und Firniskochereien sind wir umfassend unterrichtet.[166] Dagegen kennen wir in der Teerfarbenindustrie die Apparatur nur sehr weniger Betriebe,[167] so daß allgemeine Aussagen nicht gemacht werden können.

Die erwähnten Arbeitsmaschinen wurden durch Handbetrieb und Göpelwerke, weniger wohl durch Wasserkraft bewegt. Der Einsatz von Dampfkraft in Form der Antriebsmaschine war daher naheliegend, um die Produktion steigern zu können. Es ist deshalb kein Zufall, daß die Statistik 1830 die erste Dampfmaschine für den Bleiweißbetrieb der Gebr. Wildenstein in Euchen bei Aachen ausweist.[168] Diese Dampfmaschine mit einer Leistung von 6 PS ist nicht nur die erste bekannte Maschine in der Farbenindustrie, sondern in der chemischen Industrie der Rheinlande überhaupt. 1836 folgten Deus & Moll mit einer 12 PS Dampfmaschine.[169] Die Farbenindustrie weist damit innerhalb der chemischen Industrie der Rheinlande eine im Vergleich zu anderen Produktionszweigen frühe Nutzung der Dampfkraft auf.[170]

Alle Bleifarben- und Ultramarinbetriebe gehörten zu den Produktionsstätten, die mit der Zerkleinerung von Substanzen zu tun hatten. Es ist deshalb nicht außergewöhnlich, daß diese Betriebe seit den 1830er Jahren und in den meisten Fällen direkt bei der Gründung Dampfmaschinen einführten. Zu den letzteren gehörten z.B. W. O. Waldthausen 1843, Lindgens & Söhne 1855, Bergmann & Wagner 1861, Aug. Vorster/Piedboeuf 1862, Chr. Decker

---

[164] HStA D., Reg. Düsseldorf 10749, fol. 9 ff., 20 ff., 57; Reg. Köln 8853, fol. 172, 180; 8854, fol. 2; Abbildung einer Zerkleinerungsmühle in HStA D., Reg. Köln 8856, fol. 89.
[165] R. Schaumann, Technik und technischer Fortschritt, S. 248.
[166] Vgl. Tab. 3 bei R. Schaumann, Technik und technischer Fortschritt, S. 382−428 und 273.
[167] Vgl. ebd. Bayer, Greiff, Gessert, Hilgers, Weiler.
[168] „Nachweisung der im Regierungsbezirk Aachen vorhandenen Dampfmaschinen 1830" in: ZStA Merseburg, Rep. 120, A−V−5−12, fol. 18.
[169] Bisher galt die von Dinnendahl gelieferte Hochdruckmaschine des Bleiweißbetriebs von Deus & Moll in Düsseldorf als die erste Dampfmaschine; vgl. G.A. Walter, Mineralfarbenindustrie, S. 89; I. Lange-Kothe, Johann Dinnendahl, S. 178 f., 196; R. Schaumann, Technik und technischer Fortschritt, S. 254.
[170] Vgl. R. Schaumann, Technik und technischer Fortschritt, S. 275.

& Cie. 1863, Bergmann & Co. 1867, Leyendecker & Co. 1869 und Gierlich & Helmers 1870.[171]

Für verschiedene rheinische Ultramarinbetriebe ist die Stärke der eingesetzten Dampfkraft für die Jahre 1862 und 1872 bekannt:[172]

	1862	1872
– Leverkus	75 PS	192 PS
– Curtius	25 PS	75 PS
– Stinnes	unbek.	60 PS
– Aug. Vorster/Piedboeuf	15 PS	unbek.
– Nuppeney	unbek.	12 PS

Innerhalb von 10 Jahren erfolgte also eine Steigerung der Dampfmaschinenleistung um 185 % bei Leverkus und um 200 % bei Curtius.

Entsprechend der großen Bedeutung von Koch- und Destilliervorgängen bei der Herstellung organischer Farben wurden hier vorwiegend Dampfkesssel eingesetzt. Der Einsatz von Dampfkesseln mit dieser Aufgabe begann verstärkt in den 1850er Jahren bei der Herstellung von natürlichen organischen Farben. Beispiele dafür stellten die Unternehmen Vossen in Aachen (ca. 1850) und Angenstein in Bayenthal (1861) dar. Deren Produktionsprogramm umfaßte jedoch auch sonstige chemische Präparate. Mit der Gründung von Teerfarbenbetrieben in den 1860er Jahren setzte parallel die vermehrte Verwendung von Dampfkesseln ein. In vier der nachfolgend aufgeführten sieben Unternehmen mit Teerfarben oder Anilin im Produktionsprogramm war Dampfkraft nachweislich direkt bei Betriebsbeginn vorhanden: H. Tillmanns 1862, J. W. Weiler (1861 konz.) 1864, F. Bayer & Co. 1863, H. Siegle 1870, Ph. Greiff 1873, C. Jäger (1863 konz.) 1873 und Gebr. Gessert (1871 konz.) 1875.

In der Firnis- und Lacksiederei nahm Ph. Traine in Ehrenfeld 1850 den ersten Dampfkessel, 1863 die erste Dampfmaschine in Betrieb.[173]

Für das Jahr 1875 enthält die Gewerbezählung Anzahl und Leistung der eingesetzten Dampfkessel und Kraftmaschinen in Betrieben mit über fünf Arbeitskräften. Diese Statistik kann mit den Rubriken „Farbematerialien mit Ausschluß der Theerfarben, mit Einschluß der Thierkohle und Filterfabriken", „Steinkohlentheer- und Kohlentheer-Derivate" und „Harze und Firnisse" die Situation in der rheinischen Farbenindustrie annähernd erfassen. Unberücksichtigt bleiben damit die Bleiweiß- und Blancfixebetriebe, die der großen Rubrik „chemische, pharmazeutische und photographische Präparate" zugeordnet wurden. Außerdem muß die ausreichende Berücksichtigung der

---

[171] Vgl. Tab. 3 bei R. Schaumann, Technik und technischer Fortschritt, S. 382–428.
[172] STA Düsseldorf, II 1563, fol. 31, 34 f.; RWWA, 7–2–7; G.A. Walter, Mineralfarbenindustrie, S. 71.
[173] R. Schaumann, Technik und technischer Fortschritt, S. 254, Tab. 3, S. 382 ff.

rheinischen Teerfarbenbetriebe in Zweifel gezogen werden. In der Gruppe „Steinkohlentheer- und Kohlentheer-Derivate", die die Teerfarben mit einschließt, werden für die Reg. Bezirke Köln und Düsseldorf nur fünf Haupt- und drei Nebenbetriebe verzeichnet, während wir eine weit größere Anzahl von Teerfarbenfabrikanten in dem Raum erfassen konnten.

Tab. 2: Zahl und Leistung der 1875 vorhandenen Dampfkessel und Kraftmaschinen in Betrieben der Farbenindustrie mit über fünf Arbeitskräften.[174]

Reg. Bezirk	Zahl d. Betriebe	Tiergöpel	Betriebe mit WK[a]	PS WK	Betriebe mit DK[b]	Zahl d. DK	Betriebe mit DM[c]	Zahl d. DM	PS DM
Farbmaterialien (ausschl. Teerfarben, einschl. Tierkohle und Filterfabriken):									
Koblenz	5[d]		1	36	2	2	2	2	16
Düsseldorf	22[e]				13	45	13	49	606
Köln	15[f]	1	1	5	6	9	6	6	92
Trier	2[g]				1	2	1	2	4
Aachen	3[h]		1	3	2	2	2	2	32
Rheinprovinz	47	1	3	44	24	60	24	61	750
Steinkohlenteer- und Kohlenteerderivate (einschl. Teerfarben):									
Koblenz	—								
Düsseldorf	5[i]				2	7	2	7	50
Köln	3				2	2	2	2	12
Trier	—								
Aachen	—								
Rheinprovinz	8				4	9	4	9	62
Harze und Firnisse:									
Koblenz	3				3	3	3	3	27
Düsseldorf	14[j]				1	1	1	1	4
Köln	7[k]	1							
Trier	2[l]								
Aachen	3[m]		1	20					
Rheinprovinz	29	1	1	20	4	4	4	4	31
Insgesamt:									
Koblenz	8		1	36	5	5	5	5	43
Düsseldorf	41				16	53	16	57	660
Köln	25	2	1	5	8	11	8	8	104
Trier	4				1	2	1	2	4
Aachen	6		2	23	2	2	2	2	32
Rheinprovinz	84	2	4	64	32	73	32	74	843

In der Farbenindustrie der Rheinprovinz arbeiteten 1875 demnach noch zwei Betriebe mit Tiergöpel und vier Betriebe mit Wasserkraft. Bei einem Vergleich der Leistungsstärke aller Kraftmaschinen entfielen 7,5 % der gesamten Leistung in PS auf Wasserkraft. Vorindustrielle Antriebsmittel spielten also im Vergleich zur Dampfkraft nur noch eine kleine Rolle.

38 % der Betriebe mit mehr als fünf Arbeitskräften hatten Dampfkessel und Dampfmaschinen eingesetzt. Das war ein weitaus geringerer Prozentsatz als in der schwerchemischen Industrie, jedoch war das Ausmaß der Verwendung von Dampfkraft in den verschiedenen Bereichen der Farbenindustrie sehr unterschiedlich. In der Industrie der Farbmaterialien betrug dieser Anteil 51 %, in der Teerderivate- und -farbenindustrie 50 % und bei Firnissen und Harzen ca. 14 %. Es ist auffallend, daß in den einzelnen Bereichen die Zahl der Dampfkessel jeweils mit der Zahl der Dampfmaschinen in etwa übereinstimmt.

Aufschlußreich für den Technisierungsgrad in der Farbenindustrie sind auch die Durchschnittswerte der eingesetzten Dampfkessel, Dampfmaschinen und der maschinellen Leistung. In der Farbmaterialienindustrie kamen durchschnittlich 2,5 Kessel und Maschinen und 31,2 PS, in der Teerfarben- und -derivateindustrie 2,3 Dampfkessel und Maschinen und 15,5 PS und in der Harz- und Firnisfabrikation nur ein Kessel, eine Maschine und 7,7 PS auf die sie einsetzenden Betriebe. Gleichzeitig war die durchschnittliche Leistung der Dampfmaschinen sehr unterschiedlich. Sie betrug ca. 12 PS in der Farbmaterialien-, ca. 7 PS bei der Teerfarben- und 8 PS bei der Harz- und Firnisfabrikation. Die durchschnittliche Maschinenleistung in der Farbenindustrie lag mit 11,4 PS aber wesentlich höher als in der Schwerchemie.[175]

ANMERKUNG ZU TABELLE 2

[174] Statistik des deutschen Reichs, A.F., Bd. 35, 2: Die Ergebnisse der Gewerbezählung vom 1.12.1875 im Deutschen Reiche, S. A 74 ff., A. 94.
  a)   WK   = Wasserkraft.
  b)   DK   = Dampfkessel.
  c)   DM   = Dampfmaschine.
  d)   4 Haupt-, 1 Nebenbetrieb.
  e)   19 Haupt-, 3 Nebenbetriebe.
  f)   7 Haupt-, 8 Nebenbetriebe.
  g)   1 Haupt-, 1 Nebenbetrieb.
  h)   2 Haupt-, 1 Nebenbetrieb.
  i)   2 Haupt-, 3 Nebenbetriebe.
  j)   8 Haupt-, 6 Nebenbetriebe.
  k)   3 Haupt-, 4 Nebenbetriebe.
  l)   1 Haupt-, 1 Nebenbetrieb.
  m)   2 Haupt-, 1 Nebenbetrieb.
[175] Vgl. R. Schaumann, Technik und technischer Fortschritt, S. 277.

2.5 DIE AUSNUTZUNG VON KUPPEL- UND ABFALLPRODUKTEN

In der Farbenindustrie sind verschiedene Ansätze zur Ausnutzung von Abfallprodukten festzustellen, u.a. ein Ergebnis der Verwissenschaftlichung der Chemie.[176] Parallel zu den Versuchen einer rheinischen Alaunhütte im Jahre 1868, Erdfarben aus den Rückständen der Alaunfabrikation zu gewinnen,[177] begann die wirtschaftliche Verwertung von Rückständen in der Teerfarbenindustrie. Neben der Wiedergewinnung der Ausgangsstoffe Jod und Anilin bei der Blau- und Violettfabrikation (C. Jäger in Barmen 1865),[178] der Regenerierung von Chromalaun zu Chromkali bei der Alizarinherstellung (F. Bayer in Barmen 1871)[179] und der Wiedergewinnung von salpetersauren Salzen bei der Anthracenfarbenproduktion (Ph. Greiff in Longerich 1873),[180] fanden seit 1868/69 Versuche zur Freisetzung von Arsenik aus Anilinrückständen statt. Im Unternehmen von C. Jäger arbeitete man an einem Verfahren, die arsenhaltigen Anilinrückstände, deren Beseitigung den Anilinfarbwerken zunehmend Schwierigkeiten bereitete, durch heiße Luft zu trocknen, in Röstöfen unter Zuleitung von Kohlenoxydgas zu rösten und die hierbei entweichende arsenige Säure in Kondensationskammern und Sammeltürme zu leiten und durch rieselndes Wasser niederzuschlagen. Das Verfahren bereitete große technische Probleme, die aber weniger den ersten Teil des Prozesses, die Gewinnung der arsenigen Säure aus den Anilinrückständen, betrafen als vielmehr die Darstellung der Arsensäure aus der gewonnenen, sehr verunreinigten arsenigen Säure. Der Versuchsbetrieb mit diesem bisher nur in Frankreich in einem Fall durchgeführten Verfahren begann 1871 an der Station Haan durch C. Jäger (1868/69 konz.).[181] Ein Patentierungsgesuch im Jahre 1870 scheiterte jedoch daran, daß das Verfahren als bereits bekannt bezeichnet wurde.[182] Schwierigkeiten bei der Darstellung der Arsensäure aus der gewonnenen, aber unreinen arsenigen Säure zwangen das Unternehmen dazu, diese Säure zeitweise aus England einzuführen. Als zusätzliche Probleme durch die ökologische Belastung entstanden, mußte der Betrieb 1887 stillgelegt werden.[183] Ohne Parallelfall geblieben ist schließlich die Verarbeitung von Chlormanganrückständen auf Blancfixe bei Wesenfeld & Co. in Barmen 1870.[184]

---

[176] Zur Verwissenschaftlichung insbesondere H. Pohl/R. Schaumann, Wissenschaft und Technik, S. 49 f.; I. Strube, Chemie und Industrielle Revolution, S. 122 f.
[177] HStA D., LA Bonn 598, fol. 82.
[178] HStA D., Reg. Düsseldorf 24645, fol. 51, 54.
[179] WA Bayer 20/3; Farbenfabriken vorm. Friedr. Bayer & Co., Bd. 2, S. 251.
[180] HStA D., Reg. Köln 8857, fol. 200.
[181] HStA D., Reg. Düsseldorf 24636, fol. 18, 51, 142.
[182] ZStA Merseburg, Rep. 120, D XVII—1—7, Bd. 1, fol. 150 ff.
[183] HStA D., Reg. Düsseldorf 24637, fol. 245; 24638, fol. 104, 262.
[184] HStA D., Reg. Düsseldorf 24640, fol. 148.

3. PRODUKTION UND ABSATZ

Entsprechend unserer Grundkonzeption werden in diesem Kapitel die Einflüsse des industriellen Ausbaus auf Umfang und Organisation des Produktions- und Absatzbereiches dargestellt. Dabei soll auch eine Antwort auf die Frage gefunden werden, ob die Entwicklung primär nachfrage- oder innovationsinduziert war. Diese Probleme sind dabei vor dem Hintergrund einer zunehmend liberalen Wirtschaftspolitik und restriktiven Praxis der Patenterteilung in Preußen zu sehen.

3.1 DIE ENTWICKLUNG DER FARBENPRODUKTION

Angaben über die Entwicklung der Farbenproduktion in den Rheinlanden liegen vereinzelt (für Smalte, Berlinerblau und deren Ersatzprodukt Ultramarin, für Fuchsin und Alizarin, für Blei- und Zinkweiß) und dann auch nur lückenhaft vor. Trotzdem lassen diese wenig geschlossenen Reihen ergänzt um Gründungs- und Konzessionsdaten eine Vorstellung über Größenordnungen und Entwicklungsphasen der Farbenproduktion im Untersuchungszeitraum zu.

Die in der Rheinprovinz an den Fundorten ihrer Materialien verstreut liegenden Erdfarbenwerke waren vorindustriell strukturiert und wurden zum Teil als Nebenerwerb betrieben.[1] Die Produktion der jeweiligen Farberden war deshalb technisch und kapazitativ begrenzt. Von wenigen Ausnahmen abgesehen, besitzen wir keine Zahlen für die Erdfarbenproduktion. Wohl haben rheinische Erdfarbenwerke eine Aufschwungphase seit den 1850er und verstärkt seit den 70er Jahren erlebt, da der Bedarf an Erdfarben besonders für den Haus-, Tapeten- und Ölanstrich anstieg. Dem steigenden Bedarf versuchte man auch durch den Einsatz von Dampfkraft nachzukommen. Doch die Betriebe aus Hessen-Nassau blieben starke Konkurrenten auf dem Markt.

Die Kapazität von Erdfarbenwerken mögen zwei Beispiele verdeutlichen. Unter Verwendung von zwei Dampfmaschinen und Wasserkraft produzierten Schröder und Stadelmann in Oberlahnstein 1871 mit 45 Arbeitern 1.250 t Erdfarben; d.h. 27,7 t pro Arbeitskraft. Dagegen lag die Ausbringung der Rötelgrube Peterswald mit sechs Arbeitern 1862 nur bei 84,5 t; das sind 14 t pro Arbeiter. Offensichtlich handelte es sich hier um einen vorindustriellen Betrieb; außerdem verlor Rötel an Bedeutung als Farbe.[2]

---

[1] G.A. Walter, Mineralfarbenindustrie, S. 27.
[2] G.A. Walter, Mineralfarbenindustrie, S. 27 ff., Anlage III, S. 163.

Tab. 3: Die Smalteproduktion (in Ztr.)

Jahr	im Zollverein[3]		in Preußen[3]		im Westfälischen Haupt-Bergdistrikt[5]	
	Betriebszahl	Produktion	Betriebszahl	Produktion	Betriebszahl	Produktion
1848	8	15.341	3	7.602	2	7.255
1849	7	14.032	2	3.446	1	3.042
1850	8	13.648	3	3.837	2	3.348
1851	8	13.742	3	3.596	2	3.210
1852	8	15.800	3	5.214	2	4.885
1853	8	16.253	3	3.326		3.025
1854	7	11.702	2	3.183	1 (Horst)	2.886
1855	7	11.945	2	2.547	1 (Horst)	2.317
1856	7	12.215	2	2.157	1 (Horst)	1.951
1857	7	11.697	1	1.570	1 (Horst)	1.344
1858–1860				ϕ 192[4]		

[3] G. von Viebahn, Statistik des zollvereinten und nördlichen Deutschlands, Teil 2, S. 471 f.

[4] Zeitschrift für das Berg-, Hütten- und Salinenwesen, 7–9, 1859–1861, S. 33, 239, 35. Die in dieser Zeitschrift für die Jahre 1852–1857 angegebenen Zahlen bezüglich Preußen weichen geringfügig von den hier wiedergegebenen ab.

[5] G. von Viebahn, Statistik des zollvereinten und nördlichen Deutschlands, Teil 2, S. 471. In der Zeitschrift für das Berg-, Hütten- und Salinenwesen für 1852–1857 leicht abweichende Zahlen.

Relativ gute Daten liegen für die rheinische Smalteproduktion vor. Für den westfälischen Haupt-Bergdistrikt, in dem zwei wichtige rheinische Smaltewerke lagen, besitzen wir Angaben für die Jahre 1848–1857, für das Blaufarbenwerk in Heidhausen bei Werden für die Jahre 1824, 1826 wie 1831–1848 und für die Mineralblaufabrik Christian Weber in Kirchberg, Kreis Jülich, für die Zeit 1825–1829. Vergleichsdaten existieren für Preußen (1848–1860) und den Zollverein (1848–1857).

Die Herstellung von Smalte begann in den Rheinlanden im ausgehenden 18. Jahrhundert.[6] Im Jahre 1816 wissen wir von sieben kleinen Blaufarbenwerken im Reg.Bez. Kleve.[7] Für die 1820er Jahre[8] haben wir den Nachweis von Blaufarbenbetrieben in Altenberg, Kreis Mülheim/Rhein und in Heidhausen bei Werden/Ruhr. 1829[9] trat ein weiterer in Horst bei Steele/Ruhr hinzu. Das Altenberger Werk existierte 1836 nicht mehr. Der Produktionsschwerpunkt lag im 19. Jahrhundert an der Ruhr. Die Werke von Horstmann & Co. in Horst bei Steele und Niemann & Co. in Horst und in Heidhausen bei Werden waren die bekanntesten.[10]

Allein der Vergleich der Fabrikationsmengen für den westfälischen Haupt-Bergdistrikt und Preußen verdeutlichen die überragende Stellung der Rheinlande. Sie stellten so gut wie vollständig die preußische Produktion in dem Jahrzehnt 1848–1857, und diese wiederum machte im gleichen Zeitraum etwa ein Drittel (1848–1852) bzw. ein Fünftel (1853–1857) der Zollvereinsproduktion aus. Der veränderte Anteil ist gleichzeitig Ausdruck der sehr viel krasseren Niedergangstendenzen bei den rheinisch-preußischen Smaltewerken als bei denen im restlichen Zollverein. Sie konnten sich im sächsischen Gebiet teilweise erhalten.[11]

Aus den Zahlen für Heidhausen läßt sich eine Steigerung der Smalteproduktion um das Vierfache an der Wende zum vierten Jahrzehnt konstatieren. In den 40er Jahren lag sie in Heidhausen durchschnittlich um 6 % über der Ausbringung in den 30er Jahren. Doch 1842 und 1844 zeigten sich bereits Einbrüche gegenüber 1840 und 1843 um ca. 10 bzw. 50 %, die vielleicht auch Ausdruck der ganz anders verlaufenden Konsumgüterkonjunktur mit Ab-

---

[6] B. Kuske, Die übrigen Industrien, S. 452.

[7] J. Kermann, Manufakturen, S. 445.

[8] J.A. Demian, Geographisch-statistische Darstellung, S. 63, 107; F. von Restorff, Topographisch-statistische Beschreibung, S. 132.

[9] G.A. Walter, Mineralfarbenindustrie, S. 52.

[10] G. Adelmann, Der gewerblich-industrielle Zustand, S. 192, 34 f.; G.A. Walter, Mineralfarbenindustrie, S. 52 ff.

[11] Vgl. Tab. 3, S. 64; G.A. Walter, Mineralfarbenindustrie, S. 54. Im Bereich des Oberbergamtes Freiberg wurden 1855 noch 5202 Ztr., 1856–5000 Ztr. und 1858–8132 Ztr. Smalte produziert; vgl. Zeitschrift für das Berg-, Hütten- und Salinenwesen 6, 1858, C VI, 8, 1860, C III.

Tab. 4: Die Produktion von Smalte

Jahr	im Blaufarbenwerk Heidhausen			im Blaufarbenwerk Horst			im Glaubersalz und Mineralblauwerk Chr. Weber, Kirchberg	
	Menge (Ztr.)	Wert (Tlr.)	Ø Wert (Tlr./Ztr.)	Menge (Ztr.)	Wert (Tlr.)	Ø Wert (Tlr./Ztr.)	Menge (Ztr.)	Wert (Tlr.)
1822[12]							6	218
1824[12]	900	8.000	8,9					
1825[12]							6–8	250
1826[12]	900	8.000	8,9				7–8	260
1827[13]							7–8	260
1828[13]							5–6	260
1829[13]							8–9	300
1831–36[14]	4.000	38.000	9,5				4–5	130
1837[15]	4.000	38.000	9,5					
1839[15]	4.000	38.000	9,5					
1840[15]	4.500	42.000	9,3					
1842[16]	3.500	42.000	12,0					
1843[16]	4.500	42.000	9,3					
1844[16]	2.370	44.394	18,7					
1845[16]	5.600	58.000	10,4					
1846[16]	4.500	42.000	9,3					
1847[16]	4.500	42.000	9,3					
1848[16]	4.500	42.000	9,3					
1852[17]	1.500	30.000	20,0	3.247	46.403	14,3		
	S. Angabe bei Horst			(einschl. Heidh.)				
1853[17]				2.940	43.110	14,7		
1854[17]				2.805	34.725	12,4		
1855[17]				2.252	26.310	11,7		
1856[17]				1.896	18.361	9,7		
1857[17]				1.306	15.240	11,7		

66

schwächungen bereits in der ersten Hälfte der 40er Jahre waren.[18] Eindeutig ist aber den vorliegenden Zahlen[19] zu entnehmen, daß die Smalteproduktion seit dem Ausgang des Jahrzehnts in eine Krise geriet. Mit Ausnahme des konjunkturell günstigen Jahres 1852 zeigte die rheinisch-preußische Smaltefabrikation seit 1848/49 Abwärtstendenzen. Sie ging im westfälischen Haupt-Bergdistrikt von 1848 auf 1849 um 58 % zurück; lag 1855 bei 32 % und 1857 bei 19 % des Ausgangsniveaus von 7.255 Ztrn. (1848). Der Absatz von Smalte in Preußen verringerte sich zwischen 1839 und 1854 um zwei Drittel, von 9.121 Ztr. auf 3.093 Ztr..[20] 1854 arbeitete noch ein Betrieb im Bergdistrikt (in Horst), der 1856/57 die alten Erzbestände verbrauchte und 1858 stillgelegt wurde.[21]

Der Niedergang der rheinischen Smaltewerke wurde wesentlich durch die Konkurrenz des Ultramarin bedingt, das der Smalte in Bezug auf Qualität, Anwendung und Preis überlegen war. Das Datenmaterial läßt aber eine Darstellung und Interpretation des Substitutionsprozesses nicht zu; denn die erste Angabe für Ultramarin liegt für 1862 vor. In den 60er Jahren wurde Ultramarin nach Walter[22] zum „Gemeingut" und ist damit in alle Absatzfelder der Smalte eingedrungen. Das scheint in den 50er Jahren noch nicht voll geschehen zu sein. Hierfür spricht der Berliner Ausstellungsbericht von 1844. Außerdem reagierten auch die Smaltepreise noch zu Beginn der 50er Jahre auf Produktionsschwankungen,[23] woraus auf eine gewisse Abhängigkeit der Nachfrager geschlossen werden kann. Welche Konsequenz die Betriebsinhaber aus der Einstellung der Smalteproduktion zogen, wissen wir nicht.

---

[12] HStA D., BA Düren 431, fol. 247 v; 432, fol. 270v, 271 (1824); fol. 294 (1825); fol. 304 v., 341 (Heidhausen 1826); fol. 360 v, 371 (Kirchberg 1826).

[13] HStA D., BA Düren 433, fol. 15 v., 16 (1827); fol. 65 (1828); fol. 126 v, 127 (1829).

[14] HStA D., LA Duisburg-Mülheim 353, fol. 68 v, 69; für Weber (1836) s. G. Adelmann, Der gewerblich-industrielle Zustand, S. 147.

[15] HStA D., Reg. Köln 2132, fol. 144 v., 222 v, 243.

[16] HStA D., Reg. Düsseldorf, Präsidium 1019, fol. 51 (1842); fol. 104 (1843); fol. 144 (1844); fol. 156 (1845); fol. 261 (1846); fol. 314 (1847); fol. 342 (1848).

[17] Zeitschrift für das Berg-, Hütten- und Salinenwesen, Statistischer Teil, 1, 1854, S. 151 (1852); 2, 1855, S. 191 (1853, die Angaben beziehen sich auf Heidhausen und Horst); 3, 1856, S. 149 (1854); 4, 1857, S. 159 (1855); 5, 1858, S. 163 (1856); 6, 1858, S. 45 (1857).

[18] K. Borchardt, Wirtschaftliches Wachstum, S. 258.

[19] Vgl. Tab. 3, S. 64.

[20] Pariser Ausstellung 1855, S. 348.

[21] Zeitschrift für das Berg-, Hütten- und Salinenwesen 5, 1858, S. 223 und 6, 1858, S. 237.

[22] G. A. Walter, Mineralfarbenindustrie, S. 73; Jahresbericht HK Köln, 1863, S. 73.

[23] Amtlicher Bericht Berlin 1844, Teil 3, S. 87ff.; Zeitschrift für das Berg-, Hütten- und Salinenwesen 1, 1854, S. 183, 2, 1855, S. 110; vgl. auch S. 88f.

Tab. 5. Die Produktion von Berlinerblau u. chemischen Produkten bei Vopelius/Gebr. Appolt in Sulzbach (in Ztr.)

Jahr	Berlinerblau	Salmiak	Alaun	Vitriol	blausaures Kali	Wert insg. (in Rtlr.)	Preis (Rtlr.)[28] f. Berl. blau
1821[24]	90	85	964	175		16.000	
1822[24]	83	95	925	293		15.000	
1823[25]	27	74	868	175		10.114	
1824[25]		100	1.480	210			
1830[26]	40						
1861[27]	800				1.500		
1864[27]	750				1.300		20–80
1865[27]	950				1.600		20–80
1866[27]	steigende Produktion gegenüber dem Vorjahr				steigende Produktion gegenüber dem Vorjahr		
1867[27]	1400				1.900		
1868[27]	1700				2.100		
1869[27]	wie Vorjahr				wie Vorjahr		
1870[27]	1800				2.500		

24 HStA D., BA Düren 431, fol. 261 v, 262 (1821); fol. 270 v, 271 (1822).
25 HStA D., BA Düren 432, fol. 127, 90 (1823); fol. 255 (1824).
26 G.A. Walter, Mineralfarbenindustrie, S. 161.
27 Jahresberichte der HK (Beilage) Trier, 1861, S. 290 und Saarbrücken 1865, S. 701; 1866, S. 852; 1867, S. 866 f.; 1868, S. 643; 1869, S. 659; 1870, S. 850.
28 1864: N. Hocker, Großindustrie Rheinlands und Westfalens, S. 436; 1865: Jahresbericht HK (Beilage) Saarbrücken, 1865, S. 701.

Die Produktionsentwicklung des im Textil-, Papier-, Tapetengewerbe verwendeten Farbstoffes Berlinerblau läßt sich nur anhand einiger Zahlen des Betriebes von Vopelius/Gebr. Appolt in Sulzbach im Reg.Bez. Trier verdeutlichen. Dieses Unternehmen nahm 1780 als erstes in der späteren Rheinprovinz die Produktion von Berlinerblau auf. Die Daten geben einen Blick in die Entwicklung der 20er und 60er Jahre, während für die Zeit 1831–1860 jeglicher Beleg fehlt. Ergänzend müssen die neuen Konzessionen herangezogen werden. 1804 nahm Rethel in Aachen die Produktion auf, und im Zeitraum 1809–1820 folgten drei Betriebe.[29] Der Produktionsrückgang bei Vopelius[30] während der 20er Jahre hatte neben konjunkturellen Schwächen seine Ursache in der französischen Schutzzollpolitik seit 1823. In den 30er Jahren wurde Frankreich sogar kurzfristig (1836) zum Exportland von Berlinerblau nach Preußen, während es zuvor aus Preußen, vor allem dem Rheinland importiert hatte.[31] Trotzdem können wir bis in die Mitte des vierten Jahrzehnts vier weitere Betriebe nachweisen, die die Produktion von Berlinerblau aufnahmen,[32] während gleichzeitig in den 30er Jahren zwei Betriebe zeitweilig oder endgültig stillgelegt wurden.[33] Die 60er Jahre wiesen bei Vopelius/Gebr. Appolt[34] eine Produktionssteigerung um etwa das Zehnfache gegenüber den 20er Jahren auf. Dabei sind die Produktionsangaben für 1861 bis 1865 wohl als relativ niedrig zu werten. Sie sind vor dem Hintergrund der europäischen Seiden- und Baumwollverarbeitungskrise zu sehen, die in der zweiten Hälfte des Jahrzehnts überwunden wurde und in die Hochkonjunktur überging. Zwischen 1865 und 1874 erhöhten z.B. Gebr. Appolt die Arbeiterzahlen von 50 auf 85, und 1865 wurde die erste Dampfmaschine installiert.[35] Die Gebr. Vossen, Aachen, verselbständigten 1870 die Produktion von Berlinerblau unter der Firma L. Vossen & Cie. in Neuss in einem ehemaligen Betrieb für blausaures Kali. Von der Linden in Krefeld führte 1862 einen Dampfkessel und bis 1873 drei weitere ein.[36] Eine im Zusammenhang mit der Produktionsausdehnung auftretende Verknappung und Verteuerung der Rohmaterialien leitete zur Umstellung der Fertigung auf der Grundlage von Gasreinigermasse über.[37]

Im Gegensatz zur Smalte konnte sich die Berlinerblaufabrikation im Rheinland trotz der Konkurrenz des künstlichen Ultramarin erhalten, wobei fraglich bleibt, in welchem Gesamtumfange. Über Stillegungen von Betrieben ist zu wenig bekannt, aber zwischen 1836 und 1870 erfahren wir auch nur von zwei

[29] Gebr. Mannes, Schüll, Wöllner & Sternenberg, vgl. Tab. 37, S. 210 ff.
[30] Vgl. Tab. 5, S. 68.
[31] G.A. Walter, Mineralfarbenindustrie, S. 57.
[32] Coutrain, v.d. Linden, C. Möller, B. & F. Sternenberg, vgl. Tab. 37, S. 210 ff.
[33] Die Betriebe von Koch & Co., Gebr. Mannes, vgl. Tab. 37, S. 210 ff.
[34] Vgl. Tab. 5, S. 68   ; Jahresbericht HK (Preußische Statistik) Trier 1861, S. 85.
[35] G.A. Walter, Mineralfarbenindustrie, S. 58 ff., Anlage III, S. 161; Jahresbericht HK (Beilage) Saarbrücken 1870, S. 850 f.; N. Hocker, Großindustrie Rheinlands und Westfalens, S. 436. In diese Zeit fällt aber auch die Aufnahme der Anilinfarbenproduktion.
[36] R. Schaumann, Technik und technischer Fortschritt, S. 226, 400, 415.
[37] Ebd., S. 224; G.A. Walter, Mineralfarbenindustrie, S. 61 ff..

Neugründungen.[38] Walter[39] spricht für 1880 von drei rheinischen Berlinerblaufabriken.

Die Farbe, die die Smalte und das Berlinerblau in ihren Anwendungsbereichen ver- bzw. zurückdrängte, war das künstliche Ultramarin, das im Rheinland seit Mitte der 30er Jahre von Leverkus hergestellt wurde. Die Produktionsentwicklung bis 1848 war durch Leverkus, der sich sein Verfahren 1838 durch ein preußisches Patent auf zehn Jahre sichern ließ, bestimmt.[40] Erst in den darauffolgenden Jahrzehnten kam es zur Neugründung von Ultramarinwerken in der Rheinprovinz, bis 1865 insgesamt fünf: Curtius (1850 konz.), Stinnes (1852), Aug. Vorster/Piedboeuf (1862), Nuppeney (1865). In Deutschland existierten zu dem Zeitpunkt 22 Fabriken.[41]

Produktionszahlen liegen bis in die 60er Jahre für die rheinischen Werke nicht vor. Die Arbeitnehmerzahlen von Leverkus lassen jedoch auf eine günstige Entwicklung in den 40er Jahren schließen. Sie stiegen um etwa das Sechsfache. Dagegen wiesen die 50er Jahre stark schwankende Zahlen auf.[42] Dieses Faktum stützt die These, daß Leverkus schon 1840 gemeinsam mit Leykauf (Nürnberg) und Köttig (Meißen) Frankreich die Führung in der Ultramarinproduktion abgenommen habe.[43] In einem späteren Bericht beziffert R. Hoffmann die deutsche Produktion für 1862 mit 2.754 t, die rheinische mit 750 t und die französische mit 527 t.[44]

Das folgende Jahrzehnt weist deutliche Produktionssteigerungen in Deutschland wie im Rheinland auf, wobei die rheinische Produktion gut ein Viertel (26–27 %), um 1880 sogar ein Drittel der deutschen ausmachte.[45] Betrachtet man die prozentualen Veränderungen zwischen 1862 und 1872, so fällt auf, daß die Steigerungen bei Leverkus und Curtius weit über der durchschnittlichen Produktionssteigerung pro Unternehmen in Deutschland lagen. Leverkus gelang es außerdem, in der Größenordnung der Produktion Anschluß an Curtius zu gewinnen. Der Anteil beider Firmen an der rheinischen Produktion lag damit in den Vergleichsjahren bei 80 bzw. 84 %.

[38] Halbach 1858 und L. Vossen in Neuss 1870, vgl. Tab. 37, S. 210 ff.
[39] G.A. Walter, Mineralfarbenindustrie, S. 62.
[40] Leverkus. Fortschritt, Wachstum, Verantwortung, o.p. (S. 2).
[41] Tab. 37, S. 210 ff.; ferner G.A. Walter, Mineralfarbenindustrie, Anlage IV, S. 166 ff.. Walter gibt die Produktionsaufnahme bei Stinnes mit 1852 an, in den Quellen wird das Jahr 1860 genannt (HStA D., Reg. Düsseldorf 388, fol. 104v). Für Walters Aussage spricht die Tatsache, daß 1858 schon drei Betriebe mit Angabe der Arbeiterzahlen im Reg. Bez. Düsseldorf verzeichnet sind. Vgl. Tab. 6, S. 72. Für 1880 wird das Zahlenverhältnis der rheinischen zu den deutschen Fabriken mit 5 : 21 angegeben. Vgl. Die Chemische Industrie 3, 1880, S. 318.
[42] Tab. 22, S. 118.
[43] E. Schmauderer, Ultramarin-Fabrikation, S. 144.
[44] G.A. Walter, Mineralfarbenindustrie, S. 72; R. Hoffmann, Entwicklung Ultramarinfabrikation, S. 688 ff.
[45] Auch zum Folgenden Tab. 6, S. 72; R. Hoffmann, Entwicklung Ultramarinfabrikation, S. 688 f. Die rheinische Produktion betrug 1880–25.000 Kilo-Ztr., die deutsche 75.000 Kilo-Ztr., vgl. Die Chemische Industrie 3, 1880, S. 318.

Die Steigerung der Produktion von 1862 auf 1872 fiel bei Leverkus und Curtius mit Betriebserweiterungen, einem stärkeren Einsatz von Dampfkraft und der Erhöhung von Arbeiterzahlen zusammen.[46] Aber trotz der deutlich gestiegenen Fabrikation bei Leverkus schneidet dieses Unternehmen bei einem Vergleich seiner technischen Kennziffern (mengenmäßige Ausbringung im Verhältnis zur Arbeiterzahl und zur PS-Zahl sowie das Verhältnis der eingesetzten PS-Größe zur Arbeiterzahl) mit denen bei Curtius schlechter ab. In Bezug zum deutschen Durchschnitt konnten diese Kennziffern zwischen 1862 und 1872 allerdings verbessert werden. Die Unterschiede erklären sich wesentlich aus der Vielfalt, Art und Qualität der hergestellten Produkte wie aus der Verfahrenstechnik. Das bei Leverkus angewandte Sulfat-Verfahren und das ursprüngliche Soda-Verfahren, das einen eigenen Feinbrand erforderte, waren teurer und arbeitsintensiver als das von Curtius seit Betriebsgründung verwendete verbesserte Soda-Verfahren.[47]

Das Angebot der deutschen Ultramarinwerke, aber besonders das von Leverkus, zeichnete sich durch Sortenvielfalt und zahlreiche Zubereitungsformen aus. Das erklärt auch die starke Exportstellung. 1855 boten deutsche Firmen auf der Pariser Weltausstellung durchschnittlich 15 bis 20 Sorten an, die französischen Konkurrenten aber nur sechs bis acht. Während Leverkus 1838 erst mit einer Sorte auf der zweiten Industrieausstellung in Düsseldorf vertreten war, umfaßte sein Produktionsprogramm seit 1842 bereits 34 verschiedene Sorten. Auf der allgemeinen deutschen Gewerbeausstellung in Berlin (1844) stellte er mit 25 Sorten die größte Auswahl unter allen deutschen Fabrikanten aus.[48] Die Entwicklung der Produktionszahlen, der steigende Ausfuhrüberschuß und Exportanteil dürfen dennoch nicht über die verschärfte Konkurrenz durch Kapazitätsausbau und die neuen Teerfarben hinwegtäuschen. In der Mitte der 70er Jahre war die Krise auch in dieser Branche offenkundig.[49]

Die Bleiweißproduktion war einer der bedeutendsten Zweige der Mineralfarbenindustrie in den Rheinlanden. Sie konzentrierte sich um die Mitte des 19. Jahrhunderts zunehmend im Kölner Raum.[50] Die mengenmäßige Entwicklung der Bleiweißproduktion läßt sich mit dem vorhandenen Quellenmaterial nicht darstellen. Genaue Produktionsangaben konnten nur für einzelne Betriebe und wenige Jahre ermittelt werden. Da die Herstellung von Bleiweiß teilweise

[46] Vgl. Tab. 6, S. 72; G.A. Walter, Mineralfarbenindustrie, S. 71. 1864 konnte der Betrieb bei Leverkus in Wiesdorf voll aufgenommen werden.
[47] R. Schaumann, Technik und technischer Fortschritt, S. 205; E. Schmauderer, Ultramarin-Fabrikation. S. 132 f.
[48] E. Schmauderer, Ultramarin-Fabrikation 133, 144, 146, f.; G.A. Walter, Mineralfarbenindustrie, S. 67.
[49] Vgl. S. 92 f.; 1877 gingen 2/3 der Produktion in den Export. Das Verhältnis Export zu heimischem Verbrauch wurde 1880 auf 4:1 veranschlagt. Vgl. Die Chemische Industrie 1, 1878, S. 356 ff.; 3, 1880, S. 318; ferner G.A. Walter, Mineralfarbenindustrie, S. 71 ff., Anlage V, S. 169.
[50] B. Kuske, Die übrigen Industrien, S. 453 f.; vgl. auch S. 30.

Tab. 6: Ultramarinproduktion in Deutschland und in der Rheinprovinz[51]

	Jahr	Deutschland	Rheinprovinz				
			Leverkus	Curtius	Stinnes	Nuppeney	Vorster/Piedboeuf
1) Zahl der Unternehmen	1862	16	1	1	1	1	1
	1872[52]	23	1	1	1	1	1
	1880[52]	21					1
2) Produktion (in t)	1862	2.754	250	350	150		
	1864[53]	ca 2.100					
	1872	6.579	750	750	250	20	
3) Steigerung 1862–72		139%	200%	114%	67%		
Durchschnittliche Produktion d. Unternehmen (in t)	1862	172					
		=+66%					
	1872	286					
4) Zahl der Arbeiter	1858		51	54	29		
	1862	721	78	60			
	1872	1.508	162	110			
5) Installierte PS-Zahl	1862	530	75	25	30	12	12
	1872	1.200	192	75	60	12	
6) Technische Kennziffern							
a) Ausbringung (t) : Arbeiterzahl	1862	3,8	3,2	5,8	8,3		
	1872	4,3	4,6	6,8		1,7	
b) Ausbringung (t) : PS-Zahl	1862	5,1	3,3	14	4,2	1,7	
	1872	4,3	3,9	10			
c) PS-Zahl : Arbeiterzahl	1862	0,73	0,96	0,4	2	1	
	1872	0,79	1,18	0,68			

[51] G.A. Walter, Mineralfarbenindustrie, S. 71 f. Die Arbeiterzahlen von Walter wurden ergänzt durch H. Amendt, Arbeitnehmer, Tab. 57, Anm. 1–3, Tabellenteil, S. 124.
[52] Die Chemische Industrie 3, 1880, S. 318.
[53] E. Schmauderer, Ultramarin-Fabrikation, S. 147.

Tab. 7: Die Bleiweißproduktion einzelner Unternehmen

Firma	Jahr	Produktion Menge (Ztr.)	Wert	Verfahren	Dampfmasch.	Produktionsprogramm
P.A. Fonck	1810[54]	5.000	400.000 Frs.	–		Bleiweiß
Bischof & Rhodius/	1836[55]	4.500	45.000 Rtlr.	französ.		Bleiweiß/Kremserweiß
Gebrüder Rhodius	1840[56]	4.500	45.000 "	französ.		Bleiweiß/Kremserweiß
	1862[57]	4.100				
F.u.B. Sternenberg	1836[58]	3–4.000	30–40.000 "	holländ		Bleiweiß
(& Möller)	1840[59]	5.000	45.000 Rtlr.	holländ		Bleiweiß
Deus & Moll	1840[60]	10.000	90.000 "	holländ	1 DM	Bleiweiß
	1864[61]			dt.Kammer		
Gebr. Uckermann	1840[62]	1.600	14.000 "	holländ		Bleiweiß
Bergmann & Wagner	1861[63]	1.000			1 DM/1 DK	
	1871[64]	22.000				Bleiprodukte
Dr. Schüler, vorm. de Raadt	1864[65]	200–300 (mtl.)				Bleiweiß, Bleizucker
Bergmann & Co. (& Simon seit 1871)	1867[66]	12.000			15 PS	Bleiweiß
Gebr. Kolter (gegr. 1869) bis	1876[67]	ca.15–20.000		ab 1876 Kammer		Bleiweiß
August Herder	1871[68]	10.000	24.000 Mark			Bleiweiß

54 G.A. Walter, Mineralfarbenindustrie, S. 171; H. Milz, Kölner Großgewerbe, S. 103.
55 G. Adelmann, Der gewerblich-industrielle Zustand, S. 254 f.; G.A. Mineralfarbenindustrie, S. 88.
56 G.A. Walter, Mineralfarbenindustrie, S. 171.
57 Jahresbericht HK (Preußische Statistik) Koblenz 1862, S. 92.
58 G. Adelmann, Der gewerblich-industrielle Zustand, S. 188 f.; R. Schaumann, Technik und technischer Fortschritt, S. 412.
59 G.A. Walter, Mineralfarbenindustrie, S. 172, 89; R. Schaumann, Technik und technischer Fortschritt, S. 412.
60 G.A. Walter, Mineralfarbenindustrie, S. 171, 89; R. Schaumann, Technik und technischer Fortschritt, S. 389, 231 f.
61 R. Schaumann, Technik und technischer Fortschritt, S. 231 f.
62 G.A. Walter, Mineralfarbenindustrie, S. 89, 172; R. Schaumann, Technik und technischer Fortschritt, S. 413.
63 Bei der Produktionsangabe von 1.000 Ztrn. handelt es sich um die projektierte Menge.
64 G.A. Walter, Mineralfarbenindustrie, S. 173.
65 HStA D., Reg. Düsseldorf 10749, fol. 73, 133.
66 G.A. Walter, Mineralfarbenindustrie, S. 174.
67 H. Zimmermann, Die wirtschaftliche Entwicklung des Kreises Euskirchen, S. 57 f.
68 G.A. Walter, Mineralfarbenindustrie, S. 175.

mit der Produktion anderer Bleiprodukte und Farben verbunden war, beziehen sich die Zahlenangaben in diesen Fällen auf das gesamte Programm, wobei der Anteil der Bleiweißproduktion nicht ersichtlich ist. Außerdem hängt die Produktionsmenge in starkem Maße vom angewandten Verfahren ab, ferner von dem Einsatz an Dampfkraft, so daß fehlende Angaben nicht durch Analogieschlüsse ersetzt werden können.[69] Tabelle 7 zeigt die Lückenhaftigkeit der verfügbaren Angaben und die geringen Vergleichsmöglichkeiten. Die wenigen Daten können keine Entwicklung widerspiegeln, wohl aber ein Bild von der Größenordnung der betrieblichen Produktion geben. Als Hilfsindikator für die Entwicklung der Bleiweißproduktion im Rheinland wurde daher die Zahl der Betriebsneugründungen herangezogen.[70] Nach einem kurze Zeit während Versuch in der Franzosenzeit[71] lag eine erste Gründungsphase für Bleiweißbetriebe in der zweiten Hälfte der 20er Jahre mit allein fünf Konzessionen bzw. Gründungen zwischen 1826 und 1830. Bis 1855 folgte jeweils ein neuer Betrieb innerhalb von fünf Jahren und im siebten Jahrzehnt eine stärkere Kapazitätserweiterung durch sechs neue Produktionsstätten bzw. die Aufnahme von Bleiweiß in das Produktionsprogramm bei vier Betrieben.[72] Fünf Fabrikationsstätten stellten zwischen 1860 und 1873 nach unserem Wissen die Herstellung ein.[73] Es kann also von einer steigenden Produktion durch Kapazitätserweiterung seit der Mitte der 20er Jahre des 19. Jahrhunderts ausgegangen werden. Eine stärkere Ausdehnung als dieses Kriterium anzudeuten vermag, ist für die 60er Jahre anzunehmen, da die Neugründungen in diesem Jahrzehnt direkt mit dem ergiebigeren, industriellen deutschen Kammerverfahren anfingen, etablierte Unternehmen in dieser Zeit außerdem mit der Umstellung auf das neue Verfahren begannen.[74] Der Vorgang wurde unterstützt durch die seit Mitte des Jahrhunderts quantitativ und qualitativ ausreichende Versorgung mit heimischem Blei und damit die Unabhängigkeit von Importen[75] sowie auf der Nachfrageseite durch ein hohes Niveau der Wohnungsbauinvestitionen[76] in Deutschland und eine günstige Exportsituation.[77]

Eine technische Verbesserung, das Zinkentsilberungsverfahren, ermöglichte seit dem Ausgang der 40er Jahre des 19. Jahrhunderts auch im Rheinland die

---

[69] Vgl. Tab. 7, S. 73 und S. 74, Anm. 74.
[70] Vgl. zum Folgenden Graphik S. 84 f.
[71] Die 1810 gegründete Firma P.A. Fonck in Köln stellte schon 1811/12 ihren Betrieb wieder ein. H. Milz, Kölner Großgewerbe, S. 64 f.
[72] Um Bleiweiß wurde das Produktionsprogramm in diesem Jahrzehnt bei Hilgers, Leyendecker, Müller, Zurhelle ergänzt, schon 1858 bei Lindgens.
[73] Die Firmen Brasseur, Kleberger, Dr. Schüler, Sternenberg und Waldthausen stellten die Produktion ein.
[74] R. Schaumann, Technik und technischer Fortschritt, S. 231 f. Nach Walter brachte das neue Verfahren eine Produktionssteigerung um das Zehnfache bei gleicher Arbeiterzahl. G.A. Walter, Mineralfarbenindustrie, S. 94 f.
[75] G.A. Walter, Mineralfarbenindustrie, S. 92 f.
[76] W.G. Hoffmann, Wachstum, S. 259.
[77] Vgl. S. 94 f.

Bereitung eines sehr reinen Weißbleis, das für die Mennigeproduktion geeignet war.[78] Auf dieser Grundlage entstanden in den 50er und 60er Jahren, vor allem in Köln und Umgebung, Mennigebetriebe: zwischen 1851 und 1855 zwei und im Jahrzehnt 1861 bis 1870 drei.[79] 1870 nahmen auch Bergmann & Co. Mennige in ihr Programm auf. Eine Ausnahme bildete der Betrieb von Villeroy, später Villeroy & Boch, der schon seit Anfang des Jahrhunderts in Wallerfangen, seit 1841 in Wadgassen Mennige für den Eigenbedarf fabrizierte.[80]

Mit der Aufnahme der Zinkproduktion in den Rheinlanden und neuer hüttentechnischer Verfahren zur Verwertung der Zinkblende in den 30er Jahren wurden die Grundlagen für die rheinische Zinkweißproduktion gelegt.[81] Die Herstellung der Metallfarbe Zinkweiß begann zuerst in der 1849 gegründeten Zinkhütte von C. Rochaz & Co. in Eppinghofen, die 1853 von dem belgischen Unternehmen Vieille Montagne[82] übernommen wurde. Spätestens zu diesem Zeitpunkt ging man von der Galmeierzgrundlage zum Rohzinkverfahren über.[83] Das 1854 in Oberhausen gegründete Zinkwalzwerk von Wilhelm Grillo kam 1866 hinzu. Anfang der 70er Jahre nahmen Zinkwerke im Aachener Bezirk die Zinkweißproduktion auf, vorübergehend auch der Bleiproduktenbetrieb von Louis Wagner in Deutz bei Köln.[84]

Betrachtet man die Daten der Eppinghofener Hütte und des Oberhausener Werkes insgesamt[85] zwischen 1854 und 1873, zeigt sich eine deutlich positive Entwicklung der rheinischen Produktion. Die durchschnittliche Jahresproduktion verdreifachte sich:

		1854	=	11.000	Ztr.		
1855	–	1859	=	∅ 14.175	Ztr./Jahr	=	+ 28,8 %
1860	–	1864	=	∅ 19.452	Ztr./Jahr	=	+ 37,2 %
1865	–	1869	=	∅ 25.167	Ztr./Jahr	=	+ 29,3 %
1870	–	1873	=	∅ 35.999	Ztr./Jahr	=	+ 43,0 %.

Dabei hatten die rheinischen Unternehmen die führende Position in diesem Gewerbezweig in Preußen,[86] die aber durch den Ausfall der Eppinghofener Produktion geschwächt wurde. Der Zinkweißbetrieb wurde im März 1872 durch Feuer zerstört und nicht wieder errichtet.[87] Das führte zu einer Produk-

[78] G.A. Walter, Mineralfarbenindustrie, S. 91 f.
[79] Vgl. Graphik, S. 84 f.
[80] G.A. Walter, Mineralfarbenindustrie, S. 92.
[81] Ebd., S. 123 f.
[82] Im gleichen Jahr erwarb das Unternehmen auch in Belgien und Frankreich drei Zinkweißfabriken. G.A. Walter, Mineralfarbenindustrie, S. 125.
[83] Ebd., S. 124.
[84] Ebd., S. 124 ff., 173; Tab. 8, S. 76.
[85] Zusammenstellung nach Tab. 8, S. 76.
[86] Vgl. Tab. 8, S. 76.
[87] Jahresberichte HK Mülheim/Ruhr 1872, S. 13; 1873, S. 8; Die Chemische Industrie 50, 1927, S. 58.

Tabelle 8: Zinkweißproduktion und- preise in der Rheinprovinz und Preußen

Jahr	Zinkhütte Rochaz & Co. / Vieille Montagne, Eppinghofen Menge[88] (Ztr.)	Wert[88] (Tlr.)	Durchschnittswert Tlr./Ztr.[89]	Zinkwalzwerk W. Grillo, Oberhausen Menge (Ztr.)[90]	Zinkhütten[91] Reg.Bez.Aachen Menge (Ztr.)	Preußen Menge (Ztr.)[88]	Anteil der rheinischen Produktion an der preußischen %
1853	12.650	63.250	5			14.052	90
1854	11.000	66.000	6			21.000	52,4
1855	9.600	67.200	7			10.100	95
1856	16.145	150.648	9 1/3			16.645	97
1857	1.440	14.400	10				
1858	13.952	139.520	10			14.579	95,7
1859	16.249	108.326	6 2/3			31.218	52
1860	21.176	137.644	6–7			38.660	54,8
1861	14.982	134.838	9			34.350	43,6
1862	21.203	189.820	9			40.599	52,2
1863	15.807	142.263	9			39.332	40,2
1864	24.095	208.823	8 2/3			41.262	58,4
1865	23.495	172.300	7 1/3			40.183	58,5
1866	21.095	168.760	8			35.826	58,9
1867	22.337		9	11.520		48.907	69,2
1868	21.707		7 1/3	14.000		50.374	70,9
1869	24.200		7 1/3	13.000		44.816	83
1870	23.952		—	12.000		42.668	84,3
1871	31.505		6,6	20.000		61.266	84
1872	6.542		8,1	25.000	4975	15.059 (40.059)	91,2
1873	—			25.000	8986	25.273 (50.273)	67,6

tionsausweitung bei Grillo und mag mit die Aufnahme der Zinkweißproduktion im Aachener Gebiet und in Deutz bei Köln veranlaßt haben.

Bei dem angenommenen hohen Grad der Exportorientierung der Branche[92] ist ein Vergleich der Produktionsentwicklung mit der allgemeinen und Baukonjunktur in Deutschland nur eingeschränkt möglich. Der starke Produktionseinbruch 1857 läßt sich durch Auswirkungen der übernationalen Wirtschaftskrise allein nicht erklären. Auffallend ist vielmehr in diesem Jahr die Ausdehnung der Rohzinkfertigung auf der Eppinghofener Hütte gegenüber den Vorjahren um 50 %. Sie blieb auch in den Folgejahren auf dem höheren Niveau[93]. Im Verhältnis zu den Bauinvestitionen[94] verlief die Zinkweißfabrikation der Rheinlande mit wenigen Ausnahmen und teilweise einer Zeitverschiebung von bis zu einem Jahr richtungsparallel. Die bis 1875 steigenden Bauinvestitionen und der hohe Ausfuhranteil bei Grillo verschoben den Ausbruch der Krise bis 1876. Dann folgten zwischen 1876 und 1878 Betriebseinschränkungen in Oberhausen um die Hälfte.[95]

ANMERKUNGEN ZU TABELLE 8

[88] Zeitschrift für das Berg-, Hütten- und Salinenwesen, Statistischer Teil, 2, 1855, S. 189; 3, 1856, S. 147; 4, 1857, S. 157; 5, 1858, S. 161; 6, 1858, S. 43; 7, 1859, S. 222; 8, 1860, S. 151; 9, 1861, S. 33; 10, 1862, S. 40; 11, 1863, S. 86; 12, 1864, S. 30; 13, 1865, S. 240; 14, 1866, S. 302; 15, 1867, S. 45; 16, 1868, S. 175; 17, 1869, S. 200; 18, 1870, S. 165; 19, 1871, S. 152; 20, 1872, S. 140, 184; 21, 1873, S. 40 f., 202; 22, 1874, S. 42 f., 196.
Die Angaben für das Werk Eppinghofen weichen teilweise geringfügig von den in den Handelskammerberichten Mülheim/Ruhr genannten ab: hier werden 1853, S. 10–11.000 Ztr., 1855, S. 11–ca. 10.000 Ztr., 1859, S. 18–16.380 Ztr. genannt.
Bei den Produktionszahlen für Preußen 1872 und 1873 wurde die Produktion des Werkes W. Grillo, Oberhausen addiert ( ). In der Statistik blieben diese Angaben in den genannten Jahren unberücksichtigt. Für 1857 weichen die Angaben in der Zeitschrift für das Berg-, Hütten- und Salinenwesen (6.464 Ztr.) und bei Althans (19.150 Ztr.) stark voneinander ab, so daß sie hier unberücksichtigt blieben.
[89] 1853–1866 errechnet aus Produktionswert dividiert durch Produktionsmenge. Diese Ergebnisse decken sich mit den in den Handelskammerberichten Mülheim/Ruhr für den Zeitraum genannten Durchschnittspreise.
1867–1872: Jahresberichte HK Mülheim/Ruhr: 1867, S. 16 f.; 1868, S. 16 f.; 1869, S. 15 f.; 1870, S. 14 f.; 1871, S. 15 f.; 1872, S. 13 f.
[90] Für die Jahre 1867 und 1868 errechnet: Produktionsangaben für die Rheinprovinz (= in 2 Werken 33.837 Ztr. bzw. 35.707 Ztr.) vermindert um die Eppinghofener Zahlen. Vgl. Zeitschrift für das Berg-, Hütten- und Salinenwesen, Statistischer Teil, 16, 1868, S. 175; 17, 1869, S. 200. Für die Jahre 1869 bis 1873: Jahresberichte der HK Mülheim/Ruhr für 1869, S. 17; 1870, S. 15; 1871, S. 16; 1872, S. 15; 1873, S. 8.
[91] Es handelt sich um die Zinkhütten Birkengang (Eschweiler AG) und Münsterbusch (Stolberger AG) im Reg.Bez. Aachen. Zeitschrift für das Berg-, Hütten- und Salinenwesen, Statistischer Teil, 21, 1873, S. 40 f., 202; 22, 1874, S. 42 f., 196.

[92] Vgl. S. 96.
[93] Jahresberichte HK Mülheim/Ruhr 1856, S. 9; 1857, S. 14; 1858, S. 14; 1859, S. 18; 1860, S. 15.
[94] W.G. Hoffmann, Wachstum, S. 259.
[95] Die Chemische Industrie 50, 1927, S. 58; G.A. Walter, Mineralfarbenindustrie, S. 126.

Für Blancfixe (Barytweiß), das Blei- und Zinkweiß in der Papierfabrikation seit der Mitte der 60er Jahre zu verdrängen begann,[96] ist die Produktion in den rheinischen Betrieben[97] nur punktuell bekannt. Hasenclever & Co./Rhenania AG produzierten in der Waldmeisterhütte bei Stolberg aus Witherit Anfang der 60er Jahre folgende Mengen Blancfixe:[98]

1860 = 96 Ztr., 1862 = 524 Ztr. und 1863 = 303 Ztr.

Sie stellten aber aus nicht bekannten Gründen die Produktion der Farbe wieder ein. Die Blancfixehersteller hatten stets mit der englischen Konkurrenz zu rechnen, deren Druck besonders in den 70er Jahren stark anwuchs. Die deutsche Produktion ging zwischen 1873 und 1885 von 250.000 Ztr. auf 50.000 Ztr. zurück.[99]

Mit dem zunehmenden Bedarf an Lack und Firnis wurde Köln aufgrund seiner verkehrsgünstigen Lage für die Rohstoffzufuhr und den Absatz[100] zum bevorzugten Standort dieser Produktion. Sie erhöhte sich, gemessen an der Zahl der Konzessionen bzw. Produktionsaufnahmen, besonders seit der Mitte der 50er Jahre. In den 15 Jahren zwischen 1841 und 1855 nahmen sechs Betriebe die Fertigung auf, es folgten in den nächsten 15 Jahren (bis 1870) weitere 22 Betriebe und bis 1875 nochmals drei.[101]

Bei den organischen Farbmaterialien vollzog sich an der Wende zum siebten Jahrzehnt der Übergang zu chemisch-organischen Produkten auf der Grundlage von Steinkohlenteerderivaten.

Das gilt zunächst für die Schwärzeproduktion. Ein vorindustrielles Zentrum für die Herstellung auf der Basis verkohlter Knochen und Reben war der Reg. Bez. Trier mit zwei bis drei Rußhütten zwischen 1808 und 1836 gewesen.[102] Die zwei letzten Hütten stellten 1836 aus Mangel an Absatz ihre Produktion ein.[103] Daneben bestanden im Reg.Bez. Koblenz und in Köln weitere Betriebe.[104] Seit der Mitte des 19. Jahrhunderts wurde der Standort Köln jedoch

[96]   G. von Viebahn, Statistik des zollvereinten und nördlichen Deutschlands, Teil 3, S. 842.

[97]   J. Müller, Köln; C.A. Lindgens, Köln; Oberreich & Schwenzer, Mülheimer Heide; Hasenclever/Rhenania AG, Waldmeisterhütte b. Stolberg; Wesenfeld & Co., Barmen.

[98]   Jahresberichte HK (Preußische Statistik) Stolberg 1860, S. 40; 1862, S. 91; 1863, S. 123.

[99]   G.A. Walter, Mineralfarbenindustrie, S. 135.

[100]   Vgl. Tab. 1, S. 26.

[101]   Vgl. Graphik, S. 84 f.

[102]   J. Kermann, Manufakturen, S. 453; HStA D., BA Düren 431, fol. 270v.

[103]   Vopelius & Co., Sulzbach mit einem Betrieb in Fischbach, Kreis Saarbrücken, der jährlich 700 Ztr. Ruß aus dem Steinkohlengries der herrschaftlichen Steinkohlengruben hergestellt hatte; Wagner & Reppert in Friedrichsthal, Kreis Saarbrücken mit einer jährlichen Produktion von 1.000 Ztr. G. Adelmann, Der gewerblich-industrielle Zustand, S. 220 f.

[104]   Im Jahre 1836 produzierte G. Möller in Riehl bei Köln 2.100 Ztr. Beinschwarz im Wert von 5.000 Rtlrn., die Wwe. Joh. Jos. Löhrs in Metternich, Kreis Koblenz 90 Ztr. Elfenbeinschwärze im Wert von 1.620 Rtlrn. G. Adelmann, Der gewerblich-industrielle Zustand, S. 190 f., 248 f.; J. Engels in Erpel b. Neuwied stellte kleinere Mengen Rebenschwarz her. G.A. Walter, Mineralfarbenindustrie, S. 28.

bevorzugt gewählt. Mit zunehmender Industrialisierung übernahmen mehrere Betriebe die Produktion von Schwärze: 1851 als Nebenprodukt Sternenberg in Mülheim/Rhein,[105] 1854/56 eine Kölner Rußfabrik,[106] wahrscheinlich W. A. Hospelt in Ehrenfeld.[107] 1870 verarbeitete dieser Betrieb unter anderem Rohnaphthalin, hatte also den natürlichen Rohstoff durch ein Kohlenteerprodukt ersetzt.[108] Der 1862 gegründete Rußbetrieb von August Wegelin in Sülz (Köln) produzierte ebenfalls unter Verwendung von Naphthalin.[109] Steinkohlenteer bildete die Rohstoffbasis des Schwärzebetriebes von A. Weide in Sülz (Köln), der 1864 konzessioniert wurde,[110] des Betriebes von L. Wagner in Mülheim/Rhein (1873)[111] und des 1874 konzessionierten Unternehmens von C. Tutt & Josef Geller in Raderthal.[112]

Steinkohlenteer wurde überhaupt die Grundlage einer Kohlenstoffchemie — und Teerfarbenindustrie im Rheinland. Als Abfallprodukt der Leuchtgasanstalten und Kokereien fielen mit der Verbreitung der Gasbeleuchtung[113] und zunehmender Industrialisierung große Mengen dieses Produktes an. Die wenigen Verwendungsmöglichkeiten von Teer zur Holzimprägnierung an Schiffen und Eisenbahnschwellen, bei der Asphaltierung und Herstellung von Dachpappe ließen die große Teerproduktion zum Problem werden.[114] Die Situation änderte sich mit dem Aufkommen der Teerfarben, die in Konkurrenz zu den natürlichen organischen Farbstoffen traten. Die Zwischenprodukte der Teerdestillation wie Anilin, Anthracen und Benzol konnten im Inland nicht ausreichend produziert werden und wurden aus dem Ausland, vorwiegend Großbritannien, bezogen.[115] So betrug die deutsche Einfuhr von Teer, Teer- und Mineralölen, Benzin und Karbolsäure im Jahre 1876 insgesamt 607.000 Ztr. gegenüber einer Ausfuhr von 193.600 Ztrn.[116]

Mit der Teerfarbenproduktion etablierte sich im Rheinland auch eine Branche der Roh- und Vorprodukte. Das erste Unternehmen, das im Rheinland das Kohlenteerderivat Anilin herstellte, war Weiler & Co. in Ehrenfeld (Köln) (konzessioniert 1861), das noch im Verlauf der 60er Jahre seine

[105] HStA D., Reg.Köln 1272, fol. 42.
[106] Jahresbericht HK Köln 1863, S. 73.
[107] HStA D., Reg. Köln 8863, fol. 93; P. Steller, Verein der Industriellen, S. 47. 1863 wurden bei Hospelt 2.500 Ztr. feiner Ruß und 1.000 Ztr. ordinäre Schwärze produziert. Jahresbericht HK Köln 1863, S. 73.
[108] HStA D., Reg. Köln 8857, fol. 133, 133 v.
[109] Festschrift Wegelin, S. 19.
[110] HStA D., Reg. Köln 8863, fol. 95, 108; 8857, fol. 42; 1870 von S. Weide und J. Klaus geführt.
[111] HStA D., Reg. Köln 8858, fol. 150.
[112] HStA D., Reg. Köln 8858, fol. 150, 231, 236.
[113] Die 1826 in Berlin und Hannover eingeführte Gasbeleuchtung hatte sich 1850 bereits in 26 deutschen Städten verbreitet. J. Kockerscheidt, Preisbewegung, S. 59.
[114] B. Kuske, Die übrigen Industrien, S. 460 f.
[115] C. Paschke, Teerfarbenindustrie, S. 12 f.; Jahres-Bericht chemische Technologie, 1873, S. 815.
[116] Die Chemische Industrie 1, 1878, S. 218.

Kapazität erweiterte.[117] Die Produktion machte 1867 ein Viertel der deutschen Jahresproduktion von ca. 10.000 Ztrn. aus.[118] Es folgten weitere Unternehmen dieser Art,[119] und auch Farbenfabriken gliederten sich die Bereitung von Vorprodukten an.[120]

Die Produktion der Basisprodukte wie die der Teerfarben läßt sich insgesamt nicht ermitteln. Nur bei den Firmen Jäger und Bayer gibt es Anhaltspunkte für die Größenordnung der Fertigung. Im übrigen muß auf die Betriebszahlenentwicklung zurückgegriffen werden. Die Firma Carl Jäger & Co. in Barmen, die mit der Herstellung von Fuchsin und Mauvein in den Rheinlanden begonnen hatte, stellte innerhalb von acht Monaten (1862/63) allein drei Konzessionsgesuche für Anilinfarben. 1865 und 1868 folgten zusätzliche Erweiterungskonzessionen.[121] Ein Bild von der Produktionsentwicklung in den Anfangsjahren vermag die Liste der Düsseldorfer Speditionsfirma C. W. Hesselhaus & Co. zu vermitteln, von der Jäger & Co. die arsenhaltigen Rückstände im Meer deponieren ließ. Die transportierte Menge arsenhaltiger Rückstände der Firma C. Jäger & Co., Barmen betrug:[122]

Zeitraum				Menge (Ztr.)	Steigerung (%)
Juli	1861	– Ende	1861	160	
Anfang	1862	– Juli	1862	227	41,8
Juli	1862	– Ende	1862	697	207,0
Anfang	1863	– Mai	1863	732	5,0

Geht man davon aus, daß die arsenhaltigen Rückstände verhältnismäßig kontinuierlich abtransportiert wurden, kann von der ansteigenden Menge der Rückstände auf eine proportional dazu ansteigende Farbenproduktion geschlossen werden, d.h. in unserem Beispiel um etwa das 4½ fache (357,5 %) innerhalb von zwei Jahren. Mit der Angliederung der chemischen Fabrik bei Station Haan, die 1872 die Verarbeitung von Anilinrückständen auf Arsensäure aufnahm,[123] entfiel für C. Jäger & Co. der Abtransport. Vom Umfang der hier verarbeiteten Rückstände kann jedoch nicht auf die Farbenproduk-

---

[117] HStA D., Reg. Köln 8853 o.p. 1861 hatte das Werk 16 Kessel aufgestellt, in denen pro Charge 16 Pfd. Anilinöl hergestellt werden konnten. C. Eberhardt, Chemische Fabriken vorm. Weiler-ter-Meer, o.p.; Jahresbericht HK Köln 1867, S. 64.

[118] R. Wagner Handbuch der chemischen Technologie, S. 787.

[119] Z. B. Hartmann & Lucke in Mülheim/Rhein, 1872 gegründet, verarbeitete jährlich ca. 4.000 t Steinkohlenteer. Die Chemische Industrie 3, 1880, S. 323. Ferner Siegle & Co., Duisburg. Trotz des günstigen Standorts für die 1870 konzessionierte Produktion von Anilinöl, Rohanthracen und Anilinfarben wurde die Firma 1873 stillgelegt und 1874 von der BASF übernommen. HStA D., Reg. Düsseldorf 24 631, fol. 4 ff., 113.

[120] Vgl. S. 86 f.

[121] HStA D., Reg. Düsseldorf 24631, fol. 3, 113; 24636, fol. 18, 104, 142; 24645, fol. 7, 39, 54, 57, 59.

[122] HStA D., Reg. Düsseldorf 24645, fol. 17.

[123] HStA D., Reg. Düsseldorf 24636, fol. 18 ff., 142 ff.

tion bei Jäger & Co. geschlossen werden, da nicht bekannt ist, von welchen Farbwerken die Chemische Fabrik an der Station Haan AG die Rückstände bezog.

Das Produktionsprogramm der Firma Bayer & Co. umfaßte seit Beginn der Versuchsproduktion 1861 Fuchsin und die verschiedenen Anilinfarben, seit 1868 Methylfarben, seit 1872 Alizarin und seit 1875 Safranin.[124]

Nur für wenige, aufeinanderfolgende Jahre sind Produktionsangaben in Form der täglichen Ausbringung für Fuchsin und Alizarin vorhanden.

Tab. 9: Fuchsinproduktion bei Bayer & Co.[125]

Jahr	Tägliche Produktion (Pfd.)	Jahresproduktion (kg)
1863	20– 25	3.000– 3.750[126]
1865	50–100	7.500–15.000
1867	200–250	30.000–37.500

Die Produktionszunahme auf das Zehnfache (= + 900 %) innerhalb von vier Jahren läßt sich mit der Errichtung von zwei neuen Fuchsinbetrieben 1863 und 1866 erklären.[127] Der Aufnahme der Anilinfarbenproduktion zu Beginn der 60er Jahre folgten also sowohl bei Bayer wie bei Jäger & Co. schnell hohe Steigerungsraten.

Noch schneller stieg die Alizarinproduktion bei Bayer & Co. an:

Tab. 10: Tägliche Alizarinproduktion bei Bayer & Co.[128]

Jahr		Produktion (kg)
1. Halbjahr (Versuchsstadium)	1872	50
2. Halbjahr (im Alizarinbetrieb Elberfeld)	1872	200–400
	1874	250–300
	1874/75	3000

[124] Tab. 37, S. 210 ff.
[125] H. Pinnow, Werksgeschichte, S. 19; Farbenfabriken vorm. Friedr. Bayer & Co., Bd. 2, S. 247; hier wird die Jahresproduktion für 1863 mit 2–3.000 kg, die für 1865 mit ca. 16.000 kg und die für 1867 mit über 30.000 kg angegeben.
[126] Überwiegend vor der Errichtung des neuen Fuchsinbetriebes Ende 1863.
[127] Vgl. Tab. 37, S. 210 ff.
[128] Farbenfabriken vorm. Friedr. Bayer & Co., Bd. 2, S. 291 f.; W.A. Bayer 1/4, Entwicklung der Farbenfabrik Friedrich Bayer, Ms. Vorgeschichte 1860–1881, S. 14: hier wird die tägliche Produktion 20 % igen Alizarins angegeben mit 675 kg (1872), 1.500 kg (1873), 2.250 kg (1874), 3.200 kg (1875). Während sich die Angaben für 1875 nähern, scheinen die für 1872 und 1873 genannten auch im Vergleich mit der deutschen Jahresproduktion zu hoch angesetzt.

Tab. 11: Alizarinproduktion Deutschlands[129]

Jahr	Produktion (kg)	Steigerung (%)
1871	15.000	
1872	50.000	233
1873	100.000	100
1874	400.000	300
1877	750.000	87
1878	950.000	26
1884	1.350.000	42

Die Entwicklung der deutschen Alizarinproduktion wie die der Krappan-
baufläche in Frankreich (1862 − 20.466 ha; 1872 − 7.000 ha; 1873 − 5.069
ha) veranschaulichen, in welchem Maße das künstliche Alizarin das natürliche
Produkt verdrängte. 1872, also drei Jahre nach der Einführung des künstlichen
Alizarins, hatte sich die Anbaufläche schon auf fast ein Drittel, ein Jahr später
auf ein Viertel der Fläche von 1862 verringert. Im Jahre 1873 entsprach die
Alizarinproduktion in Deutschland dem früheren Bedarf an Krappfarbstoff,
wobei eine Tonne Alizarin neun Tonnen Krapp entsprachen.[130]

Sowohl die Zahlen über die deutsche Alizarinproduktion wie die bei Bayer
produzierten Mengen an Methylviolett (seit 1868) und Methylgrün (seit
1870):[131]

Jahr	Methylviolett	Methylgrün
1875	2.302,5 kg	−
	+ 259 %	
1876	8.277,5 kg	2.200 kg
		+ 201 %
1885	−	6.625 kg

scheinen darauf hinzudeuten, daß die Teerfarbenproduktion in der konjunkturellen Krisen- und Stagnationssituation der deutschen Wirtschaft (1873
bis in die 90er Jahre) zum Teil noch beachtliche Wachstumsraten aufzuweisen
hatte, die aber über die aufkommenden wirtschaftlichen Schwierigkeiten in
der Branche nicht hinwegtäuschen können.[132] Wie die Höhe des Ausfuhrüber-
schusses zwischen 1876 und 1878 vermuten läßt, versuchte man zunächst,
sich neue Auslandsmärkte zu erschließen.[133]

[129] H. Schultze, Die Entwicklung der chemischen Industrie, S. 166.
[130] Ebd., S. 165 f.; F. Redlich, Teerfarbenindustrie, S. 48. Frankreich war Hauptlie-
ferant der Farbpflanze.
[131] Farbenfabriken vorm. Friedr. Bayer & Co., Bd. 2, S. 248 f.
[132] Zu Beginn der 80er Jahre kam es zur Preiskonvention für Alizarin. F. Redlich,
Teerfarbenindustrie, S. 49.
[133] Die Chemische Industrie 1, 1878, S. 218 und 3, 1880, S. 234.

Die Stellung der rheinischen Teerfarbenindustrie machen die Betriebszahlen deutlicher.[134] Die erste Gründungsphase der rheinischen Teerfarbenfabriken konzentrierte sich auf die 60er Jahre: zehn Betriebe entstanden zwischen 1861 und 1867. Dabei wurde der Wert der jährlichen Anilinfarbenproduktion allein im Kammerbezirk Elberfeld 1865 auf 1 Mio. Taler geschätzt.[135] Eine zweite Gründungswelle setzte mit der industriellen Verwertung des Anthracens zum Alizarinfarbstoff zu Beginn der 70er Jahre ein. Zwölf Betriebsstätten nahmen zwischen 1871 und 1875 im Rheinland die Teerfarbenproduktion auf, davon neun die Alizarinproduktion. Zu diesem Zeitpunkt sollen in Deutschland insgesamt zwölf Alizarinfabriken bestanden haben.[136]

Als Ergebnis der Untersuchung über die Entwicklung der rheinischen Farbenproduktion ist festzuhalten:

— Die Entwicklung in den ersten vier Jahrzehnten bestimmten die Blaufarben- und Bleiweißproduktion, ohne daß wir genaue Angaben machen können. Doch kann von einer Zunahme der Farbenherstellung schon an der Wende zu den 30er Jahren ausgegangen werden.
— Der deutliche Wachstumsschub der 50er Jahre verstärkte sich von der ersten Hälfte der 60er Jahre an. Dies bestätigt die Situation in der Berlinerblau-, Ultramarin-, Blei- wie Zinkweiß- und Teerfarbenbranche. Dabei wurde die Produktion der Metallfarben durch eine verbesserte heimische Rohstoffbasis begünstigt.
— Als technische Neuerungen sind der Ersatz natürlicher Basissubstanzen durch synthetische mit der Entwicklung des künstlichen Ultramarins und der Teerfarben hervorzuheben. Dabei hat die Einführung neuer Farben nur in einem Falle, der Smalte, zur Produktionsaufgabe geführt.
Die Ablösung vorindustrieller Verfahren geschah erstmals in den 60er Jahren, in denen auch die Anwendung von Dampfkraft verstärkt wurde.[137]
— Die Produktionsentwicklung paßte sich bis in die 60er Jahre einer wachsenden Nachfrage aus dem Textil- und Bausektor an und ist damit zunächst primär nachfrageorientiert. Zunehmend wird das Angebot dann in der Folgezeit auch durch Innovation verbesserter wie neuer Verfahren und neuer Farben bestimmt.
— Mit dem zeitlichen Auslaufen dieser Untersuchung hatte die rheinische und deutsche Teerfarbenindustrie bereits eine neue Entwicklung eingeleitet: die Abkehr von der Nachahmungsproduktion zur Herstellung neuer Farben auf der Grundlage eigener wissenschaftlicher Forschung, mit der sie eine Weltstellung erringen konnte. Dieser Erfolg wurde mit gestützt durch ein neues, einheitliches deutsches Patentrecht seit 1877.

[134] Vgl. Graphik, S. 84 f.
[135] Jahresbericht HK (Beilage) Elberfeld und Barmen 1865, S. 170.
[136] H. Schultze, Die Entwicklung der chemischen Industrie, S. 166; F. Redlich, Teerfarbenindustrie, S. 49.
[137] Vgl. S. 57; R. Schaumann, Technik und technischer Fortschritt, S. 277 ff.

Zeitliche Schwerpunkte von Betriebsgründungen in der Farbenindustrie
der Rheinprovinz, gegliedert nach Farbstoffgruppen und einzelnen Mineralfarben[138]

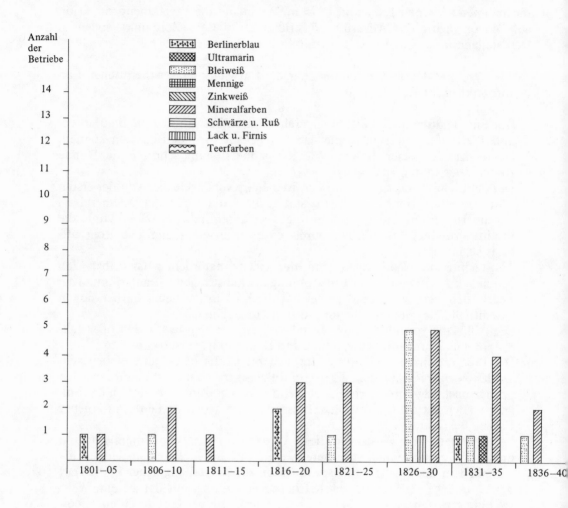

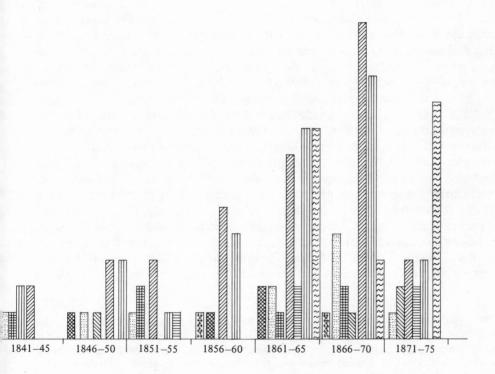

1841—45   1846—50   1851—55   1856—60   1861—65   1866—70   1871—75

3.2. BETRIEBSGRÖSSEN UND PRODUKTIONSPROGRAMM DER FARBENWERKE

Betriebsgröße und technische Ausrüstung waren in der Farbenindustrie sehr unterschiedlich. Bei der Fabrikation von Schwärze, Firnis und Lack handelte es sich fast durchweg um Kleinbetriebe (1 bis maximal 15 Arbeiter), alle anderen Bereiche wiesen im Untersuchungszeitraum mittlere Betriebsgrößen (16—100 Beschäftigte) auf. Dabei bewegten sich die Sparten Smalte, Berlinerblau, Mineralblau und Zinkweiß im unteren Abschnitt mit bis zu 30 Arbeitnehmern, während in den Zweigen Bleiweiß-, Ultramarin- und Teerfarbenproduktion die Beschäftigtenzahlen seit den 40er Jahren zwischen 30 und 80 lagen. An der Wende von den 60er zu den 70er Jahren wurde der Großbetrieb mit mehr als 100 Beschäftigten in einzelnen Fällen schon erreicht (Curtius, Leverkus, Bayer).[139]

In dem Abschnitt über die Standorte[140] der rheinischen Farbenproduktion wurde ihre Vielseitigkeit deutlich. Diese Breite fand sich im Produktionsprogramm einzelner Farbenwerke nicht wieder, sondern dieses wurde wesentlich durch die Ausgangssubstanz bestimmt. Danach lassen sich die Betriebe klar in die Sparten Mineralfarben (Erdfarben, chemische Mineralfarben, Metallfarben), organische Farben, Teerfarben, Firnisse und Lacke wie Schwärze gliedern. Von den Betrieben mit bekanntem Produktionsprogramm[141] — bezogen auf das Konzessionsjahr — produzierten drei Viertel ausschließlich Farben, vorwiegend Mineral- und synthetische Farben. Dabei war die Herstellung von Erdfarben vielfach mit der Herstellung von chemischen Mineralfarben kombiniert oder auch als Nebengewerbe mit dem Erzbergbau verbunden. Ebenso findet sich die Metallfarbenproduktion (Zink- und Bleiweiß) teilweise bei der Verarbeitung des entsprechenden Metalls. Etwa ein Viertel der untersuchten Betriebe fabrizierte neben Farben auch chemische Produkte, die im Verhältnis zur Farbenproduktion als Ausgangs- oder Vorprodukte zu kennzeichnen sind. So stellten Vopelius / Gebr. Appolt, Gebr. Mannes, B. Sternenberg, Leverkus, Von der Linden, Vossen in Neuß, Curtius, Siegle, Gebr. Gessert, Hilgers, Bayer, Greiff, Jäger, Tillmanns und Wesenfeld ihre eigenen Roh- und Hilfsstoffe

---

[138] Erarbeitet nach Tab. 37, S. 210 ff. Nur Betriebe mit bekanntem Gründungs- oder Konzessionsdatum wurden hier berücksichtigt. Die Betriebe wurden der Farbe, die sie bei ihrer Gründung produzierten, zugeordnet. Programmerweiterungen blieben unberücksichtigt. Damit wurden 112 von insgesamt 142 Betrieben in diese Graphik aufgenommen. — Die Gruppe „Mineralfarben" umfaßt auch die gesondert aufgeführten Betriebe der Mineralfarbenherstellung (Berlinerblau, Ultramarin, Bleiweiß, Mennige, Zinkweiß). — Entsprechend dieser Ordnungsgesichtspunkte stimmen die Betriebszahlen der Graphik nicht immer mit denen im Text überein, da die dort genannten Zahlen sowohl Erweiterungen im Programm als auch nur bekannte Betriebe berücksichtigen.

[139] H. Amendt, Arbeitnehmer, S. 116 ff., vgl. S. 123 ff.

[140] Vgl. S. 25 ff.

[141] Den folgenden Ausführungen liegt die Auswertung der Angaben in der Tab. 37, S. 210 ff. zugrunde.

her oder führten die Regeneration der in der Produktion verwendeten Materialien ein.[142] Die Mehrzahl der bekannten Beispiele gehört in den Bereich der künstlichen organischen Farben. Das erklärt sich auch aus der Tatsache, daß einige Teerfarbenhersteller als Unternehmen für chemische Produkte, die überwiegend Hilfsstoffe für die Textilindustrie waren, begannen. Andere Fabrikanten hatten vorher natürliche organische Farbextrakte hergestellt oder mit Farbstoffen gehandelt.[143]

Während das Produktionsprogramm in den Betrieben der chemischen Mineralfarben am Anfang in der Regel nur eine oder wenige Farben umfaßte, erfuhr die Farbpalette der Unternehmen mit der Aufnahme der Herstellung von künstlichen organischen Farben eine starke Ausdehnung. Die rheinischen Hersteller versuchten, die Konkurrenz durch die Produktionsaufnahme immer neuer Farben und Nuancen zu übertreffen. Bayer bot im Jahre 1862 zwölf verschiedene Farben und Farbnuancen in unterschiedlichen Aggregatzuständen an, 1863 waren es 13, 1865 26.[144] Im Jahre 1878 produzierte die Firma bereits über hundert verschiedene Farbstoffe.[145] Dieser ständige Zwang zur Produktionsprogrammausweitung erforderte große Investitionen in der Forschung.[146] Eine Milderung des Wettbewerbs war auf diese Weise aber nicht zu erreichen, da Neuentdeckungen bis 1877 normalerweise patentrechtlich ungeschützt waren und die Konkurrenz mit allen Mitteln versuchte, die Produktionsgeheimnisse in Erfahrung zu bringen.[147]

Die Entwicklung neuer Farben führte auch zur Ausweitung des Fertigungsprogramms in etablierten Unternehmen. Zum Beispiel nahmen Gebr. Appolt[148] (1864) und W. Hilgers[149] (1868) die Produktion von Anilinfarben hinzu und Leverkus[150] die des Alizarins (1874).

[142] Vgl. Tab. 37, S. 210 ff. und S. 62.
[143] Z. B. vom Baur (chem. Produkte), Bayer (Farbstoffhandlung), Bredt (Farbextrakte/ Chemikalien), Dahl & Co. (Farbextrakte/Chemikalien), Gebr. Gessert (Chem. Fabrik), Jäger (Safflor, Karmin, chem. Präparate), Tillmanns (chem. Produkte).
[144] Vgl. Tab. 17, S. 104 f.
[145] WA Bayer 1/1, Bayer Werdegang, Diverse Zeittafeln, S. 45.
[146] E. Bäumler, Ein Jahrhundert Chemie, S. 18 ff., C. Paschke, Teerfarbenindustrie, S. 12 ff.
[147] C. Paschke, Teerfarbenindustrie, S. 12 ff.
[148] G.A. Walter, Mineralfarbenindustrie, S. 58.
[149] HStA D., Reg. Köln 8855, fol. 143 ff., 160 ff.
[150] Leverkus. Fortschritt, Wachstum, Verantwortung, o.p. (S. 6)

3.3. DIE MARKTSITUATION FÜR DIE FARBENINDUSTRIE

3.3.1. DIE ABSATZLAGE

Von Ausnahmen abgesehen liegen Umsatz-, Import-, Exportzahlen nur sporadisch oder für kurze Zeitabschnitte und dann nur für das gesamte Zollvereinsgebiet vor, aus denen sich die Daten für die Rheinprovinz rechnerisch nicht sauber herauslösen lassen. Ein Situationsbild des Marktes für die 60er Jahre vermitteln dagegen die Handelskammerberichte.

Der Interpretation der Produktionsentwicklung folgend,[151] kann man für Textilfarbstoffe wie für die im Bauhandwerk verwendeten Farben und Schutzmittel seit den 30er/40er Jahren und sich verstärkend bis zum Ende des Untersuchungszeitraumes von einer steigenden Tendenz des Absatzes sprechen, die nur durch exogene und konjunkturelle Einflüsse unterbrochen wurde. Auszunehmen ist die Smalte, die durch das Ultramarin in den 60er Jahren völlig verdrängt war. Dabei hat die Smalte bis in die 40er Jahre breite Anwendungsbereiche gefunden.[152] Sie war neben der sächsischen qualitativ und preislich voll konkurrenzfähig.[153] Noch in den 50er Jahren war das Horster Unternehmen Horstmann & Co. mit seinen Produkten auf den Weltausstellungen vertreten.[154]

Da die preußische Smalteproduktion fast vollständig der rheinischen entsprach und durchschnittlich ein Drittel (zwischen 1848 und 1852) der Zollvereinsproduktion ausmachte, können die Außenhandelszahlen Preußens und der mit ihm zollgeeinten Staaten bis zum Niedergang der rheinischen Produktion ab 1849 als aussagefähig auch für unseren Untersuchungsraum gelten.

Die Ausfuhrsteigerung 1833/34 ist mit Sicherheit auf das Inkrafttreten des Zollvereins zurückzuführen, in dem so wichtige Produzentenländer wie Sachsen und Hessen Mitglieder waren, so daß man den rheinisch-preußischen Anteil an der steigenden Ausfuhr bis in die Mitte der 40er Jahre exakt nicht ermitteln kann. Grundsätzlich ist aber auch für die Rheinlande ein Ausfuhrüberschuß anzunehmen. Wenn man die Jahre 1832/33 zum Anhaltspunkt nimmt, konnte er annähernd das Zweifache der Einfuhr erreichen. Legt man das Produktionsverhältnis zwischen dem Zollverein und Preußen auf die

---

[151] Vgl. S. 63 ff. und Graphik, S. 84 f.

[152] Im Glas-, Fayence-, Porzellan- und Steingutwarengewerbe, bei der Herstellung von Pastell-, Wasser- und Ölfarben, beim Bläuen der Wäsche und in der Papierindustrie. H. Rößler, Mainzer Industrieausstellung 1842, S. 293 f.; G.A. Walter, Mineralfarbenindustrie, S. 53.

[153] C.W. Ferber, Beiträge S. 25; G.A. Walter, Mineralfarbenindustrie, S. 52 f.; E. Schmauderer, Ultramarin-Fabrikation, S. 143. 1844 erhielt das Unternehmen Horstmann aus Horst als einziger Blaufarbenhersteller eine Silbermedaille auf der Gewerbeausstellung in Berlin. Amtlicher Bericht Berlin 1844, Teil 3, Übersicht, S. 11.

[154] Vgl. Tab. 19, S. 112 ff; G.A. Walter, Mineralfarbenindustrie, S. 53.

Tab. 12: Der Mennige- und Smaltehandel der Zollvereinsstaaten mit dem Ausland[155]

Jahr	Einfuhr (Ztr.)	Ausfuhr (Ztr.)
1832	3.105	3,638
1833	2.847	5.266
1834	2.844	15.770
1835	3.258	17.212
1836	4.149	17.750
1837	4.653	15.561
1838	4.496	20.323
1839	3.621	18.367
1840	5.008	19.578
1841	4.748	20.871
1842	5.785	20.690
1843	5.855	20.565
1844	4.997	20.200
1845	5.317	22.851
1846	5.500	19.860
1847	7.276	16.806
1848	3.954	9.986
1849	6.653	9.987

Ausfuhr an und setzt den Ausfuhranteil in Beziehung zur preußisch-rheinischen Produktionsmenge, so ergibt sich für 1848 und 1849[156] eine Exportquote von ca. 65 %. Bei der starken Position Sachsens sollte sie aber wohl etwas niedriger angesetzt werden. Abnehmer waren neben dem inländischen Markt die europäischen Länder, wobei die Literatur vor allem Holland, Belgien und Frankreich nennt.[157] Wichtiger rheinischer Umschlagplatz für Smalte war Köln.[158]

Neben Smalte gehörte in der ersten Hälfte des 19. Jahrhunderts Berlinerblau zu den Blaufarben, die außer den Abnehmern in der rheinischen Textil-, Papier-, Tapeten- und Farbenfabrikation ein großes überregionales Absatzgebiet, nicht zuletzt wegen der qualitativ hochwertigen Produkte, hatten. Dazu zählten Länder im deutschen, west- und südeuropäischen Bereich.[159] Der

[155] G. Müller, Die chemische Industrie in der deutschen Zoll- und Handelsgesetzgebung, S. 133, 135, 139. In den Bemerkungen zur Statistik wird ausdrücklich erwähnt, daß die Steigerung der Ausfuhr in den 30er und 40er Jahren auf Smalte, nicht auf Mennige zurückzuführen ist.

[156] Nur in diesen beiden Jahren ist das Vorgehen erstmals möglich und noch sinnvoll; vgl. Tab. 3, S. 64 und S. 65.

[157] E. Schmauderer, Ultramarin-Fabrikation, S. 143; G. Müller, Die chemische Industrie in der deutschen Zoll- und Handelsgesetzgebung, S. 135.

[158] G.A. Walter, Mineralfarbenindustrie, S. 51 f.

[159] G.A. Walter, Mineralfarbenindustrie, S. 57 f.; E. Schmauderer, Ultramarin-Fabrikation, S. 143, 145; Jahresbericht HK (Beilage) Duisburg 1863, S. 402; Jahresbericht (Beilage) HK Trier 1861, S 290.

Absatz nach Frankreich war allerdings seit den 20er Jahren durch die französische Schutzzollpolitik (1823) gegenüber den Cyanfarben und Grundprodukten erschwert. Statt der durchschnittlichen preußischen Ausfuhr von jährlich 3.350 kg Cyanfarben in den Jahren 1827 bis 1835, verzeichnete die französische Statistik für 1836 eine Ausfuhr nach Preußen von über 1.300 kg. Aber schon 1840 wurden wieder über 3.800 kg Berlinerblau von Preußen nach Frankreich exportiert, wobei das Rheinland Zentrum der preußischen Produktion war.[160] Im Gegensatz zur Smalte kam es nicht zur Verdrängung der rheinischen Berlinerblaufabrikation.[161] Die Absatzlage wurde in der Folgezeit durch steigenden Bedarf bei fortschreitender Industrialisierung, durch die Konkurrenz des Ultramarin und auch durch Krisen in Kriegssituationen (1857, 1862–1865, 1870/71) bestimmt und ist insgesamt während der 60er und beginnenden 70er Jahre als angespannt zu bezeichnen. Dabei gerieten die Preise von der Markt- wie der Kostenseite zunehmend unter Druck.[162]

Als starke Belastung für die Wettbewerbsfähigkeit wurden von der rheinischen Industrie die deutschen Eisenbahntarife betrachtet und ihre Herabsetzung gefordert.[163] Dagegen erübrigten sich die Klagen über zu hohe Zölle in den Abnehmerländern mit den Meistbegünstigungsverträgen zwischen den europäischen Staaten in den 60er Jahren. Im Vertrag zwischen dem Zollverein und Frankreich wurde der gegenseitige Handel mit Berlinerblau freigestellt.[164] Gelegentlich geäußerte Befürchtungen gegen diesen Vertrag[165] traten nicht ein. Trotz Verschiebungen in der Wettbewerbs- und Absatzsituation auf den nationalen Märkten bestätigten sich die in die Verträge gesetzten Hoffnungen.[166] Die tatsächlich eingetretene Entwicklung ist an der Zollvereinsstatistik ablesbar, die Berlinerblau von 1865 bis 1871 verzeichnet.

Die Ausfuhr übertraf in allen Jahren die Einfuhr mit steigendem Überschuß. Dabei sind die Jahre 1867/68, wenn auch nicht erklärbar, als Ausnahmejahre anzusehen. Für eine gute Geschäftslage in der zweiten Hälfte der 60er Jahre spricht ebenso die zunehmende Verlagerung der Produktion auf das Endpro-

---

[160] G.A. Walter, Mineralfarbenindustrie, S. 57.

[161] Vgl. S. 69.

[162] G.A. Walter, Mineralfarbenindustrie, S. 60; Jahresbericht HK (Beilage) Saarbrücken 1872, S. 148.

[163] Jahresberichte der HK (Beilage) Elberfeld und Barmen 1864, S. 185; Aachen/ Burtscheid 1864, S. 297, 1865, S. 433, 1866, S. 491; Duisburg 1866, S. 406, 1871, S. 718; Saarbrücken 1867, S. 866, 1868, S. 643; G.A. Walter, Mineralfarbenindustrie, S. 60.

[164] G. Müller, Die chemische Industrie in der deutschen Zoll- und Handelsgesetzgebung, S. 106, 108.

[165] G.A. Walter, Mineralfarbenindustrie, S. 58.

[166] Jahresbericht HK (Beilage) Duisburg 1863, S. 402; G.A. Walter, Mineralfarbenindustrie, S. 57 f.

Tab. 13: Die Ein- und Ausfuhr von Berlinerblau im Zollverein[167]

Jahr	Einfuhr (Ztr.)	Ausfuhr (Ztr.)
1865/2. Halbjahr	3.415	5.978
1866	9.782	12.692
1867	13.482	13.738
1868	8.812	26.320
1869	7.471	11.439
1870	5.193	6.127
1871	3.965	13.535

dukt bei Gebr. Appolt.[168] Deutlich machten sich 1870 die Kriegsereignisse bemerkbar, und in dem hohen Ausfuhrsaldo 1871 dokumentiert sich die Angliederung Elsaß-Lothringens. Hier lagen die beiden bisher größten französischen Werke, die jetzt zur deutschen Produktion zählten.[169] Es darf angenommen werden, daß an dieser Entwicklung im Zollverein auch die rheinischen Unternehmen partizipierten.[170]

Dort, wo die traditionellen Blaufarben Marktanteile verloren, trat an ihre Stelle die neue blaue Farbe Ultramarin. 1840 wurde der potentielle Bedarf an dieser Farbe in Deutschland schon auf jährlich 240.000 Ztr. geschätzt.[171] Frankreich als Erfinderland bemühte sich sehr, seine Stellung auf dem Ultramarinmarkt zu behaupten. Obwohl es sich gegen die deutschen Ultramarinfabrikanten mit einer Exportprämie von 15 % auf das eigene Produkt und einem Importzoll von 5 Frs./kg zu schützen versuchte und der Zollverein französisches Ultramarin mit nur 3 1/3 Tlr. Einfuhrzoll je Ztr. belegte, hatten die deutschen Hersteller seit den 40er Jahren die Führung übernommen. Qualität, Sortenvielfalt und das Angebot unterschiedlicher Aggregatzustände bestimmten die Leistung der deutschen Unternehmen, die damit einer differenzierten Nachfrage gerecht werden konnten. Auf den deutschen Gewerbeausstellungen und den Weltausstellungen waren die rheinischen Fabrikanten regelmäßig vertreten und erhielten Auszeichnungen.[172]

Über die Situation auf dem Ultramarinmarkt sind wir genauer erst seit den 1860er Jahren unterrichtet.[173] Der Zeitraum 1862 bis 1867 wurde durch die

---

[167] G. Müller, Die chemische Industrie in der deutschen Zoll- und Handelsgesetzgebung, S. 150.

[168] Vgl. Tab. 5, S. 68; G.A. Walter, Mineralfarbenindustrie, S. 58 f.

[169] G.A. Walter, Mineralfarbenindustrie, S. 59.

[170] Vgl. S. 69.

[171] E. Schmauderer, Ultramarin-Fabrikation, S. 145.

[172] Ebd., S. 146; vgl. S. 70 f.; ferner Tab. 19, S. 112 ff.

[173] Die folgenden vier Abschnitte nach: Jahresberichte der HK (Beilage) Duisburg, Düsseldorf, Solingen 1862, S. 359; 1863, S. 192, 401; 1864, S. 224, 360; 1865, S. 490, 535; 1866, S. 75 f., 405, 773; 1867, S. 900; 1868, S. 370; 1869, S. 91; 1872, S. 346, 826. Vgl. auch G.A. Walter, Mineralfarbenindustrie, S. 70 ff.

Schwierigkeiten in der Textilindustrie infolge des amerikanischen Bürgerkrieges und die anschließenden kriegerischen Auseinandersetzungen in Deutschland bestimmt. Den daraus resultierenden Absatzrückgang und Konkurrenzdruck suchten die Unternehmen über Preissenkungen und die Erschließung neuer Absatzmärkte in Europa (Belgien, Österreich, England, Rußland) auszugleichen. Die Ausfuhr in die USA blieb unbefriedigend, und für Rußland hebt z.B. Leverkus auch die schlechte finanzielle Lage in den 60er Jahren als exporthemmend hervor. Vor allem Curtius in Duisburg bemühte sich mit dieser Absatzstrategie erfolgreich um Vollbeschäftigung in diesem Jahrfünft, während dieses Ziel in den Düsseldorfer Betrieben und bei Leverkus offensichtlich nicht immer erreicht wurde. Das Ergebnis war bei Curtius sicher auch der bereits früher konstatierten[174] hohen Rationalität des Betriebes zuzurechnen.

Die Gewinnmargen im Ultramaringeschäft müssen sich im Laufe der 60er Jahre stark reduziert haben; denn der Export wurde 1867 von den Düsseldorfer Firmen als wenig lohnend, der Überseeexport gar als Verlustgeschäft bezeichnet. Der Duisburger Kammerbericht spricht im gleichen Jahre von großen Anstrengungen und dem Vorstoß in neue, entfernte Märkte. Die wirtschaftliche Situation der Ultramarinfabrikanten änderte sich mit dem Aufschwung der 70er Jahre nicht grundlegend, da die Preiserholung von relativ stärker steigenden Rohstoff- und Lohnkosten begleitet wurde und Rationalisierungseffekte weitgehend ausgeschöpft waren.[175] Trotzdem betonte man in Duisburg immer wieder die Unabhängigkeit von Schutzzöllen, während andererseits auch über das Konjunkturtief hinaus die Importzölle in Frankreich, Rußland und Österreich als nachteilig für den Export hervorgehoben wurden. Eine Erleichterung brachte der Handelsvertrag zwischen Preußen/dem Zollverein und Frankreich (1862), der 1865 in Kraft trat und den französischen Importzoll auf Ultramarin von 500 Frs. auf 15 Frs. je Doppelzentner herabsetzte.[176]

Da die rheinischen Unternehmen 1862 und 1872 ca. ein Viertel der deutschen Gesamtproduktion erstellten,[177] lassen die Außenhandelsdaten des Zollvereins und des Deutschen Reiches für Ultramarin auch tendenzielle Aufschlüsse über die rheinischen Ultramarinexporte zu.

Danach verdoppelten (+ 82 %) sich die Ausfuhren fast zwischen 1862 und 1871. Die unterschiedliche Herkunft und Divergenz der Angaben für die folgenden Jahre, weniger das veränderte Bezugsgebiet schließen einen weiteren Vergleich aus. Für 1872 scheint die Zahl von Hoffmann wahrscheinlicher.[178]

---

[174] Vgl. S.70 f.
[175] Vgl. S. 70, 100f.; E. Schmauderer, Ultramarin-Fabrikation, S. 149 f.
[176] E. Schmauderer, Ultramarin-Fabrikation, S. 146.
[177] Vgl. Tab. 6, S. 72; R. Hoffmann, Entwicklung Ultramarinfabrikation, S. 688 f.
[178] Die von Hoffmann ermittelte Zahl für 1872 scheint uns korrekter (vgl. Anm. 180). Überträgt man den Anteil der rheinischen Produktion an der deutschen (ca. 26–27 %) auf die Ausfuhrzahlen und setzt diesen Anteil in Beziehung zur rheinischen Produktion, so ergibt sich für diese bei den Zahlen für 1862 eine Exportquote von 43 %, 1872 bei der Angabe von Hoffmann eine Quote von 53 % und bei den Angaben aus der offiziellen Statistik eine Quote von 28 %. Letzteres ist unwahrscheinlich.

Tab. 14: Die Ein- und Ausfuhr von Ultramarin im Zollverein und im Deutschen Reich

Jahr	Einfuhr (t)[179]	Ausfuhr (t)[179]
1862		1.258 (1.258)[180]
1865 (2. Halbjahr)	3	955
1866	2,7	1.946
1867	3,7	1.556
1868	14,5	2.015
1869	15	1.680
1870	41	1.980
1871	104	2.290
1872	116	1.980 (3.639)[180]
1873	127	2.085
1874	126	2.305
1875	174	2.505
1876	204,5	2.765 (2.805)[181]
1877	143	3.160 (3.160)[181]
1878	160,5	4.040 (3.484)[181]

Weitere Daten der 70er Jahre lassen sich nicht überprüfen, doch könnte unter Berücksichtigung der Angaben von Hoffmann die Aussage Walters,[182] daß die Absatzkrise wegen des hohen Exportanteils in der Ultramarinindustrie zeitverzögert einsetzte, in Zweifel gezogen werden. Die Exportquote für Deutschland lag nach den Angaben bei Hoffmann durchschnittlich bei 46 % (1862), 55 % (1872), für einzelne Hersteller aber auch bei zwei Drittel und mehr. Leverkus nannte z.B. Anfang der 70er Jahre 82 %.[183]

Die Nachfrage nach Erdfarben expandierte seit den 50er Jahren mit dem Städte- und Wohnungsbau und der Massenfabrikation billiger Möbel. Dabei fanden die rheinischen Erdfarbenwerke ihren Absatz im regionalen Bereich, aber auch am Niederrhein, in Holland und Belgien. Die Mengen der Zollvereinsstatistik über die Ein- und Ausfuhr von Farberden und Erdfarben[184] bleiben hier unberücksichtigt, da die Angaben nur bedingt vergleichbar sind, die hier zu untersuchende Region sich nicht herauslösen läßt und zumindest bei der Ausfuhr des Zollvereins eine untergeordnete Rolle spielte. Traditioneller Handelsplatz für Erdfarben in den Rheinlanden war Köln.

[179] G.A. Walter, Mineralfarbenindustrie, S. 169; E. Schmauderer, Ultramarin-Fabrikation, S. 147; G. Müller, Die chemische Industrie in der deutschen Zoll- und Handelsgesetzgebung, S. 154, 240.

[180] R. Hoffmann, Entwicklung Ultramarinfabrikation, S. 691.

[181] Die Chemische Industrie 1, 1878, S. 218; 3, 1880, S. 234.

[182] G.A. Walter, Mineralfarbenindustrie, S. 72.

[183] R. Hoffmann, Entwicklung Ultramarinfabrikation, S. 688 ff; vgl. hierzu auch E. Schmauderer, Ultramarin-Fabrikation, S. 147; G.A. Walter, Mineralfarbenindustrie, S. 74; Leverkus. Fortschritt, Wachstum und Verantwortung, o.p. (S. 4).

[184] G. Müller, Die chemische Industrie in der Handels- und Zollgesetzgebung, S. 134, 142, 151.

Allein die Aachener Erdfarbenfabrikation hatte keinen Anteil an dieser Entwicklung. Da ihre Rohstoffe nicht in der Nähe lagen und die Zufuhr das relativ billige Endprodukt zu sehr mit Transportkosten belastete, waren die Hersteller der Konkurrenz nicht gewachsen. Die Gebrüder Vossen stellten diesen Produktionszweig wohl Ende der 60er Jahre ein, um ihn zu Beginn der 80er Jahre durch Aufkauf der Firma Bock & Bange in Homburg vor der Höhe-Kirdorf und damit an rohstofforientiertem Standort wieder aufzunehmen.[185]

Die Absatzentwicklung in der Sparte Metallfarben soll zunächst für Bleiweiß und Mennige dargestellt werden, wobei letztere in den Handelskammerberichten allgemein nicht gesondert vom Bleiweiß behandelt wird.

Seit der zweiten Hälfte der 20er Jahre konnten wir einen Ausbau der rheinischen Bleiweißkapazitäten beobachten, die seit den 50er Jahren durch die Aufnahme der Mennigeproduktion ergänzt wurden.[186] Bis zur Aufnahme der heimischen Produktion wurde Bleiweiß aus Holland eingeführt, Mennige aus England, das für dieses Produkt auch in der Folgezeit der entscheidende Konkurrent blieb.[187] Seit den ausgehenden 20er Jahren gelang es dem Rheinland deutlich, die Einfuhrmengen an Bleiweiß zu reduzieren und auch zu exportieren.

Tab. 15: Die Ein- und Ausfuhr von Blei- und Kremserweiß in die bzw. aus den Rheinlanden[188]

Jahr	Einfuhr (Ztr.)	Ausfuhr (Ztr.)
1824	2.900	
1825	2.800	
1826	2.800	
1827	1.210	210
1828	1.260	580

Diese Entwicklung hat sich fortgesetzt. Schon anläßlich der allgemeinen deutschen Gewerbeausstellung 1844 in Berlin bestand die Aussicht, daß eingeführtes Bleiweiß ganz vom deutschen Markt verdrängt werden könnte.[189] Besonders seit der Mitte der 50er Jahre sind nach den bei Bienengräber[190] genannten Zahlen wohl auch in Preußen, dem stärksten Ausfuhrland innerhalb des Zollvereins, die Exporte an Bleiweiß erheblich gestiegen. In diese Feststel-

[185] G.A. Walter, Mineralfarbindustrie, S. 27 ff.; 37 ff.; A. J. Roth, Aachener Farbindustrie, S. 34, 38.
[186] Vgl. S. 71 ff.
[187] G.A. Walter, Mineralfarbenindustrie, S. 87, 93.
[188] Ebd., S. 87.
[189] Amtlicher Bericht Berlin 1844, Teil 3, S. 100; G.A. Walter, Mineralfarbenindustrie, S. 89; Jahresbericht HK Köln 1862, S. 67.
[190] A. Bienengräber, Statistik des Verkehrs und Verbrauchs im Zollverein, S. 343.

lung können die Rheinlande einbezogen werden. [191] Die Zunahme betrug im Zollverein zwischen 1850 und 1864 gut das Vierfache (6.838 Ztr./1850; 29.625 Ztr./1864). 1879 gingen ca. 70 % der Produktion in den Export.[192] Die beachtliche Ausfuhrentwicklung ist vor dem Hintergrund eines zunehmenden Wettbewerbs mit Preissenkungen seit den 60er Jahren zu sehen. Die englische Konkurrenz machte sich mit dem zeitweiligen Ausfall des USA-Marktes in der ersten Hälfte des Jahrzehnts wieder stärker auf dem Kontinent bemerkbar; es folgten absatzhemmende Unruhen in Deutschland (1866, 1870/71), und 1869 berichtete die Handelskammer Köln von einer bedeutenden Überproduktion.[193] Mit dem Aufschwung zu Beginn der 70er Jahre erholte sich der Absatz, doch wurde er in seinem Ergebnis und der Konkurrenzfähigkeit durch steigende Kosten belastet.[194] Für die Qualität der rheinischen Produkte sprechen die Auszeichnungen mehrerer Firmen auf der Pariser Weltausstellung von 1867.[195]

Nach den Handelskammerberichten zu urteilen, exportierten die rheinischen Firmen Bleifarben (Bleiweiß und Mennige) vor allem in das benachbarte Ausland. Inwieweit z.B. von Holland und Belgien aus eine Versendung nach Übersee stattfand, wird nicht erwähnt,[196] doch wurde Bleiweiß in den Ostseeraum verschickt. Das berichten Lindgens und Hasenclever im Zusammenhang mit der Schutzzolldebatte 1879.[197] Mit der Senkung des Eingangszolls für Bleiweiß von 4 Rtlr./dz auf 1 Rtlr./dz und für Mennige von 2 Rtlr./dz auf 7 1/2 Sgr./dz im preußisch-französischen Handelsvertrag[198] wurde der Zugang in den Zollverein für Bleifarben erheblich erleichtert. Dagegen wurden die französische Eingangsabgabe für Bleiweiß und Mennige in Höhe von 2 Frs./dz wie auch die Zollsätze in Belgien, Holland, Rußland und den USA von der Kölner Handelskammer weiter als erschwerend für den Export empfunden.[199] Über die Auswirkungen der neuen Zollpolitik auf den Ausfuhrhandel der rheinischen Unternehmen lassen sich fundierte Aussagen nicht machen. Das gilt auch für die vollständige Zollbefreiung der Bleifarben

---

[191] Ebd. Dazu auch eine Angabe für Köln aus dem Jahre 1859: Anfuhr zu Wasser = 2.129 Ztr.; Ausfuhr zu Wasser = 7.837 Ztr. . Setzt man die Ausfuhr ins Verhältnis zur Gesamtausfuhr des Zollvereins 1858 = 23.142 Ztr., so ergibt die Kölner Ausfuhr zu Wasser ein knappes Drittel. Jahresbericht HK Köln 1864, S. 80; vgl. auch S. 71 ff.

[192] Die Chemische Industrie 2, 1879, S. 126.

[193] Jahresberichte HK Köln 1863, S. 73; 1866, S. 71; 1869, S. 83; 1870, S. 68 f.; 1871, S. 60. Vgl. auch S. 102 und G.A. Walter, Mineralfarbenindustrie, S. 95.

[194] Jahresberichte HK Köln 1869, S. 83; 1870, S. 69; 1871, S. 60; 1872, S. 60; 1873, S. 74; Jahresbericht HK Mülheim/Rhein 1872, S. 51.

[195] Vgl. Tab. 19, S. 112 ff.

[196] A. Bienengräber, Statistik des Verkehrs und Verbrauchs im Zollverein, S. 343; Jahresberichte HK Köln 1864, S. 80; 1866, S. 71; 1869, S. 83.

[197] Die Chemische Industrie 2, 1879. S. 126.

[198] G. Müller, Die chemische Industrie in der deutschen Zoll- und Handelsgesetzgebung, S. 101 f., 106 ff.

[199] Jahresberichte HK Köln 1865, S. 68; 1869, S. 82 f.; G.A. Walter, Mineralfarbenindustrie, S. 96.

im Vereinszolltarif von 1870. Doch plädierten Vertreter der Branche im Gegensatz zur Regierungsvorlage noch 1879 für Zollfreiheit.[200]

Zinkweiß fand zunächst geringen Absatz in den Zollvereinsstaaten und soll vorwiegend nach England, Frankreich und Amerika exportiert worden sein. In diesen Ländern wurde Zinkweiß zum Überziehen des Bleiweißes als zweiter Anstrich verwendet. Erst in der zweiten Hälfte der 50er Jahre fand die neue Anstreicherfarbe auch zunehmende Verwendung in Deutschland und machte dem Bleiweiß Konkurrenz.[201] Die Handelskammer Mülheim/Ruhr berichtete 1859, daß die Produktion der Eppinghofener Hütte in diesem Jahre ganz in Deutschland abgesetzt wurde. 1871 werden Deutschland und die Schweiz als Abnehmerländer genannt.[202] Nach Walter[203] betrug der Exportanteil bei Grillo in den 70er Jahren des 19. Jahrhunderts 70 %. Anhaltspunkte zur Entwicklung der Zinkweißausfuhr fehlen uns ebenso wie zur Absatzlage. Aus der Preisentwicklung lassen sich Schlüsse in dieser Hinsicht nicht ziehen.[204]

Der Markt für die rheinischen Blancfixehersteller war gekennzeichnet durch die Vorrangstellung der in den 1850er Jahren in Berlin und Charlottenburg entstandenen Unternehmen Heyl und Beringer, die den deutschen Blancfixemarkt bis in die 80er Jahre beherrschten. Als weitere Produzenten sind Frankreich und vor allem England zu nennen, das die Farbe billig auf den Kontinent exportierte. Die Konkurrenz für die rheinischen Fabriken blieb daher trotz des Übergangs zur Witheritgrundlage und damit zu einem qualitativ besseren Endprodukt sehr groß.[205]

Über die Absatzsituation für Firnis und Lacke im Untersuchungszeitraum lassen sich keine Aussagen machen. Für die Ruß- und Schwärzebetriebe im Kölner Raum berichtet die Handelskammer in den 60er Jahren von gutem Fortgang und dem Export großer Teile der Produktion. Ausländische Abnehmer waren Holländer, Belgier, Franzosen und Engländer.[206]

Für die neu aufgenommene Teerfarbenproduktion vermitteln die Handelskammerberichte 1862 bis 1872 [207] ein recht deutliches Bild über die Absatz-

---

[200]   Die Chemische Industrie 2, 1879, S. 126.
[201]   G.A. Walter, Mineralfarbenindustrie, S. 124 f.; Jahresbericht HK (Preußische Statistik) Düsseldorf, 1860, S. 41; Jahresbericht HK Köln 1862, S. 67 f.
[202]   Jahresbericht HK Mülheim/Ruhr 1871, S. 15 f.
[203]   G.A. Walter, Mineralfarbenindustrie, S. 126.
[204]   Vgl. S. 101 ff.
[205]   G.A. Walter, Mineralfarbenindustrie, S. 133 ff.
[206]   Jahresberichte HK Köln 1863, S. 73; 1865, S. 68; 1866, S. 71; Festschrift Wegelin, S. 19.
[207]   Die folgenden Abschnitte nach: Jahresberichte der HK (Beilage) Krefeld, Elberfeld, Barmen, Köln 1862, S. 94, 112; 1863, S. 49, 60; 1864, S. 143; 1865, S. 52, 170; 1866, S. 61, 147; 1868, S. 87; 1869, S. 255; 1870, S. 384, 430; 1871, S. 12, 393; 1872, S. 21, 131, 365.

lage. Konkrete Umsatzzahlen für den Handel mit dem In- und Ausland fehlen aber für diesen Bereich durchweg.

Für die Anilinfarben wurde das Jahrzehnt in Krefeld wie in Elberfeld und Barmen als eines mit gutem Produktionsfortschritt und steigendem Bedarf bezeichnet, wenn auch die Betonung von Preissenkungen, von Schwierigkeiten, Kosten in die Preise weiterzugeben und der Wunsch nach Zollentlastung für den Import des Anilins einen zunehmenden Konkurrenz- und Preisdruck deutlich werden lassen.[208] Der Krieg 1870/71 hat allgemein nur eine vorübergehende Stockung gebracht, die allein fühlbar blieb im Handel mit Frankreich. Krefeld und Barmen meldeten in diesen Jahren gute Beschäftigung und guten Absatz. Den Ausgleich erbrachte die günstigere Situation auf anderen Märkten durch das Fehlen der französischen und schweizerischen Konkurrenz. Doch schon 1872 wurde im Wuppertal und in Köln unter Hinweis auf das stärker gefragte, moderne Alizarin über schlechten Verkauf bei den Anilinfarben geklagt, während in Krefeld die Lage wohl noch günstiger war. Produktionsausweitungen mit Preisrückgängen erschlossen dem Alizarin schnell den Anwendungsbereich Färberei, und die Anilinfarbenfabriken sahen sich gezwungen, die neue Farbe ins Programm aufzunehmen.[209]

Wichtige Absatzgebiete für Anilinfarben waren das Inland, die kontinentaleuropäischen Länder und die USA. Dabei haben vor allem England und Frankreich zumindest in der ersten Hälfte der 60er Jahre die Importe deutscher Anilinfarben durch restriktive Auslegung der Patentgesetze gehemmt.[210] Für diese Zeit, in die die Krise der Baumwoll- und Seidenindustrie fällt, ist nicht nur von Unternehmen in Elberfeld und Barmen bekannt, daß sie den Absatz auch im Orient und in Ostasien (Indien, China, Japan) suchten.[211] Doch konstatierten sie schon 1866 die Überfüllung und ein nicht mehr lohnendes Geschäft auf diesen Märkten.

Mit dem Ausbau der Alizarinfarbenkapazitäten vollzog sich in diesem Bereich unter starkem Konkurrenzdruck eine ähnliche Entwicklung. Die Verkaufspreise verfielen in der zweiten Hälfte der 70er Jahre. Anfang der 80er Jahre kamen sie den Gestehungskosten nahe und führten zur Bildung der ersten Alizarinkonvention.[212] Im Verlaufe jenes Jahrzehnts zeichneten sich als Folge des harten Wettbewerbs Konzentrationstendenzen ab.[213] Die englische und französische Konkurrenz waren in dieser Sparte nicht groß, so daß z.B. Bayer auf dem dortigen Markt Fuß fassen konnte.[214] Mitte der 70er Jahre

---

[208] Vgl. S. 103 ff.

[209] Vgl. S. 87, 50 f.; H. Pinnow, Werksgeschichte, S. 42 f.

[210] F. Machlup, Patentwesen, S. 236 ff.

[211] Geschäftsbeziehungen zu Ostasien unterhielten auch Gebrüder Vossen in Aachen, A.J. Roth, Aachener Farbindustrie, S. 34.

[212] Farbenfabriken vorm. Friedr. Bayer & Co., Bd. 2, S. 293.

[213] H. Pinnow, Werksgeschichte, S. 40 f.

[214] Farbenfabriken vorm. Friedr. Bayer & Co., Bd. 2, S. 292, 351; F. Redlich, Teerfarbenindustrie, S. 80 ff. Der Jahres-Bericht chemische Technologie 1873, S. 814 gibt für England und Frankreich je eine Fabrik an.

beherrschte Deutschland den Alizarinmarkt und im Jahre 1880 hatte es auch die frühere englisch-französische Vorherrschaft auf dem Gebiete der Teerfarben gebrochen.[215] Dabei haben die wissenschaftliche Ausbildung der Fabrikchemiker, die zunächst leichte Übernahmemöglichkeit von Auslandspatenten, der Durchbruch in der organischen Chemie und der Schutz der Forschungsergebnisse auf diesem Gebiet durch das neue Reichspatentgesetz seit 1877 beim Auf- und Ausbau der deutschen Teerfarbenindustrie fördernd gewirkt, trotz der nicht gerade günstigen Ausgangsbedingungen.[216] Den hohen Leistungsstand dieses Zweiges der Farbenindustrie belegen auch die Erfolge auf der Weltausstellung 1867.[217]

3.3.2. DIE PREISENTWICKLUNG

Preisreihen haben wir als Grundlage dieses Abschnittes nicht zur Verfügung. Das Material liegt von wenigen Ausnahmen abgesehen zeitlich gestreut.

Preise für Erdfarben fehlen ganz. Kapazitätserweiterungen infolge der steigenden Nachfrage[218] führten in den 70er Jahren zur Überproduktion und damit zu Preisrückgängen. Schon Ende der 60er Jahre erwies sich z.B. der Standort Aachen für das Unternehmen Vossen wegen zu hoher Transportkostenbelastung als nicht mehr rentabel für die Produktion der relativ billigen Erdfarben. Es gab aufgrund der ungünstigen Kosten- und Konkurrenzsituation den Bereich Erdfarbenfabrikation auf.[219]

Für die Farbe Smalte haben wir nur wenige konkrete Preisangaben. Es läßt sich allenfalls die Preistendenz aus der Angabe von Produktionsmenge und Produktionswert in statistischen Erhebungen[220] ermitteln. Da diese Daten quellenkritisch als Annäherungswerte zu beurteilen sind,[221] gilt dies ebenfalls für die durch Division errechneten „Durchschnittspreise". Preisspannen für qualitativ unterschiedliche Smaltesorten gehen damit verloren. Zum Beispiel betrug die Preisdifferenz 1852 zwischen dem in Heidhausen und dem in Horst fabrizierten Produkt 5,7 Tlr./Ztr.[222]

1819 betrug der Preis für Mineralblau bei den Gebr. Mannes 20–60 berg. Stüber/Pfd., bei Wöllner & Sternenberg 30 berg. Stüber/Pfd.[223] (oder rd. 25–77 Tlr. preuß./Ztr. bzw. 38,5 Tlr. preuß./Ztr.).

---

[215] C. Paschke, Teerfarbenindustrie, S. 20; H. Pinnow, Werksgeschichte, S. 33.
[216] C. Paschke, Teerfarbenindustrie, S. 19 f.; F. Redlich, Teerfarbenindustrie, S. 7 ff., 79.
[217] Vgl. Tab. 19, S. 112 ff.
[218] Vgl. S. 63.
[219] G.A. Walter, Mineralfarbenindustrie, S. 27 ff., 38 ff.
[220] Vgl. Tab. 4, S. 66.
[221] G. Adelmann, Der gewerblich-industrielle Zustand, S. 10.
[222] Vgl. Tab. 4, S. 66; ebenso zum Folgenden.
[223] HStA D., Reg. Köln 2151, fol. 14 v, 15; 2150, fol. 86 v, 87.

Ein Vergleich der Produktionswerte pro Zentner im Blaufarbenwerk Heidhausen im Zeitverlauf zeigt von den 20er Jahren bis in die Mitte der 40er Jahre eine tendenziell positive Entwicklung. Der „Preis" stieg von 8,9 Tlr. auf durchschnittlich 9,5 Tlr. in den 30er Jahren und 12,6 Tlr./Ztr. (1842–1845) an. Dagegen fallen die Angaben für die zweite Hälfte der 40er Jahre aufgrund der wirtschaftlichen und politischen Situation ab. Die Werte für Heidhausen 1852 und Preußen 1849–1851[224] deuten, wenn auch die Daten nicht unbedingt vergleichbar sind, auf eine vorübergehende Erholung, der eine klare Abwärtsentwicklung seit 1853 mit dem Verfall der rheinischen und damit auch der preußischen Smalteproduktion folgte.

Die Preisentwicklung des Textilfarbstoffes Berlinerblau kann nur an wenigen Beispielen gezeigt werden. 1819 lag der Preis bei ca. 1 Tlr./Pfd., höherwertige Qualitäten wurden wohl auch besser bezahlt. Für ein Pfund Berlinerblau erzielte Vopelius[225] 1819 einen Preis von 1 Tlr., 1 Sgr., 3 Pfg., bei Gebr. Mannes[226] betrug er im gleichen Jahr 1–5 Rtlr./Pfd. und bei Wöllner & Sternenberg[227] 60 berg. Stüber oder 1 Tlr. berg./Pfd.. Die erschwerten Absatzverhältnisse seit der Einführung des französischen Schutzzolles (1823) und vor allem in den 30er Jahren haben offensichtlich auch den Preis beeinflußt. Die Firma C. Möller in Bielstein gab 1836 den Produktionswert von 2.000 Pfd. Berliner- und Mineralblau mit 1.500 Rtlrn. an, also durchschnittlich 0,75 Rtlr./ Pfd., wobei zu berücksichtigen bleibt, daß Mineralblau billiger war als Berlinerblau.[228] Diese Tendenz hat sich seit der Mitte des 19. Jahrhunderts fortgesetzt. Der Ausbau der Kapazitäten,[229] mit dem Freihandel die zunehmende Öffnung der europäischen Märkte und das Aufkommen neuer, konkurrierender Farben haben trotz steigender Nachfrage einen Preisrückgang für das Produkt bewirkt. Walter[230] spricht davon zu Beginn der 70er Jahre. Die Preisangabe von Vopelius für 1864/65 mit 20 bis 80 Rtlr./Ztr. weist schon in die gleiche Richtung;[231] zumal bei einem Vergleich der untersten Preisgrenze mit den genannten Preisen für 1819 (mindestens 100 Tlr./Ztr.) und 1836 (ca. 75 Tlr./Ztr.). Der fallenden Preistendenz standen mit der Kapazitätsausweitung in den 60er Jahren eine Kostensteigerung für die Rohstoffbeschaffung, aber auch billigere Einstandspreise für das Rohsalz gegenüber, so daß man insgesamt wohl, auch unter Berücksichtigung des Fortbestehens der rheinischen Blaufar-

---

[224] Vgl. Tab. 4, S. 66 und G. von Viebahn, Statistik des zollvereinten und nördlichen Deutschlands, Teil 2, S. 471.

[225] HStA D., Reg. Köln 2150, fol. 238 v.

[226] HStA D., Reg. Köln 2151, fol. 14 v, 15.

[227] HStA D., Reg. Köln 2150, fol. 86 v., 87.

[228] G. Adelmann, Der gewerblich-industrielle Zustand, S. 182 f; vgl. S. 98 und oben die Preisangaben bei Mannes für beide Produkte 1819.

[229] Vgl. S. 69.

[230] G.A. Walter, Mineralfarbenindustrie, S. 58 ff.

[231] Vgl. Tab. 5, S. 68.

benfabrikation, der Exportentwicklung und der späteren Umstellung auf eine neue Rohstoffbasis (Gasreinigermasse)[232] von einer rentablen Produktion ausgehen darf.

Die blaue Farbe Ultramarin, die als natürliche Mineralfarbe zu den teuersten Handelsobjekten gehörte, kostete in Paris 1763 zwischen 48 und 96 Livres (oder: 47,4 bzw. 94,8 Frs.) je Unze.[233] Anfang des 19. Jahrhunderts lag der Preis bei 100 Frs. je Unze[234] bzw. 3.520 Frs./kg., 1820 bei 4.000 Frs./kg.[235] Die weitere Preisentwicklung seit 1828 zeigt die große Bedeutung des künstlichen Ultramarins an:[236]

Jahr	Unternehmen	Preis (M/kg)
1828	Guimet	154
1831	Guimet	24
1834	Leverkus	18
1855		1,75
1862		1,35 (1,21)
1872		1,12 (1,11)
1881		0,81
1885		– (0,65)

Dabei handelt es sich um Pauschal- oder Durchschnittspreise. Konkret boten die Firmen eine Vielzahl von Qualitätssorten zu unterschiedlichen Preisen an. Bei Leverkus lagen 1842 die Preise der 34 angebotenen Sorten zwischen 9 Kreuzer und 4 Gulden, 22 Kreuzer für das Pfund[237] oder 0,50 M bis 14,90 M/kg. Die Synthetisierung des Produkts, technische Verfahrensverbesserungen und starke Produktionsausweitung durch eine zunehmende Zahl von Ultramarinbetrieben waren die Ursache für den Preisrückgang um 84 % zwischen 1828 und 1831 und nochmals um etwa 90 % innerhalb von zwei Jahrzehnten, 1831 bis 1855. Dem Preisrückgang des Endprodukts standen gleichzeitig steigende Preise für Rohstoffe, Ausrüstung und Arbeitslöhne gegenüber.[238] Auf diese Preis-Kostensituation reagierten die Unternehmer mit zunehmender Mechanisierung des Produktionsprozesses und progressiver

[232] Vgl. S. 69; G. A. Walter, Mineralfarbenindustrie, S. 59 f.

[233] E. Schmauderer, Ultramarin-Fabrikation, S. 142.

[234] Die Chemische Industrie 50, 1927, S. 1169.

[235] H. Schultze, Die Entwicklung der chemischen Industrie, S. 134.

[236] G.A. Walter, Mineralfarbenindustrie, S. 72 f., E. Schmauderer, Ultramarin-Fabrikation, S. 148; H. Schultze, Die Entwicklung der chemischen Industrie, S. 136.

[237] E. Schmauderer, Ultramarin-Fabrikation, S. 144.

[238] R. Hoffmann, Entwicklung Ultramarinfabrikation, S. 687; E. Schmauderer, Ultramarin-Fabrikation, S. 149. Zwischen 1862 und 1872 verdreifachte sich der Kohlepreis von 9½ auf 27 Tlr., stieg der Sodapreis von 4½ auf 6½ Tlr.

Steigerung des Ausstoßes, mit Qualitätsdifferenzierung sowie seit den 50er Jahren mit einem Austausch teurer durch billige Rohstoffe.[239] Schließlich konnte aufgrund einer besseren Brenntechnik auf den Schwefelzusatz beim Feinbrand verzichtet werden.[240] Einer früh durchrationalisierten Produktion blieben bei dem zunehmenden Konkurrenzdruck der Teerfarben dann nur noch wenige Anpassungsmöglichkeiten.[241]

Ein bei vorliegender Qualitätsvielfalt und Preisdifferenzierung gewagter Preisvergleich der konkurrierenden Produkte kann aber die zunehmende Wettbewerbsfähigkeit des Ultramarins bei gleichzeitig höherer Farbschönheit, Haltbarkeit, Deckkraft und leichterer Anwendbarkeit gegenüber Smalte und Berlinerblau veranschaulichen:

Jahr	Smalte	Berlinerblau	Ultramarin in M/kg[242]
1839	3,40	Ø 12,00	Ø 40,00
1855	0,70	–	1,75
1862	–	–	1,35
1865	–	1,20–4,80	–
1872	–	–	1,12

Wurde die Farbe 1840 wegen des Preises nur bei der Herstellung feiner Papiere benutzt, fand Ultramarin in den 60er Jahren allgemeine Verwendung als Wäscheblau, Kalkblau und als Farbe im Stoff-, Stein- und Buchdruck.[243]

Für die Metallfarben Bleiweiß, Mennige und Zinkweiß, deren Verwendung im Bereich des Gebäude- und Metallschutzes lag, haben wir Preisangaben seit den 50er Jahren.[244] Für die Preisentwicklung dieser Metallfarben ergibt ein Vergleich des Preisverlaufs mit den Rohmetallpreisen am Kölner Markt[245] und der Höhe der Wohnungsbauinvestitionen,[246] daß die Preise wesentlich beein-

---

[239] Vgl. S. 70 f.; E. Schmauderer, Ultramarin-Fabrikation, S. 147, 149. Holzkohle wurde durch Steinkohle, raffinierter Stangenschwefel durch billigeren sizilianischen Rohschwefel und regenerierten Schwefel aus den Sodarückständen ersetzt, Kolophonium durch Pech.

[240] E. Schmauderer, Ultramarin-Fabrikation, S. 149.

[241] Ebd. S. 149 f.

[242] 1839: ein von C. Leuchs 1839 aufgestellter Preisvergleich – Smalte = 1 fl./Pfd., Berlinerblau = 3–4 fl./Pfd. und Ultramarin durchschnittlich = 11.77 fl./Pfd.; E. Schmauderer, Ultramarin-Fabrikation, S. 144;
1855: Smalte errechnet nach Angaben in Tab. 4, S. 66. Ultramarin vgl. S. 100;
1862: vgl. S. 100;
1865: Angaben von Gebr. Appolt in Sulzbach, vgl. Tab. 5, S. 68;
1872: Vgl. S. 100.

[243] G.A. Walter, Mineralfarbenindustrie, S. 73.

[244] Vgl. S. 102 f. und Tab. 8, S. 76.

[245] G.A. Walter, Mineralfarbenindustrie, S. 180 ff.

[246] W.G. Hoffmann, Wachstum, S. 259.

flußt wurden durch die Metallpreise. Eine erhöhte Nachfrage, z.B. aufgrund der steigenden Baumaßnahmen, konnte offensichtlich durch schnelle Mengenanpassung befriedigt werden. Dafür sprechen die Produktionsentwicklung bei Zinkweiß und die Neugründungen bzw. Verfahrensänderung in der Bleiweißfabrikation seit der zweiten Hälfte der 50er Jahre und in den 60er Jahren.[247]

Der Durchschnittspreis für Bleiweiß lag nach den angegebenen Produktionswerten während der zweiten Hälfte der 30er Jahre bei 9–10 Tlrn./Ztr..[248] Wenigstens in den 50er Jahren können wir in der Preisreihe zweier Kölner Firmen einen Anstieg der Preise konstatieren. Sie lagen 1852–1860 bei durchschnittlich 11,5 Tlrn./Ztr., zeigten aber in dem folgenden Jahrzehnt eine sinkende Tendenz.

Tab. 16: Durchschnittspreise für Bleiweiß und Mennige der Kölner Firmen C. Schmits und W. Meurer (Tlr./Ztr.)[249]

Jahr	Bleiweiß	Mennige		Jahr	Bleiweiß	Mennige
1844		8		1860	12	9
1845		8 1/2		1861	11 1/2	8
1846		8 1/2		1862	11	8
1848		8 1/2		1863	11	8
1851		8		1864	11	8
1852	10	7 3/4		1865	10 1/2	7 2/3
1853	11 1/4	9 1/4		1866	10 1/2	8
1854	12	9		1867	10 1/2	8
1855	12	10 2/3		1868	10 1/6	8
1856	11 1/2	7		1869	10	8
1857	12	8 1/4		1870	10	7 3/4
1858	11 1/3	8		1871	10	8
1859	11 3/4	9		1872	10 1/2	8 1/2

Der Preis ging von durchschnittlich 11,5 Tlrn. (1852–1860) auf 11,12 Tlr. (1861–1864) und 10,20 Tlr. pro Ztr. (1865–1872) zurück, d.h. um ca. 12,8 % in zwei Jahrzehnten. Hierzu haben neue, produktivere Verfahrenstechniken, die Entwicklung der Bleipreise und ein gewisser Angebotsdruck beigetragen. Gleichzeitig wurde an der Wende zu den 70er Jahren über erhöhte Kosten für Brennmaterialien und Löhne berichtet.[250]

Eine Abhängigkeit vom Rohstoffpreis läßt sich auch bei den durchschnittlichen Zinkweißpreisen der Zinkhütte Eppinghofen bis in die 60er Jahre feststellen, dann scheinen die Nachfragesituation, gemessen an den Wohnungsbau-

---

[247] Vgl. S. 71 ff.
[248] Vgl. Tab. 7, S. 73.
[249] Gerundete Durchschnittspreise auf der Grundlage von Preislisten der Kölner Firmen C. Schmits und W. Meurer, abgedruckt bei G.A. Walter, Mineralfarbenindustrie, S. 180 ff.
[250] Jahresberichte HK Köln 1869, S. 83; 1870, S. 69; 1871, S. 60; Jahresbericht HK (Beilage) Duisburg 1871, S. 8.

investitionen, und ein zusätzliches Angebot durch die Produktionsaufnahme bei Grillo (1866) die Preisentwicklung mit beeinflußt zu haben.[251]

Im Gegensatz zu den Bleiweißpreisen am Kölner Markt ergibt sich aus den Phasen der Preisentwicklung für Zinkweiß[252]

1853–1858 =	∅	8,72	Tlr./Ztr.
1859–1860 =	∅	6,50	Tlr./Ztr.
1861–1867 =	∅	8,58	Tlr./Ztr.
1868–1871 =	∅	7,25	Tlr./Ztr.
1872 =		8,13	Tlr./Ztr.

ein stärker schwankender Verlauf und bei steigender Produktionsmenge keine so klar sinkende Preistendenz. Für den Preiseinbruch 1859/60 werden unsichere politische und kriegerische Verhältnisse verantwortlich gemacht. Der Absatz in die Schweiz wurde offensichtlich durch die kriegerischen Auseinandersetzungen zwischen Frankreich und Österreich gestört.[253] Diese Ergebnisse werden mit geringen Abweichungen bestätigt durch die bei Walter[254] aufgeführten und durchweg höher liegenden Preise für Zinkweiß unterschiedlicher Qualität bei den Kölner Firmen C. Schmits und W. Meurer.

Für die Chromfarben seien exemplarisch die Preise der Firma F. Vossen aus Aachen genannt. Im Jahre 1844 kosteten:
– Chromgrün   8–30 Tlr./Pfd.
– Chromgelb   6–13 Tlr./Pfd.
– Chromrot   15 Sgr./Pfd.[255]

Im Bereich der Teerfarben sind Preise verschiedener Herkunft erhalten. Für Bayer & Co. liegen detaillierte Preise für Anilinfarben aus den Jahren 1862– 1867 vor. Der Liste kann zunächst entnommen werden, daß das Programm an Farben, Nuancen oder Qualitäten insgesamt anstieg. Es umfaßte 1862–12, 1863–13, 1864–11, 1865–26 und 1867–22 verschiedene Artikel.

Parallel zur Auffächerung des Angebots ist für die meisten Artikel ein Preisrückgang innerhalb der fünf Jahre festzustellen. Dabei fielen anfänglich sehr hohe Preise am stärksten, mittlere weniger stark, während zwei Sorten sogar im Preise anstiegen. Zu den Farbstoffen mit dem höchsten Preisverfall gehörte kristallisiertes Fuchsin, das zwischen 1862 und 1864 um nahezu 90 % billiger wurde. Der Preis für Anilinblau fiel um 70 %, für Nachtblau und Parme um

---

[251] Vergleich der Rohzink- und Zinkweißpreise der Zinkhütte Eppinghofen in den Handelskammerberichten Mülheim/Ruhr 1857, 1861–1871. Vgl. auch G.A. Walter, Mineralfarbenindustrie, S. 180 ff.; W.G. Hoffmann, Wachstum, S. 259; ferner S. 75 ff.

[252] Nach Tab. 8, S. 76.

[253] Jahresberichte HK Mülheim/Ruhr 1859, S. 18; 1860, S. 15.

[254] G.A. Walter, Mineralfarbenindustrie, S. 180 ff.

[255] Ebd., S. 38.

Tab. 17: Preise für künstliche Farbstoffe (Tlr./Pfd.) bei F. Bayer & Co., Barmen[256]

	1862							1863		1864				1865		1867		
	20.1.	1.3.	9.3.	18.4.	27.7.	12.12.	26.12.	21.2.	26.7.	23.2.	4.3.	27.5.	5.8.	5.8.	16.8.	28.4.	4.5.	7.6.
Anilinviolett/Teig	8 2/3	7 1/3	7 1/2	5 2/3	6		4 2/3	2 1/6	1 7/10									
Fuchsinrot flüssig			1 5/6		1 7/10	1 7/10		1										
Fuchsinrot kristall.		44	45	30	30	25 2/3	22 1/2	19	16–14	8 1/2–8	7 1/2–5 1/2	7	4 1/2					
Fuchsin bläul. kristall.										9	8 1/2	8	4 3/4					
Diamantfuchsin														4 5/6	4 2/3			3 2/3
Prima (pa) Fuchsin rötl.														4 1/2	4		3 1/2	3
II Fuchsin rötl.														3 5/6	3 1/2		3	2 2/3
III Fuchsin rötl.														2 2/3				1 1/4
pa Fuchsin bläul.														4 3/4	4		3 3/4	3 1/2
Neublau pulv.		65	65	60	58													
Anilinblau flüssig						1 7/10		1 1/6	25Sgr.									
Anilinblau pulv.						45 1/3	40	35–30	20		9 1/2	10	6 1/2					
Anilinblau rötl. pa														6 1/2	6 1/3	4 1/2	4 3/4	4 1/2
II Anilinblau														6	5 5/6			
Nachtblau (Lichtblau) flüssig						1 5/6		1 1/3		12–15 Sgr.								
Nachtblau pulv.						62 1/3	55	45	30		11 1/2	14	6 2/3					
Nacht grünl. pulv.								1 1/2	1									
Nacht grünl. pulv.								60	40	30		30						
pa Lichtblau														9 1/2	10			
do. grünl.														30	26		22	22
pa Blau-Violett														5 1/2	}	}		
II Blau-Violett														5 1/4	}	4 1/6 }	4	
pa Rot-Violett														5 1/2	5 1/3 }	}		3 5/6
II Rot-Violett														5 1/4	}	}		
pa Blau Blau														6 2/3	6 1/2		5	4 1/2
pa II Blau Blau														6 1/6	6			
pa wasserlös. Blau														10				
do. II														7				
pa reines Blau BBTS															11		7	7
Lichtviolett rötl.																	12	12 wasser-(lösl.)
Lichtviolett bläul.																	15	16
Parme pulv.	60			50		39 2/3	35	30–25	20	10–9	9	9 1/2						
Parme flüssig								1 1/6										

| | 1862 | | | | | | | 1863 | | 1864 | | 1865 | | | | 1867 | | |
	20.1.	1.3.	9.3.	18.4.	27.7.	12.12.	26.12.	21.2.	26.7.	23.2.	4.3.	27.5.	5.8.	5.8.	16.8.	28.4.	4.5.	7.6.
Parme pensé flüssig																		
Parme pensé pulv.				50	$1\frac{5}{6}$			$1\frac{1}{6}$	20	10–12	9							
pa Parme bläu.-viol.					51			33							$5\frac{1}{3}$			$3\frac{5}{6}$
II Parme bläul. viol.															5			$4\frac{1}{4}$
pa Parme pensé										12–14	12				$5\frac{1}{2}$			
Dahlia						17Sgr.							7					
pa. Dahlia						17Sgr.												
Primula i. Pulver												40						
pa Primula rötl.													$10\frac{1}{2}$	$7\frac{1}{2}$	$6\frac{1}{4}$	$6\frac{1}{2}$	$5\frac{2}{3}$	
pa Primula bläul.										12–15	12		13	12	$9\frac{1}{2}$	9	$7\frac{2}{3}$	
Lichtgrün/Teig													3					
pa Lichtgrün																4	4 (spiritus-/	
en pâte																	wasserlös.)	
pa Lichtgrün pulv.																		
pa Braun													20			30	30	
Neugelb													3			$6\frac{1}{2}$	$6\frac{1}{3}$	
																(wasserlösl.)		

256 W A Bayer 126/4, Bd. 1.

fast 90 % und für Parme pensé um mehr als 80 %. Diesen Jahren des stärksten Preisrückgangs folgte jedoch eine gewisse Stabilisierung der Preise auf niedrigerem Niveau mit nur noch geringen Preiseinbußen. Für die besonders klaren und hochwertigen Farben Lichtgrün und Lichtviolett beobachten wir steigende Preise zwischen 1865 und 1867 bzw. von Mai bis Juni 1867.

Ergänzend können noch einige Preise für Anilinfarben des Unternehmens von H. Tillmans bzw. aus Krefeld angeführt werden. Die Preise von Tillmans, die als besonders niedrig angepriesen wurden, lagen 1863 für Regina Purple und Imperial Blue bei 275 Frs./kg (ca. 37 Tlr./Pfd.). Bei Abnahme von mindestens 20 kg Fuchsin wurde ein herabgesetzter Preis von 180 Frs./kg (25 Tlr./Pfd.; 150 M/kg) veranschlagt.[257]

Auch die in den Jahren 1869 und 1870 für Krefeld genannten Fuchsinpreise beziehen sich wahrscheinlich auf das Unternehmen von Tillmanns. Da Sorte und Qualität jedoch nicht bekannt sind, bleiben die Angaben nur bedingt vergleichbar. Die Preise für Fuchsin betrugen in Krefeld:

Anfang August 1869   6 1/2 Tlr./Pfd. oder 39 M/kg [258]
    Dezember 1869   4–4 1/2 Tlr./Pfd. oder 24 M-27M/kg
            1870   3–3 1/2 Tlr./Pfd. oder 18 M-21M/kg.[259]

Kockerscheidt[260] schätzt den Durchschnittspreis für Anilinfarben zu Anfang der 70er Jahre auf mindestens 15–18 M/kg, ein Jahrzehnt später auf 10 M/kg. 1888 kostete ein Kilogramm 5,80 Mark.

Eine ähnliche Entwicklung nahmen die Alizarinpreise. Alizarin, das in der Reinheit und der Anwendung dem Naturprodukt Krapp weit überlegen war, ermöglichte eine Vereinfachung, Verbesserung und Verkürzung der Stofffärbung, so daß sich Anfang der 70er Jahre des 19. Jahrhunderts die Färberkosten nur noch auf ein Drittel der früheren beliefen. Dabei war Alizarin Anfang der 70er Jahre noch recht teuer.[261]

[257] C. Eberhardt, Chemische Fabriken vorm. Weiler-ter-Meer, o.p.
[258] Jahresbericht HK (Beilage) Krefeld 1869, S. 255 f.
[259] Jahresbericht HK (Beilage) Krefeld 1870, S. 430.
[260] J. Kockerscheidt, Preisbewegung, S. 65 f.
[261] H. Schultze, Entwicklung der chemischen Industrie, S. 165; J. Kockerscheidt, Preisbewegung, S. 69.

Tab. 18: Durchschnittliche Preise (M/kg) für Alizarin (100 % ig)

Jahr	in Deutschland	nach Angaben bei Bayer
1869[262]	270	
1870[263]	270	
1873	120	90[264]
1875		70
1878	23	26
1881	17,5	

Bei Bayer belief sich der Preis für Alizarinpaste (100 % ig) 1877 auf 35 M und 1881 auf 20 M/kg.[265]

Nachdem der Preis zwischen 1869 und 1873 um mehr als 55 % gefallen war, verschärfte sich der Konkurrenzkampf unter den in großer Zahl entstehenden Alizarinbetrieben noch und ließ den Preis weiter sinken. Bis 1878 war er um weitere 81 % und bis 1881 noch einmal um 24 % gefallen; d.h. innerhalb von zwölf Jahren um insgesamt 93,5 %. Damit hielten die Unternehmer die Grenze der Rentabilität für erreicht und gingen 1881 die Alizarinkonvention ein.[266]

Charakteristisch für die Preisentwicklung in der Teerfarbenindustrie sind die schnell sinkenden Preise nach Produktionsaufnahme neuer Erzeugnisse. Innerhalb eines halben (bei Anilinfarben) bzw. vollen Jahrzehnts (bei Alizarin) gingen sie um 90 % und mehr zurück. Große Vorsprungs- oder Neuerungsgewinne fielen also nur in wenigen Jahren an, um dann schnell zusammenzuschrumpfen.[267] Die Preisrückgänge der Teerfarben wurden verursacht durch starke Produktionssteigerungen bei gleichzeitiger Ausweitung der Angebotspalette und heftiger Konkurrenz unter den deutschen wie europäischen Fabrikanten, durch Verfahrensverbesserungen und der Verbilligung der Rohmaterialien.[268]

Die Entwicklung der Materialkosten läßt sich an den Preisen für die Ausgangsstoffe Anilin und Anthracen verdeutlichen. Anilin kostete:

1860	ca. 4 Tlr./Pfd. oder 24,00 M/kg[269]
1862/63 (Bayer)	1 Tlr. 24 Sgr./Pfd. oder 10,80 M/kg[270]

[262] H. Schultze, Die Entwicklung der chemischen Industrie, S. 165.

[263] 1870−1881: J. Kockerscheidt, Preisbewegung, S. 68 f.; 1881 vgl. auch F. Redlich, Teerfarbenindustrie, S. 49.

[264] Farbenfabriken vorm. Friedr. Bayer & Co., Bd. 2, S. 293.

[265] Beiträge Bayer, S. 8 f.

[266] Farbenfabriken vorm. Friedr. Bayer & Co., Bd. 2, S. 293; F. Redlich, Teerfarbenindustrie, S. 49.

[267] J. Kockerscheidt, Preisbewegung, S. 63 ff.

[268] Ebd., S. 59 f., 65, 69; F. Redlich, Teerfarbenindustrie, S. 44 f.

[269] J. Kockerscheidt, Preisbewegung, S. 63.

[270] WA Bayer 1/4, Fakturabuch.

in Krefeld:

Juli	1869	32 Sgr./Pfd. oder 6,40 M/kg[271]
August	1869	20 Sgr./Pfd. oder 4,00 M/kg
Dezember	1869	18–20 Sgr./Pfd. oder 3,60–4,00 M/kg
	1870	14–16 Sgr./Pfd. oder 2,80–3,20 M/kg.[272]

Anthracen gewann nach der Erfindung des Alizarins (1869) stark an Bedeutung, so daß ein schnell expandierender Markt für diesen Kohlenwasserstoff entstand. Er mußte zunächst vorwiegend aus England importiert werden. In der Folgezeit paßte sich die Teerdestillation jedoch der wachsenden Nachfrage an, so daß die Preise für Anthracen infolge sinkender Rohstoffpreise und wachsender Konkurrenz von 9 M/kg (25 % ig) 1874 auf 0,5 M/kg (50 % ig) 1905 zurückgingen.[273]

Ein Vergleich der Preisentwicklung bei Anilin und Fuchsin[274] bestätigt die Aussage von Redlich, daß die Farbenpreise stärker fielen als die des Rohmaterials. Diese Tendenz beeinflußte die Rentabilität der Unternehmen, da der Materialanteil an den Herstellungskosten sehr hoch lag.[275] Letzteres zeigt eine Kalkulation von Bayer aus dem Jahre 1875, die Aufschluß über die Zusammensetzung und die Kosten des Safranins gibt:

1.700 Pfd.	Öl	850	Tlr.	
772 Pfd.	salpetrigsaures Kali	320	Tlr.	
2.500 Pfd.	Salzsäure	13	Tlr.	
300 Pfd.	Zinkstaub	25	Tlr.	
770 Pfd.	Chromkali	160	Tlr.	
400 Ztr.	Salz	200	Tlr.	
1.200 Pfd.	Soda	50	Tlr.	
		1.618	Tlr.	= 80 %
	Arbeitslohn	150	Tlr.	= 7,4 %
	Kohlen	70	Tlr.	= 3,5 %
		1.838	Tlr.	
	10 %	183	Tlr.	= 9 %
	Insgesamt	2.021	Tlr. für 104 Pfd. prima Safranin pulverisiert oder 2.180 Pfd. Safraninteig.	

[271] Jahresbericht HK (Beilage) Krefeld 1869, S. 255.
[272] Jahresbericht HK (Beilage) Krefeld 1870, S. 430.
[273] H. Schultze, Entwicklung der chemischen Industrie, S. 165; C. Paschke, Teerfarbenindustrie, S. 13; J. Kockerscheidt, Preisbewegung, S. 69.
[274] Vgl. S. 106 f. und oben:

Jahr	Fuchsin	Anilin
1862/63	150 M/kg	10.80 M/kg
1870	21 M/kg	3.20 M/kg.

[275] F. Redlich, Teerfarbenindustrie, S. 35, 46.

Die Produktion von Safranin an Stelle des roten Farbstoffs Saflor Karmin wurde bei Bayer 1875 auf der Grundlage des wiedergewonnenen Öls aus der Fuchsinfabrikation begonnen.[276] Trotz vieler Verbesserungen war die Safraninfabrikation nicht konkurrenzfähig und wurde in späteren Jahren ganz aufgegeben.

Die 70er Jahre werden von Redlich[277] als günstige Geschäftsjahre für die Teerfarbenindustrie beurteilt, und auch das Verhältnis der von uns ermittelten[278] Rohmaterial- und Produktpreise kann für den Beginn des Jahrzehnts entsprechend interpretiert werden. Der Preis für kristallisiertes, also relativ hochprozentiges Fuchsinrot betrug bei Bayer im Jahresdurchschnitt 1862 32,86 Tlr./Pfd., während die Gestehungskosten in den ersten Jahren der Fuchsinfabrikation mit 5 Tlrn./Pfd. (30 M/kg) angegeben werden. Wie sehr diese relativ hohe Spanne bis in die 70er Jahre abnahm, wird deutlich, wenn man grob den Fuchsinpreis in Krefeld 1870 (3–3 1/2 Tlr./Pfd.) in Beziehung setzt zu den Kalkulationspreisen bei Bayer (2 Tlr. 18 Sgr./Pfd.; rund 15 M/kg) im Jahre 1872.[279] In den einzelnen Unternehmen mag das Ergebnis durchaus unterschiedlich gewesen sein, doch fehlen für diese Fragen die Kalkulationsunterlagen. Vor allem ist bei der Preisbildung die Differenzierung zwischen ungeschützten Produkten und patentierten bzw. geheimgehaltenen Fabrikationsverfahren wichtig.[280] Neuentdeckte, modische oder in Bezug auf Säure- und Lichtfestigkeit qualitativ hochwertige Farben warfen immer noch hohe Gewinne ab, während die Preise bei bekannten Massenfarben relativ schnell zurückgingen.

Trotz erheblicher Erleichterung in der Verwendbarkeit und eines inzwischen beachtlichen Preisvorsprungs z.B. der Anilinfarben (15–18 M/kg) gegenüber dem Indigo (27 M/kg)[281] Anfang der 70er Jahre, wurden die Teerfarben bis dahin noch nicht zur echten Verdrängungskonkurrenz für alle natürlichen organischen Farbstoffe und das Berlinerblau (1865 kostete 1 kg 1,20–4,80 M). Auf Blauhölzer und Indigo konnte man noch lange nicht verzichten.[282] Doch beginnt mit diesem Jahrzehnt ein neuer Abschnitt in der deutschen Teerfarbenindustrie, die systematische, rationelle Lösung neuer Ziele.[283]

---

[276] Farbenfabriken vorm. Friedr. Bayer & Co., Bd. 2, S. 249.
[277] F. Redlich, Teerfarbenindustrie, S. 35.
[278] Vgl. Anm. 274 und S. 108; Alizarin-: Anthracenpreis 1873/74 = 90–120 M/kg: 9 M/kg (25 % iges Anthracen).
[279] Vgl. S. 104, 106; Farbenfabriken vorm. Friedr. Bayer & Co., Bd. 2, S. 248.
[280] F. Redlich, Teerfarbenindustrie, S. 46.
[281] Vgl. S. 106; J. Kockerscheidt, Preisbewegung, S. 72.
[282] Ebd., S. 75 ff., 81; F. Redlich, Teerfarbenindustrie, S. 47, 51.
[283] F. Redlich, Teerfarbenindustrie, S. 5; J.J. Beer, German Dye Industry, S. 55.

Die steigende Produktion und ihr Absatz stellten neue Anforderungen an die Verkaufsorganisation. Über den innerbetrieblichen Ablauf des Verkaufsgeschäftes sind wir für den hier behandelten Zeitraum nicht unterrichtet. Das Verhältnis zu den Kunden im engeren Umkreis wurde zunächst mit Sicherheit vom Unternehmer durch persönliche Besuche aufgebaut, während für die entfernteren Absatzgebiete Handelsfirmen vor Ort oder in den kontinentalen Ausfuhrhäfen für überseeische Länder eingeschaltet wurden. So übertrug z.B. Leverkus 1838 dem Kölner Kaufmann Ludwig Bergerhausen vertraglich den Verkauf seiner Produktion mit Ausnahme der Gebiete Gladbach bei Mülheim/Rhein, Dombach, Düren, Schwelm und das Wuppertal, die er sich für den alleinigen Verkauf seines Fabrikates Ultramarin vorbehielt. Auch Wiederhold besuchte seine Kunden selbst.[284]

Die Gesellschaft Friedrich Bayer & Comp. hatte von vorneherein günstige Voraussetzungen für den Absatz ihrer Farben. Enge Beziehungen zu den Abnehmern bestanden nicht nur durch den Standort im Wuppertaler Textilgebiet, sondern besonders durch die früheren Unternehmen der beiden Teilhaber. Friedrich Weskott betrieb seit 1849 eine Färberei, Friedrich Bayer hatte seit den 1840er Jahren ein Handelsgeschäft für Farbstoffe und Färbereihilfsprodukte. Er bezog die Farbstoffextrakte zum großen Teil von der Baseler Firma R. Geigy wie von den niederländischen Seehäfen und lieferte sie in die nähere Umgebung nach Barmen und Elberfeld, ins Bergische Land, nach Düsseldorf, Mönchengladbach und Rheydt, aber auch nach Sachsen und in die Niederlande. Das Fakturabuch des Handelsgeschäfts aus dem Jahre 1862 weist außerdem Geschäftsverbindungen nach Krefeld, Bielefeld, Köln, Paris, Meran und Leiden aus.[285] Das Handelsgeschäft und die Färberei wurden nach der Gründung der OHG von den Teilhabern unter eigenem Namen weiterhin neben der Anilinfarbenfabrikation betrieben.

Die Vermittlung des Verkaufs durch Handels- und Exportfirmen in Norddeutschland, Frankfurt/Main, London blieb auch für weniger wichtige und auf Gelegenheitsgeschäfte beschränkte Handelsbeziehungen für den Untersuchungszeitraum von Bedeutung. Bei Bayer gilt das z.B. für die Bereiche Süd- und Mittelamerika sowie Asien, Australien und die Levante.[286] Dagegen wurden für die Bearbeitung wichtiger Märkte Agenten verpflichtet, zunehmend auch eigene Agenturen aufgebaut. Der Anfang dieser Entwicklung ist bei Bayer im siebten Jahrzehnt zunächst mit der Errichtung von Lagern anzusetzen. Sie

---

[284] Leverkus. Fortschritt, Wachstum, Verantwortung, o.p. (S. 35 f.) Abdruck des Vertrages zwischen Leverkus und Ludwig Bergerhausen, Köln vom 25.11. 1838; 100 Jahre Wiederhold, S. 94.
[285] WA Bayer 1/1, Werdegang Bayer, Diverse Zeittafeln, S. 10; WA Bayer 1/4, Fakturabuch-Auszüge 1862.
[286] Farbenfabriken vorm. Friedr. Bayer & Co., Bd. 2, S. 376 f., 397 ff.

erfuhr in den folgenden Jahren eine Ausweitung und im kontinental-euro-päischen Bereich eine regelmäßige Ergänzung durch kaufmännische und tech-nische Reisende, die Geschäftsabschlüsse tätigten und über Neuentwicklungen informierten.[287]

Das System der Kommissionshäuser und Agenturen bei Bayer bestätigt die Absatzschwerpunkte des Unternehmens. Bis zum Beginn der 80er Jahre sind folgende Plätze zu erwähnen, wenn auch der Ausbau weiterging: Spanien (1864), die Schweiz (1867 mit Vermittlungstätigkeit auch nach Frankreich), Italien, Hamburg (Ende der 60er Jahre), USA (Ende der 60er Jahre), Wien (1870), Frankreich (1872), Mülhausen (70er Jahre), Rußland (70er Jahre), England (Mitte der 70er Jahre), Belgien (80er Jahre), Düsseldorf (1880), Frankfurt/Main (1880), Berlin (1881), Chemnitz, Prag und Augsburg (1884). Der Vorstoß nach England gelang erst mit den Alizarinfarben.[288] Anfang der 80er Jahre errichtete auch Vossen Lager in europäischen Ländern, in Amerika, Japan und Indien.[289]

Die Gründung von Zweigwerken im Ausland gehört in die 80er Jahre des 19. Jahrhunderts und geschah aus zollrechtlichen Erwägungen.[290] Allein von Bayer ist bekannt, daß sich das Unternehmen Anfang der 70er Jahre an einem amerikanischen Fuchsinwerk in Albany beteiligte und als Lieferant der Roh-materialien, Anilin und Arsenate, fungierte. Das Engagement wurde Ende der 70er Jahre aufgegeben, fand aber 1882 mit der Gründung der „Hudson River Aniline Color Works" eine Fortsetzung.[291]

Der Ausbau der Absatzorganisation hat Impulse durch das Ausstellungswe-sen, vor allem die Weltausstellungen seit der Mitte des 19. Jahrhunderts erhal-ten. Neben anderen Funktionen hatten diese Veranstaltungen verkaufsför-dernde, marktvorbereitende und markterweiternde Wirkungen.[292] Sie wurden auch von den rheinischen Farbenfabrikanten besucht, und die zahlreichen Auszeichnungen[293] sprechen für die Qualität ihrer Produkte. Die konkreten Erfolge der Ausstellungen sind überdies nicht meßbar, wie auch eine detail-lierte Untersuchung über den Stellenwert der Ausstellungen für die Farben-und chemische Industrie noch aussteht.

---

[287] Farbenfabriken vorm. Friedr. Bayer & Co., Bd. 2, S. 345, 365 ff., 372; WA Bayer 271/2, Personalia Friedr. Bayer sen., Vorgeschichte, S. 2.

[288] WA Bayer 1/1; Werdegang Bayer, Diverse Zeittafeln, S. 21; Farbenfabriken vorm. Friedr. Bayer & Co. Bd. 2, S. 345 f., 351, 359 ff., 381, 393.

[289] A.J. Roth, Aachener Farbindustrie, S. 42.

[290] Z.B. Bayer in Rußland und Frankreich, Farbenfabriken vorm. Friedr. Bayer & Co., Bd. 2, S. 361, 381; ferner die Gebrüder Vossen, Aachen in Frankreich, A.J. Roth, Aache-ner Farbindustrie, S. 39 f.; vgl. auch F. Redlich, Teerfarbenindustrie, S. 80 ff.

[291] Farbenfabriken vorm. Friedr. Bayer & Co., Bd. 2, S. 393.

[292] E. Kroker, Weltausstellungen, S. 71 ff.

[293] Tab. 19, S. 112 ff.

Zusammenfassend läßt sich zur Marktsituation in der Farbenindustrie feststellen:

— Die rheinische Farbenindustrie war exportorientiert. Der Ausfuhranteil ließ sich nicht für alle Branchen konkret ermitteln, er ist sicherlich unterschiedlich gewesen. Deutlich positive Tendenz wies er beim Ultramarin, beim Bleiweiß und bei den Teerfarben auf. Das sind Farben, deren heimische Produktion zunächst Importsubstitution bewirkte.

— Seit den 60er Jahren beobachteten wir in allen Bereichen eine zunehmende Verschärfung des Wettbewerbs. Die rheinischen Farbenfabrikanten hatten sich infolge restriktiven Patentschutzes und liberaler Wirtschaftspolitik auf einem relativ offenen heimischen Markt und auf stärker geschützten ausländischen Märkten durchzusetzen.

— Die Preise für alle Produkte fielen. Dabei waren die Preiseinbußen am stärksten bei den Teerfarben und bei Ultramarin, etwas gemäßigter bei Berlinerblau und deutlich am geringsten bei den Metallfarben Bleiweiß und Zinkweiß.

— Der Ausweitung der Märkte folgte eine festere Absatzorganisation, wie das Beispiel Bayer gezeigt hat.

Tab. 19: Auszeichnungen und Beteiligung rheinischer Farbenfabrikanten an regionalen und Weltausstellungen

I) Gewerbeausstellungen

1) *Gewerbeausstellung Düsseldorf 1838*[294]

Ultramarin (1 Probe)	Dr. C. Leverkus, Wermelskirchen	

2) *Allgemeine deutsche Industrieausstellung zu Mainz 1842*[295]

Ultramarin (4 Sorten)	Dr. C. Leverkus, Wermelskirchen	

3) *Gewerbeausstellung Berlin 1844*[296]

Ultramarin	Dr. C. Leverkus, Wermelskirchen	Silberne Preismedaille
Smalte	Horstmann & Co., Horst bei Steele	Silberne Preismedaille (insg. vier Aussteller)

[294] E. Schmauderer, Ultramarin-Fabrikation, S. 144.
[295] H. Rößler, Mainzer Industrieausstellung 1842, S. 294, 326 f.
[296] Amtlicher Bericht Berlin 1844, Teil 3, S. 88, 100; Übersicht, S. 11, 24, 49 ff.

Bleiweiß/ Kremserweiß	W.O. Waldthausen, Clarenburg	Eherne Preismedaille (insg. dreizehn Aussteller)
Bleiweiß, Bleizucker	Bischof & Rhodius & Söhne, Sinzig	Eherne Preismedaille
Farben	Franz Vossen, Aachen	Eherne Preismedaille
Lohschwarz	J.W. Hagedorn, Simmern	o. Auszeichnung

II) Weltausstellungen

4) Weltausstellung in London 1851[297]

Bleiweiß	Bischof & Rhodius, Burgbrohl	Preismedaille
Bleiweiß	Brasseur, Nippes	
Bleiweiß	W.O. Waldthausen, Clarenburg	
Zinkweiß	Rochaz & Co., Mülheim/Ruhr	
Smalte/Zaffer	Horstmann & Co., Horst b. Steele	
Ultramarin	C. Leverkus, Wermelskirchen	Preismedaille
Ultramarin	J. Curtius, Duisburg	Preismedaille
Farben, Saflor	Carl Jäger, Barmen	

5) Weltausstellung Paris 1855[298]

Bleiweiß	Gebrüder Rhodius, Linz	
Bleiweiß	W.O. Waldthausen, Clarenburg	
Zinkweiß	Gesellsch. Vieille Montagne	
Smalte	Horstmann u. Comp., Horst an der Ruhr	
Garancine	Hannes, Wesel	
Saflorkarmin, Carthamin	Jäger, Barmen	
Indigokarmin, Koschenille, Orseille u.a.	Krimmelbein u. Bredt, Barmen	
Ultramarin	Dr. Leverkus, Wermelskirchen	Silberne Medaille
Ultramarin	J. Curtius, Duisburg	Bronzene Medaille
Ultramarin	G.G. Stinnes, Ruhrort	Ehrenvolle Erwähnung

6) Weltausstellung London 1862[299]

Blausaures Kali	H.F. Küderling, Duisburg	Medaille

[297] Amtlicher Bericht London 1851, Teil 1, S. 278 f., 289 ff.
[298] Pariser Ausstellung 1855, S. 347 f., 355 ff.
[299] Amtlicher Bericht London 1862, Bd. 1, S. 615 ff.

Ultramarin	C. Leverkus, Wermelskirchen	Medaille	insg. sechs Aussteller
Ultramarin	J. Curtius, Duisburg	Medaille	
Anilinpräparate	Carl Jäger, Barmen	Medaille	
Anilinfarben	Otto Bredt, Barmen	Ehrenvolle Erwähnung	

7) *Weltausstellung Paris 1867*[300]

Entdeckung Anilinfarben	Mitarbeiter v. H. Tillmans, Krefeld	Goldene Medaille
Blausaures Kali	H.F. Küderling, Duisburg	Silberne Medaille
Bleiweiß	Geb. Rhodius, Linz	Silberne Medaille
Bleiweiß	L. Wagner, Deutz	Silberne Medaille
Bleiweiß	Odenthal & Leyendecker, Köln	Ehrenvolle Erwähnung
Bleiweiß	C. Oberreich, Köln	Ehrenvolle Erwähnung
Mennige	Lindgens & Söhne, Mülheim/Rhein	Silberne Medaille
Ultramarin	J. Curtius, Duisburg	Silberne Medaille
Teerprodukte	Weiler & Co., Köln	Silberne Medaille
Anilinfarben	H. Tillmanns, Krefeld	Silberne Medaille
Anilinfarben	Bayer & Co., Barmen	Silberne Medaille
Anilinfarben	Otto Bredt & Co. Barmen	Silberne Medaille
Farben	Schönfeld & Co., Düsseldorf	Ehrenvolle Erwähnung

[300] Berichte Paris 1867, S. 571 f.

114

4. DIE ARBEITNEHMER IN DER FARBENINDUSTRIE

4.1. DIE ZAHLENMÄßIGE ENTWICKLUNG DER ARBEITNEHMERSCHAFT

Aufgrund des dürftigen und unterschiedlich brauchbaren Zahlenmaterials ist es nur schwer möglich, einen Überblick über die zahlenmäßige Entwicklung der in der rheinischen Farbenindustrie beschäftigten Arbeitnehmer zu geben. Schwierigkeiten ergeben sich aus der Tatsache, daß unter den in den Statistiken auftauchenden Begriff „Farbenfabriken" nicht alle Farbstofffabriken fallen, wie z.B. Berlinerblaufabriken, Bleiweißfabriken und Rußhütten.[1] Zusammenfassende Rubriken wie „Chemikalien-, Bleiweiß-, Zinkweiß-, Farben- und Farblackfabriken"[2] lassen ein Herausfiltern der Zahlen weder für einzelne Teile noch für die gesamte Farbenindustrie zu.

Von den Erdfarbenfabriken sind kaum Arbeiterzahlen erhalten. Allein die zwei Aachener Fabriken Dr. Monheim und Franz Vossen, die u.a. Erdfarben produzierten, geben uns einen kleinen Einblick. Von sechs Arbeitern im Jahre 1830 stieg die Beschäftigtenzahl bei Monheim auf zwanzig in den Jahren 1835–37. Von 1837–1844 pendelte die Summe der Arbeiter bei Monheim und Vossen um zwanzig und sank dann 1845 auf sechzehn und 1846 auf zwölf (Vossen allein) ab.[3] Nach Walter[4] besaß die Erdfarbenfabrik Schröder & Stadelmann GmbH zu Oberlahnstein 1871 45 Arbeitskräfte, die Rötelgrube Peterswald 1862 sechs Arbeiter.

Im ersten Drittel des 19. Jahrhunderts gab es mehrere Smaltefabriken in der Rheinprovinz.[5] Die Firma Offermann in Heidhausen beschäftigte während dieser Zeit stets um zehn Arbeiter.[6]

Auch 1839–1847 ist ein Smaltewerk im Reg. Bez. Düsseldorf mit durchschnittlich zwölf Beschäftigten nachgewiesen. 1848–1853 bestanden zwei Werke mit ca. dreißig Personen. Die Smaltefabrikation wurde jedoch durch die Entwicklung eines Verfahrens zur Ultramarinherstellung verdrängt. Zunächst wurde die Verbreitung der Erfindung durch ein an C. Leverkus (1838) auf zehn Jahre verliehenes preußisches Patent verhindert. Nach Ablauf dieser

---

[1] Vgl. Beiträge Statistik Rheinlande, S. 86.
[2] Vgl. H.A. Reinick, Statistik des Reg.Bez. Aachen, S. 233; O.v. Mülmann, Statistik des Reg.Bez. Düsseldorf, S. 566.
[3] H. Amendt, Arbeitnehmer, Tab. 49, Tabellenteil S. 110 f.
[4] G.A. Walter, Mineralfarbenindustrie, S. 163.
[5] Vgl. S. 65. Bei einigen Smaltefabriken handelt es sich wahrscheinlich um Smaltehändler; vgl. G.A. Walter, Mineralfarbenindustrie, S. 51.
[6] Vgl. Tab. 20, S. 116.

Tab. 20: Anzahl der Arbeitnehmer in den Smalte-/Blaufarbenbetrieben des Reg. Bez. Düsseldorf[7]

Jahr	Betriebe	Arbeitnehmer
1809	1	8
1814	1	10
1816[8]	(7)	(12)
1819	1	
1825	1	9
1826	1	9
1828	1	
1834	1	12
1839	1	12
1840	1	12
1841	1	12
1842	1	12
1843	1	12
1844	1	17
1845	1	13
1846	1	12
1847	1	12
1848	1	12
1849[9]	1	28
1850[10]	1	(31)
1851	1	(32)
1852	1	5
1853	1	(30)
1854		
1855	1	2

Frist entstanden dann etliche Unternehmen, die Ultramarin herstellten und die Smaltefabriken zur Einschränkung bzw. Einstellung ihrer Produktion zwangen.[11] Entsprechend waren in diesem Produktionszweig die Arbeitnehmerzahlen rückläufig.

Die älteste rheinische Fabrikationsstätte von Berlinerblau war der Berlinerblau- und Salmiakbetrieb Vopelius zu Sulzbach, der vor 1789 sieben, 1804/05 zehn, 1808 fünfzehn und 1811 dreißig Arbeiter beschäftigte. 1804 kam der Betrieb Rethel, 1808/09 der von Mannes und im zweiten Jahrzehnt des 19. Jahrhunderts noch zwei Berliner- und Mineralblaubetriebe im Reg. Bez. Köln

[7] Nach H. Amendt, Arbeitnehmer, Tab. 50, Tabellenteil, S. 112 f.
[8] Es sind dies nur die Betriebe des Reg.Bez. Kleve, der später im Reg.Bez. Düsseldorf aufging.
[9] Möglicherweise sind hier die Arbeitnehmer des Werkes Horst im Reg.Bez. Arnsberg mitgezählt.
[10] Die Arbeitnehmerzahlen für die Jahre 1850, 1851 und 1853 enthalten jeweils die Belegschaft des Werkes in Horst im Reg.Bez. Arnsberg mit.
[11] Vgl. S. 70.

116

hinzu,[12] so daß um 1820 annähernd fünfzig Personen in der rheinischen Berlinerblau- und Mineralblaufabrikation tätig waren.

Tab. 21: Anzahl der Arbeitnehmer in den Berlinerblau-/Mineralblaubetrieben des Reg. Bez. Köln und in der Firma Chr. Weber, Kirchberg, Kreis Jülich[13]

Jahr	Anzahl der Betriebe im Reg. Bez. Köln	Anzahl der Arbeitnehmer in allen Betrieben	Anzahl der Arbeitnehmer im Betrieb Chr. Weber
1809	1	6	
1817	1	18–24	
1819	1 (2)	20–25 (35–40)	
1821			1
1822	2	10	1
1823			1
1824			1–2
1825			1–2
1826			2
1827			2
1828			2
1829	1	16	2
1830			2
1831			2
1832			1–2
1833			1–2
1834			
1835			2
1836	1	2	(1)

Über die weitere Entwicklung ist kein Zahlenmaterial vorhanden; vermutlich stagnierte die Beschäftigtenzahl bis in die 1830er Jahre. Vopelius/Gebr.Appolt in Sulzbach stellten in den 1860er Jahren Berlinerblau und andere Farben her und beschäftigten 1861 wie 1865 fünfzig und 1874 85 Arbeitnehmer.[14] Im Gegensatz zur Smaltefabrikation wurde die Berlinerblauherstellung nicht durch das künstliche Ultramarin verdrängt.[15]

In der Rheinprovinz war die Ultramarinfabrikation eng mit den Firmen Dr. C. Leverkus und Julius Curtius verbunden. Leverkus beschäftigte im Januar 1839 fünf Personen; Ende 1840 waren es bereits zwölf und 1843 sollen es schon achtzig gewesen sein.[16] 1862 standen bei Leverkus und Curtius insgesamt 138 Personen in Arbeit. 1872 waren in den fünf rheinischen Ultramarin-

[12] Vgl. Tab. 21 und J. Kermann, Manufakturen, S. 447 f. Hauptprodukt war bei Vopelius bis 1819 Berlinerblau.
[13] Nach H. Amendt, Arbeitnehmer, Tab. 51 und 52, Tabellenteil, S. 114 ff.
[14] G.A. Walter, Mineralfarbenindustrie, S. 161.
[15] Vgl. S. 69.
[16] Vgl. Tab. 22, S. 118.

fabriken 326 Arbeitnehmer beschäftigt. Leverkus und Curtius stellten mit 162 bzw. 110 Arbeitern bei weitem den größten Anteil.[17]

Tab. 22: Anzahl der Arbeitnehmer in den Ultramarinbetrieben des Reg. Bez. Düsseldorf bzw. in der Firma Dr. Carl Leverkus, Wermelskirchen[18]

Jahr	Anzahl der Betriebe im Reg. Bez. Düsseldorf	Anzahl der Arbeitnehmer in allen Betrieben	Anzahl der Arbeitnehmer im Betrieb C. Leverkus
1839 (Jan.)			5 (4 „Arbeiter" u. 1 Maurermeister)
1839 (Juli)			9 (8 " 1 ")
1840 (Jan.)			11 (9 " 2 ")
1840 (Juli)			8 (6 " 2 ")
1840 (Okt.)			11 (9 " 2 ")
1842			12
1843			80
1848			ca. 75
1849			24
1851 (Mai)			70
1852			17
1855			46
1858	3	134	51
1862[19]	(2)	(138)	78
1872	4	314	162

Verglichen mit den anderen Mineralfarbenbetrieben stieg die Belegschaftszahl der Ultramarinwerke in unserem Zeitraum am stärksten an.

Ruß wurde zu Anfang des 19. Jahrhunderts in drei Rußhütten des Reg. Bez. Trier hergestellt. Darin waren zwischen 1808 und 1815 24 bis 31 und 1821 achtzehn Arbeiter tätig. Während diese Betriebe in den 1830er Jahren ihre Produktion einstellten, bestanden zur gleichen Zeit in den Reg. Bezirken Köln und Düsseldorf je eine Beinschwarzfabrik mit zwei bis drei Beschäftigten. In der Folgezeit sind Daten über die Schwärze- und Rußbetriebe schwer zu erfassen, da sie in den größeren Rubriken der Statistiken untergehen. 1846 waren in den Reg. Bezirken Köln und Trier je zwei „Kienruß-, Knochenschwärze-, Schwärzballfabriken" mit insgesamt 41 Arbeitnehmern in Betrieb. Die 1861er Tabellen weisen in der Rheinprovinz fünf „Teeröfen, Pechsiedereien, Kienöl- und Rußhütten" mit 37 Arbeitern nach. 1863 arbeitete in Köln eine Rußfabrik mit zehn und Ende 1870 eine Druckerschwärzefabrik mit zwölf Beschäftigten.[20]

---

[17] Vgl. Tab. 22 und Tab. 6, S. 72.
[18] Nach H. Amendt, Arbeitnehmer, Tab. 57 und 58, Tabellenteil, S. 124 ff.
[19] Nur Curtius und Leverkus.
[20] Vgl. Tab. 23.

Tab. 23: Anzahl der Arbeitnehmer in den Ruß- und Beinschwärzebetrieben der Rheinprovinz

Jahr	Anzahl der Betriebe	Anzahl der Arbeitnehmer
1806[21]	1 Rußhütte bei Malstatt, Reg. Bez. Trier	10
1807	1 "	10
1808	3 Rußhütten bei Malstatt, Illingen, St. Imbert, Reg. Bez. Trier	24
1809	3 "	31
1812	3 "	27
1815[22]	3 "	24
1816[23]	Theerschwelereien, Fabrikation von Pech, Colophonium, Dagget, Kienruß im Reg. Bez. Düsseldorf	1
1819[24]	2 Rußhütten Malstatt, St. Imbert	20
1821	3 Rußhütten Reg. Bez. Trier	18
1822	2 "	19
1834[25]	1 Beinschwarzfabrik Reg. Bez. Düsseldorf	3
1836[26]	1 " Reg. Bez. Köln	2
	2 Rußhütten Reg. Bez. Trier	12
1846[27]	2 Kienruß-, Knochenschwärze-, Schwärzballfabriken Reg. Bez. Köln	32
	2 Rußhütten Reg. Bez. Trier	9
1858[28]	1 Schwarzmehl- u. Beinschwarzfabrik im Kreis Krefeld	3
1861[29]	5 Teeröfen, Pechsiedereien, Kienöl- u. Rußhütten, Rheinprovinz	37
1861[30]	154 Knochenmühlen, Beinschwarz-, Pudrette-, Urate-, Kunstdüngerfabriken, Bluttrocknungsanstalten, Rheinprovinz	177
1863[31]	1 Rußfabrik zu Köln	10
1870[32] (November)	1 Druckerschwärzefabrik W.A. Hospelt, Ehrenfeld, Reg. Bez. Köln	12

[21] 1806–1812: J. Kermann, Manufakturen, S. 453.
[22] J.A. Demian, Statistisch-politische Ansichten, S. 86.
[23] HStA D., Oberpräs. Köln 1, fol. 123.
[24] J. Kermann, Manufakturen, S. 453.
[25] 1821 und 1822: HStA D., BA Düren 431, fol. 260 f., 270 f.
[26] HStA D., Reg. Düsseldorf 379 I, fol. 13.
[27] STA Köln, 403–XXIII – 1 – 9; G. Adelmann, Der gewerblich-industrielle Zustand, S. 18 f., 190 f., 220 f.; J. Kermann, Manufakturen, S. 453. Die Rußhütten sind 1836 jedoch nicht mehr in Betrieb.
[28] F.W. von Reden, Erwerbs- und Verkehrsstatistik, Bd. 2, S. 1018, 1480.
[29] LHA Koblenz, 403–8577, fol. 48a.
[30] H.A. Reinick, Statistik des Reg.Bez. Aachen, S. 235.
[31] Preußische Statistik, Bd. 8, S. 124. 1863 bestand die Fabrik schon 7 Jahre.
[32] STA Köln, 403–XXIII–1–13. Vor Kriegsausbruch besaß der Betrieb 19, bei Kriegsbeginn 9 und nach dem Kriege 12 Arbeitnehmer.

Die Bleifarbenindustrie des Rheinlandes machte im Jahre 1810 ihren Anfang mit fünfzehn Arbeitern (Bleiweißfabrik P. A. Fonck in Köln).[33] Die erste größere zahlenmäßige Ausdehnung erfuhr sie in den 1820er Jahren. 1829 bestanden sechs Bleiweißbetriebe in den Reg. Bezirken Düsseldorf, Köln und Aachen,[34] die wohl insgesamt ca. fünfzig Arbeiter beschäftigten.[35]

Für 1836 sind in drei rheinischen Bleiweißfabriken 64 Arbeiter nachgewiesen.[36] 1840 waren in vier Betrieben der Reg. Bezirke Düsseldorf und Köln 61 Arbeiter tätig.[37] Infolge mehrerer Fabrikneugründungen — besonders im Kölner Raum — dürfte die Zahl der in den Bleifarbenfabriken beschäftigten Arbeiter während der 40er, 50er und 60er Jahre weiter gestiegen sein.[38]

Die Kriegseinwirkung auf die Arbeiterzahl der rheinischen Bleiweißfabriken läßt sich an der Entwicklung der drei Ehrenfelder Fabriken ablesen:[39]

Arbeiterzahl

	vor Kriegs-ausbruch	bei Kriegs-beginn	bei Kriegs-ende	am 15.11.1870
Bleiweiß- + Mennigfabrik				
Leyendecker & Co.	27	18	18	18
... Schmoll & Co.	18	8	4—6 (5)	12
Mennigfabrik A. Zigan	4		4	4
	49	26	27	34

Nach dieser Tabelle war die Arbeiterzahl unmittelbar nach Kriegsende um ein Drittel kleiner als vor Kriegsausbruch. 1875 waren im Reg. Bez. Köln 328 Arbeiter in Bleifarbenfabriken tätig.[40] Die Zahl der in der eigentlichen Bleifarbenproduktion Beschäftigten war kleiner, da in einigen Betrieben auch andere Produkte wie Bleiröhren hergestellt wurden.[41] Die im Zeitraum von 1810—1875 mit Ausnahme einiger Stagnationen und rückläufiger Bewegungen

[33] G.A. Walter, Mineralfarbenindustrie, S. 171; H. Milz, Kölner Großgewerbe, S. 65, 103. Fonck hat wahrscheinlich schon 1811 die Produktion wieder aufgegeben.
[34] Deus & Moll, Kleberger & Co., de Raadt & Co., P.J. Mehlem, Gebr. Wildenstein, der Bleiweißbetrieb in Broich. Die Beiträge Statistik Rheinlande, S. 86, nennen vier Betriebe im Reg.Bez. Düsseldorf und je einen in den Reg. Bezirken Aachen und Koblenz.
[35] Die Zahl wurde geschlossen aus den Arbeiterzahlen der drei Bleiweißbetriebe in Düsseldorf und Elberfeld im Jahre 1827: Deus & Moll = 7, Kleberger & Co. = 7, de Raadt & Co. = 13 Arbeitnehmer. Vgl. S. 124 f.
[36] G. Adelmann, Der gewerblich-industrielle Zustand, S. 16, 188 f., 254 f.
[37] H. Amendt, Arbeitnehmer, Tab. 53, Anm. 8, Tabellenteil, S. 119.
[38] Für diesen Zeitraum fehlen Angaben für eine vernünftige Schätzung. Vgl. aber die Zahlen für die Betriebe Deus & Moll und Moritz Müller & Söhne, S. 125.
[39] StA Köln, 403—XXIII—1—13.
[40] HStA D., Reg. Köln 2158, fol. 2—113.
[41] H. Amendt, Arbeitnehmer, S. 89, Anm. 1.

ständig wachsende Gesamtzahl der in den Bleifarbenfabriken beschäftigten Arbeiter beruhte auf zwei Faktoren: Fabrikneugründungen bzw. Neuaufnahme der Bleifarbenfabrikation in bestehenden Betrieben und Vergrößerung der Belegschaftszahlen in den vorhandenen Unternehmen.[42]

Seit 1849 stellte die Zinkhütte Rochaz & Co. in Eppinghofen bei Mülheim/Ruhr Zinkweiß her.

Tab. 24: Anzahl der Arbeitnehmer in den Zinkweißbetrieben des Reg. Bez. Düsseldorf[43]

Jahr	Betriebe	Arbeitnehmer
1849	1	
1855	1	45
1856	1	19
1857	1	2
1858	1	18
1859	(1)	15
1860	(1)	20
1868[44]	2	(15)
1869	2	(22)
1870	2	(22)
1871	2	(22)

Schon 1853 wurde die Eppinghofener Zinkhütte von der Vieille Montagne übernommen, die 1855 bereits 45 Personen in der Zinkweißproduktion beschäftigte. Das Krisenjahr 1857 brachte einen drastischen Rückgang der Belegschaft bis auf zwei Personen.[45] In den folgenden Jahren schwankte die Belegschaft zwischen fünfzehn und zwanzig Arbeitskräften. 1866 nahm ein weiterer Betrieb, die Firma W. Grillo in Oberhausen, die Zinkweißproduktion auf. Entsprechend stieg die Beschäftigtenzahl in diesem Zweig der Farbenherstellung auf vierzig bis fünfzig Personen am Ende der 60er Jahre an.[46]

Die Produktion von Teerfarben begann in den Rheinlanden in den 1860er Jahren. Als erster Betrieb nahm Weiler & Co. in Ehrenfeld bei Köln 1861 mit 25 Arbeitern die Anilinfabrikation auf, und noch im gleichen Jahre ging C. Jäger zur Anilinfarbenfabrikation über. Die Firma Bayer & Co. folgte 1863 und beschäftigte bereits am Ende ihres ersten Geschäftsjahres zwölf Arbeitskräfte. 1867 arbeiteten fünfzig, 1870 sechzig, 1872 neunzig und 1875 schon 110 Personen bei Bayer & Co. in Elberfeld.

[42] Einige Betriebe stellten aber auch ihre Produktion ein. Vgl. Anm. 73, S. 74.
[43] Nach H. Amendt, Arbeitnehmer, Tab. 56, Tabellenteil, S. 123.
[44] Die Arbeitnehmerzahlen beziehen sich nur auf den Betrieb von W. Grillo.
[45] Vgl. hierzu auch S. 76 f.
[46] Vgl. Tab. 24; H. Amendt, Arbeitnehmer, S. 88.

Tab. 25: Anzahl der Arbeitnehmer im Teerfarbenwerk
Friedrich Bayer & Co., Elberfeld[47]

Jahr	Arbeitnehmer
1863	12
1867	50
1868	50
1870	60
1872	90
1875	110
1875/76	119

Zwei kleinere Teerfarbenbetriebe, W. Hilgers und Gauke & Co., beschäftigten weitere sechzig Personen.[48]

Das Zahlenmaterial läßt es nicht zu, einen genauen Überblick über die Be-
schäftigungszahlen der Lack- und Firnissiedereien im 19. Jahrhundert zu geben. Nur folgende statistische Daten sind uns erhalten: 1855 und 1858 waren
in drei Lack- und Firnisfabriken des Reg. Bez. Düsseldorf dreizehn Arbeiter
tätig;[49] 1861 bestand nur noch eine Siederei mit drei Arbeitern.[50] 1874 machten die Belegschaften der vier Lack- und Firnisfabriken und zwei Malerfarben-
und Malerfirnisfabriken in der Oberbürgermeisterei Düsseldorf insgesamt 54
Personen aus.[51] Ein Jahr später zählte die Statistik des Deutschen Reiches in
der Rheinprovinz 84 Harz- und Firnisbetriebe mit insgesamt 284 Arbeitskräften.[52]

Eine exakte Darstellung der zahlenmäßigen Entwicklung der Arbeitnehmer
in der rheinischen Farben- und Farbstoffindustrie ist aufgrund der Quellen
nicht möglich. Der ungefähre Entwicklungsgang kann jedoch folgendermaßen
beschrieben werden: Während der ersten drei Jahrzehnte wurde vermutlich die
Größenordnung 50 bis 100 erreicht und ca. 1840 100 überschritten. Um die
Jahrhundertmitte können wir von 200 bis 300 Beschäftigten in diesem Gewerbezweig ausgehen, die aber im Laufe der 60er und zu Beginn der 70er Jahre
stark zunahmen. Mitte der 70er Jahre wird die Beschäftigtenzahl zwischen
1.500 und 2.000 gelegen haben.[53] 1876 waren allein in den sechzehn Farbenfabriken des Reg. Bez. Düsseldorf 1.019 Arbeiter beschäftigt.[54] Der zahlen-

---

[47] H. Amendt, Arbeitnehmer, Tab. 59, Tabellenteil, S. 127.
[48] Ebd., S. 90.
[49] HStA D., Reg. Düsseldorf 2165, fol. 47; 2166, fol. 38, 77.
[50] HStA D., Reg. Düsseldorf 25008, fol. 133.
[51] StA Düsseldorf, II–179.
[52] Statistik des Deutschen Reichs, A.F., Bd. 31, 1, S. 332 f. Ausschließlich der Ge-
schäftsleiter.
[53] H. Amendt, Arbeitnehmer, S. 91.
[54] HStA D., LA Solingen 366, fol. 48.

mäßig stärkste Zuwachs erfolgte in der Ultramarin- und in der Teerfarbenindustrie.

4.2. ANZAHL DER ARBEITNEHMER PRO BETRIEB

In den einzelnen Zweigen der Farbstoffindustrie waren unterschiedliche Betriebsgrößen vorzufinden. Neben Kleinbetrieben mit maximal 15 Beschäftigten
gab es Mittelbetriebe mit 16 bis 100 Arbeitnehmern und schließlich Großbetriebe, die mehr als 100 Personen beschäftigten.[55]

In den Schwärzefabriken und in den Lack- und Firnisbetrieben der Rheinprovinz herrschten kleine Belegschaftszahlen vor. Meist beschäftigten die
Werke ein bis fünf Personen.[56] Betriebe mit zehn bis fünfzehn Arbeitnehmern
kamen nur ausnahmsweise vor.[57] Die Rußhütten oder Rußfabriken arbeiteten
mit sechs bis zehn Arbeitskräften.[58]

Größere und kleinere Belegschaften fanden sich unter den Blaufarbenwerken. Während im ersten Drittel des 19. Jahrhunderts die Werke von Vopelius,
Mannes und Wöllner & Sternenberg je zwischen zehn und dreißig Menschen
Arbeit gaben, beschäftigten Chr. Weber zu Kirchberg und C. Möller in Bielstein nie mehr als ein bis zwei Personen.[59] In den 60/70er Jahren waren bei
den Gebr. Appolt 50–85 Menschen tätig.[60] In den Smaltefabriken lagen die
Belegschaftszahlen stets zwischen acht und fünfzehn.[61]

In der Größenordnung von fünfzehn bis zu zwanzig und mehr Arbeitnehmern bewegten sich allgemein die Zinkweißfabriken.[62] Zwischen drei und
zwanzig Beschäftigte wiesen die Aachener Farbenfabriken auf, die Mineralfarben herstellten.[63]

---

[55] Diese Klassifikation wurde in Anlehnung an Amendt, Arbeitnehmer, S. 96 vorgenommen. Sie wurde den Verhältnissen der Farbstoffindustrie im Untersuchungszeitraum
angepaßt und weicht insofern von der 1875 erstellten Differenzierung der Statistik des
Deutschen Reiches ab. Auf die zeitliche Relativität einer solchen Einteilung weist Amendt,
S. 96 hin.

[56] G. Adelmann, Der gewerblich-industrielle Zustand, S. 181, 190 f.; LHA Koblenz,
403–8577, fol. 48 a; HStA D., Reg. Köln 2158, fol. 46 ff., 65 f.; Reg. Düsseldorf 2165,
fol. 47, 190 und 2166, fol. 38, 66; Statistik des Deutschen Reichs, A.F., Bd. 34, 1, S.
332 f.

[57] Vgl. Preußische Statistik, Bd. 8, S. 124; StA Köln, 403–XXIII–1–13; F.W. von
Reden, Erwerbs- und Verkehrsstatistik, Bd. 2, S. 1018.

[58] Vgl. Tab. 23, S. 119.

[59] Vgl. Tab. 21, S. 117 und S. 116 f. G. Adelmann, Der gewerblich-industrielle Zustand.,
S. 183.

[60] G.A. Walter, Mineralfarbenindustrie, S. 161; es ist nicht genau feststellbar, wieviele
Arbeiter Berlinerblau herstellten.

[61] Vgl. Tab. 20, S. 116.

[62] Vgl. Tab. 24, S. 121.

[63] H. Amendt, Arbeitnehmer, Tab. 49, Tabellenteil, S. 110 f.

All diesen genannten Zweigen der Farbenindustrie war gemeinsam, daß sich die Belegschaftsgrößen während der ganzen Zeit im aufgezeigten Rahmen bewegten und keine Entwicklung zu größeren Durchschnittsbelegschaftszahlen kannten.[64] Anders sah es bei den Bleifarben-, Ultramarin- und Teerfarbenbetrieben aus. Wie aus der folgenden Aufstellung ersichtlich ist, beschäftigten die Bleifarbenfabriken zu Beginn der Produktionsaufnahme fünf bis neun Arbeitskräfte.

Deus & Moll, 1826:	7 Arbeiter.[65]
Kleberger & Co., 1827:	7 Arbeiter.[66]
De Raadt & Co., 1827:	13 Arbeiter.[67]
Sternenberg & Möller, 1836:	9 Arbeiter.[68]
Uckermann, 1848:	7 Arbeiter.[69]
Waldthausen & Hölterhoff, 1843:	5 Arbeiter.[70]
Lindgens & Söhne, 1851:	5 Arbeiter.[71]
M. Müller & Söhne, 1864:	8 Arbeiter.[72]
Bergmann & Simons, 1865/67:	9 Arbeiter.[73]
Schmoll & Co., 1870:	4–6 Arbeiter.[74]
August Zigan, 1870:	4 Arbeiter.[75]

Belegschaften dieser Größenordnung stellten in der Bleifarbenherstellung das Minimum dar.

Am Beispiel der Firmen Deus & Moll, einer der ältesten Bleifarbenfabriken, und Moritz Müller läßt sich die weitere Entwicklung der Belegschaftsgröße im Untersuchungszeitraum genauer ablesen. Danach erreichte Deus & Moll schon mit den 1840er Jahren die Größe eines Mittelbetriebes.

Ein Vergleich der durchschnittlichen Belegschaftszahlen in den ersten drei Jahrzehnten des 19. Jahrhunderts[76] mit der von 1875 ergibt folgendes: Durch-

[64] Ebd., S. 116.
[65] HStA D., Reg. Düsseldorf 10749, fol. 20.
[66] Ebd., fol. 59 f.
[67] Ebd., fol. 55.
[68] G. Adelmann, Der gewerblich-industrielle Zustand, S. 188 f.
[69] G.A. Walter, Mineralfarbenindustrie, S. 173.
[70] Ebd., S. 172; P. Steller, Verein der Industriellen, S. 51.
[71] G.A. Walter, Mineralfarbenindustrie, S. 173; P. Steller, Verein der Industriellen, S. 49.
[72] HStA D., Reg. Düsseldorf 10749, fol. 85.
[73] G.A. Walter, Mineralfarbenindustrie, S. 174; P. Steller, Verein der Industriellen, S. 46.
[74] StA Köln, 403–XXIII–1–13.
[75] Ebd.
[76] Zugrundegelegt sind: P.A. Fonck (1810: 15 Arb.), Deus & Moll (1826: 7 Arb.), Kleberger & Co. (1827: 7 Arb.) und de Raadt & Co. (1827: 13 Arb.).

Tab. 26: Anzahl der Arbeitnehmer in den Bleiweißbetrieben
Deus & Moll und Moritz Müller & Söhne, Düsseldorf[77]

Jahr	Anzahl der Arbeiter im Betrieb Deus & Moll	Anzahl der Arbeiter im Betrieb Moritz Müller
1826	7	
1827	7	
1836	15	
1840	38	
1841	38	
1842	38	
1846	24	
1848	16	
1849	20	
1852	25	
1861	30	8 Holzessig
1862	ca. 30	
1864	28	8 Holzessig, Bleiweiß
1866		20
1869	34	16
1874	36	32 Holzessig, Bleiweiß, Salz
1875 (Ende)	32	16

schnittlich beschäftigten die ersten Bleiweißbetriebe im Rheinland zehn Arbeiter. Die Vergleichszahl für den Reg. Bez. Köln im Jahre 1875[78] lautet bei den reinen Bleiweißherstellern zwanzig, einschließlich der Bleiproduktenbetriebe dreißig. Im Einzelfall hatten die Bleiweiß- und Bleiproduktenbetriebe aber auch bis zu fünfzig bzw. sechzig Beschäftigte.

Im Bereich der Ultramarinherstellung entwickelte sich aus der kleinen Firma Dr. C. Leverkus innerhalb von vier Jahren (1839—1843) ein größerer Mittelbetrieb mit achtzig Arbeitskräften. Ein vorübergehender Rückgang der Belegschaft um 1850 änderte nichts an der insgesamt aufsteigenden Entwicklungstendenz. Noch in den 60er Jahren wurde die 100-Personen-Grenze überschritten und damit der Umfang eines Großbetriebes erreicht. Um die Jahrhundertmitte bestimmten die Mittelbetriebe das Bild der Ultramarinproduktion im Rheinland. Dagegen standen in den 70er Jahren die beiden Großbetriebe Leverkus und Curtius im Vordergrund. Sie beschäftigten zusammen mehr als 80 % der Personen, die in der rheinischen Ultramarinproduktion arbeiteten.[79] Eine ähnlich schnelle Entwicklung machte das Teerfarbenwerk von Friedrich Bayer & Co. in Elberfeld. Zwischen 1863 und 1870 verfünffachte sich die Be-

[77] Nach H. Amendt, Arbeitnehmer, Tab. 54 und 55, Tabellenteil S. 120 ff.
[78] H. Amendt, Arbeitnehmer, S. 117, Anm. 4. Der Durchschnitt (24) ergibt sich 1875 auch bei Deus & Moll und Moritz Müller, vgl. Tab. 26.
[79] Vgl. Tab. 22, S. 118 und Tab. 6, S. 72; H. Amendt, Arbeitnehmer, S. 118.

legschaft auf sechzig und verdoppelte sich nochmals bis in die Mitte der 70er Jahre. 1875 beschäftigte die Firma 110 Arbeitskräfte und hatte damit die Schwelle zum Großbetrieb überschritten.

Betrachtet man die Entwicklung der Betriebsgrößen in der gesamten rheinischen Farbenindustrie, so stellt man fest, daß in den ersten Jahrzehnten des 19. Jahrhunderts die Kleinbetriebe vorherrschten. Dies änderte sich im Laufe der Jahre zugunsten der Mittelbetriebe, die um die Jahrhundertmitte das Bild der Farbenindustrie prägten. Ein Trend zu verstärkter Expansion gegen Ende des Untersuchungszeitraums zeigt sich an drei Werken (Curtius, Leverkus und Bayer & Co.), die zu Großbetrieben heranwuchsen und damit eine neue Betriebsgrößenklasse in die rheinische Farbenindustrie einführten.[80]

4.3. DIE STRUKTUR DER ARBEITNEHMERSCHAFT

4.3.1. FRAUENARBEIT, KINDER- UND JUGENDARBEIT

Während des gesamten Untersuchungszeitraums gab es keine gesetzliche Maßnahme, die die Beschäftigung weiblicher Arbeitskräfte beschränkt hätte. Erst durch die Gewerbeordnungsnovelle vom 17. Juli 1878, die ein Nachtarbeitsverbot für Frauen und ein Beschäftigungsverbot für Wöchnerinnen enthielt, wurden die Grundlagen für einen gesonderten Arbeitsschutz der Frauen gelegt.[81] Bis dahin konnten Frauen ohne gesetzliche Einschränkung in Fabriken beschäftigt werden. Die Einbeziehung von Frauen in den Produktionsprozeß wurde außerdem durch die preußische Kinderschutzgesetzgebung verstärkt. Kinderarbeit wurde teilweise durch Beschäftigung von Frauen kompensiert.[82] Dies traf aber nur dort zu, wo die Kinderarbeit tatsächlich aufgrund gesetzlicher Vorschriften abgebaut wurde und nicht als Folge der Einführung von Verfahren, die besondere technische Kenntnisse oder größere Körperkraft erforderten.[83] Weibliche Arbeitskräfte wurden gerne für Tätigkeiten eingesetzt, die erhöhte Anforderungen an Geschicklichkeit, Fingerfertigkeit und Genauigkeit stellten.[84] Da Frauenarbeit außerdem stets geringer bezahlt wurde als Männerarbeit,[85] waren Frauen als billige Arbeitskräfte sehr geschätzt. Einige

---

[80] H. Amendt, Arbeitnehmer, S. 118 und Tab. 25, S. 122.

[81] A. Gladen, Sozialpolitik, S. 154, Anm. 335.

[82] Ebd., S. 40; F. Decker, Sozialordnung, S. 153.

[83] G. Schulz, Integrationsprobleme, S. 85.

[84] So arbeiteten z.B. in den Nadel- und Stahlfederfabriken Aachens fast ausschließlich Frauen (G. Schulz, Integrationsprobleme, S. 85 f.). In den Dürener Kunstwoll- und Papierfabriken wurden Frauen vorwiegend mit dem Sortieren von Lumpen beschäftigt – eine Tätigkeit, die keine besonderen Körperkräfte, aber große Genauigkeit erforderte (F. Decker, Sozialordnung, S. 156).

[85] C. Duisberg, Arbeiterschaft, S. 10; F. Decker, Sozialordnung, S. 82; P. Borscheid, Textilarbeiterschaft, S. 41 f; R. Strauss, Chemnitzer Arbeiter, S. 53.

Industriezweige, wie z.B. die Textilindustrie, wiesen traditionell einen hohen Frauenanteil auf.[86]

Für die gesamte chemische Industrie der Rheinprovinz sind erst ab 1846 zahlenmäßig belegte Angaben über Frauenarbeit möglich.[87] Von 1846 bis zum Ende des Untersuchungszeitraums war der Anteil weiblicher Arbeitskräfte starken Schwankungen unterworfen, da die Produktionsbereiche, die bevorzugt Frauen beschäftigten,[88] z.T. wechselvolle Entwicklungen durchliefen.[89] 1855 waren in der chemischen Industrie der Rheinprovinz nur 8,1 % der Arbeitnehmer Frauen. Bis 1875 stieg der Anteil auf 9,1 %.[90]

Eine genaue Darstellung der geschlechtsmäßigen Struktur der Arbeitnehmerschaft in der Farbstoffindustrie ist aufgrund zu globaler Angaben in den Statistiken nicht möglich. Die zahlenmäßige Erfassung der Frauenarbeit muß daher auf Einzelbeispiele beschränkt bleiben. 1826 beschäftigte die Bleiweißfabrik der Gebr. Wildenstein zu Euchen (Reg. Bez. Aachen) zwei Arbeiterinnen.[91] 1861 war unter 589 Arbeitern der „Chemikalien-, Bleiweiß-, Zinkweiß-, Farben- und Farblackfabriken" des Reg.-Bez. Düsseldorf keine Frau zu finden, während von den 1170 Arbeitnehmern der Rheinprovinz nur siebzehn weiblichen Geschlechts waren.[92] 1876 traf der Fabrikinspektor in sechzehn Farbenfabriken des Reg. Bez. Düsseldorf zehn weibliche Erwachsene an.[93] In der Ultramarinfabrik J. P. Piedboeuf, Düsseldorf, arbeitete 1874 eine ledige Arbeiterin zwischen 16 und 18 Jahren (von insgesamt sechzehn Beschäftigten).[94] Zahlreicher vertreten waren Frauen 1846 in den „Kienruß-, Knochenschwärze-, Schwärzballfabriken": Für den Reg. Bez. Köln wurden zwei Fabriken mit fünfzehn weiblichen Arbeitern über 14 Jahre (von insgesamt 32) gezählt. Nach Reinick arbeiteten 1861 in den fünf „Teeröfen, Pechsiedereien, Kienölfabriken und Rußhütten" drei weibliche Arbeitskräfte von insgesamt 37.[95] Nachgewiesen werden können 1855 und 1858 in einer Firnisfabrik des Kreises Elberfeld je drei weibliche Arbeiter über 14 Jahre (1858 waren insgesamt neun Per-

---

[86] A. Thun, Industrie Niederrhein 1, S. 106, 172 ff.; P. Borscheid, Textilarbeiterschaft, S. 146, 188; R. Strauss, Chemnitzer Arbeiter, S. 24, 34, 53.

[87] H. Amendt, Arbeitnehmer, S. 129.

[88] Es handelte sich nach Amendt, ebd. S. 222 um Gummi- und Guttaperchawaren-, Zündholz-, Zündhütchen-, Dynamit-, Stearinlichter-, Wachskerzen- und Riechstoffbetriebe.

[89] H. Amendt, Arbeitnehmer, S. 224.

[90] G. Schulz, Integrationsprobleme, S. 87, Tabelle 5. Zwar erhöhte sich der Prozentsatz im Laufe der Jahre, doch blieb der Frauenanteil in der chemischen Industrie — verglichen mit anderen Branchen — stets gering. C. Duisberg, Arbeiterschaft, S. 8 ff. Weibliche Arbeitskräfte wurden meist zu Verpackungs- oder sonstigen leichteren Arbeiten herangezogen. E. Gartmayr, Angestellte, S. 35.

[91] HStA D., Reg. Düsseldorf 10749, fol. 3.

[92] H.A. Reinick, Statistik Reg.Bez. Aachen, 3. Abt., S. 233.

[93] HStA D., LA Solingen 366, fol. 48.

[94] StA Düsseldorf, II—1487, fol. 148, 170; II—179.

[95] Vgl. Tab. 23. S. 119.

sonen in Arbeit).[96] Die Malerfarbenfabrik Dr. F. Schönfeld & Co. zu Düsseldorf beschäftigte 1874 zwei ledige Arbeiterinnen von 16–18 Jahren und vier ledige Arbeiterinnen zwischen 18 und 25 Jahren (von insgesamt 28 Arbeitern), während die andere Düsseldorfer Malerfarben- und Malerfirnisfabrik C. W. Schmidt zwei ledige Frauen (von insgesamt zehn Arbeitnehmern) zu ihrer Belegschaft zählte.[97] Inwieweit diese weiblichen Arbeitskräfte Nebenarbeiten auf den Comptoir- oder Lagerräumen ausführten, wie es der Fabrikinspektor Beyer 1874 allgemein für die chemische Industrie des Reg. Bez. Düsseldorf angab,[98] ist nicht nachprüfbar.

Die ersten staatlichen Maßnahmen zum Arbeiterschutz betrafen die Kinderarbeit, die in den ersten Jahrzehnten des 19. Jahrhunderts große Ausmaße angenommen hatte.[99] Zu dieser Zeit war es vielen Familien noch nicht möglich, auf das Einkommen ihrer Kinder zu verzichten, da dies zur Existenzsicherung dringend erforderlich war.[100] Die Folge davon waren körperliche Überanstrengung, mangelnde Schulbildung und allgemeiner physischer und psychischer Verfall der Kinder. Um diesen Zustand zu verbessern, wurde in Preußen am 9. März 1839 das „Regulativ über die Beschäftigung jugendlicher Arbeiter in Fabriken" erlassen. Es verbot die Beschäftigung von Kindern unter 9 Jahren und erlaubte für die Jugendlichen unter 16 Jahren eine höchstens 10-stündige Arbeitszeit.[101] 1853 erfolgte die Novellierung des Regulativs: Nach einer zweijährigen Übergangszeit wurde die Beschäftigung von Kindern erst nach vollendetem 12. Lebensjahr gestattet. Kinder unter 14 Jahren durften täglich nicht mehr als 6 Stunden arbeiten. Gleichzeitig wurde zur Kontrolle die fakultative staatliche Fabrikinspektion eingeführt.[102]

In der Folgezeit verminderte sich in der Rheinprovinz, die als Zentrum der Kinderarbeit galt, der Anteil der Kinder an der Fabrikarbeiterschaft von 14,8 % (1846) auf 4 % (1858).[103]

---

[96] HStA D., Reg. Düsseldorf 2165, fol 47; 2166, fol 38.
[97] StA Düsseldorf, II–1487, fol. 148, 170; II–179.
[98] E. Beyer, Fabrikindustrie, S. 132.
[99] K.-H. Ludwig, Fabrikarbeit, S. 65; A. Thun, Industrie Niederrhein 1, S. 37; 176 f.; R. Strauss, Chemnitzer Arbeiter, S. 24, 34 ff., 53 f.; P. Borscheid, Textilarbeiterschaft, S. 361.
[100] G. Schulz, Arbeiter und Angestellte, S. 72; A. Thun, Industrie Niederrhein 1, S. 65; P. Borscheid, Textilarbeiterschaft, S. 371.
[101] A. Gladen, Sozialpolitik, S. 18 f. Das Heimgewerbe, das nicht weniger schlimme Verhältnisse aufwies, war davon nicht betroffen. Ebd., S. 144, Anm. 231.
[102] Ebd. S. 39. Für die Regierungsbezirke Aachen und Düsseldorf wurde 1854 je ein Fabrikinspektor eingestellt. Köln erhielt erst 1875 einen solchen Beamten. G. Schulz, Integrationsprobleme, S. 84.
[103] A. Gladen, Sozialpolitik, S. 40, 144, Anm. 228. Dies darf jedoch nicht ausschließlich als Folge der Gesetzgebung gesehen werden. Wie Ludwig zeigt, wurde die Kinderarbeit nicht erst aufgrund sozialpolitischer Zwänge reduziert, sondern ließ schon mit zunehmender Technisierung des Produktionsprozesses nach. Vgl. G. Schulz, Integrationsprobleme, S. 84.

Für die chemische Industrie des Rheinlandes spielte die Kinderarbeit eine untergeordnete Rolle. 1855 waren 4,7 % der in der chemischen Industrie beschäftigten Arbeitnehmer zwischen 12 und 14 Jahren alt.[104] Über Kinderarbeit in der Farbenindustrie lassen sich wegen Datenmangels kaum Aussagen machen.[105] Die wenigen erhaltenen Angaben betreffen die 50er und 70er Jahre des 19. Jahrhunderts.

1876 beschäftigten sechzehn Farbenfabriken des Reg. Bez. Düsseldorf vier männliche jugendliche Arbeiter.[106] Für das Jahr 1874 sind in einigen Ultramarinfabriken wenige jugendliche Arbeitskräfte nachgewiesen: bei J. P. Piedboeuf waren zwei bis drei weibliche Jugendliche zwischen 14 und 16 Jahren beschäftigt (von insgesamt 14–16 Arbeitnehmern);[107] in einer Ultramarinfabrik im Kreise Mülheim/Ruhr waren es zwei jugendliche Arbeiter zwischen 14 und 16 Jahren.[108] Standen in der Ultramarin-, Soda- und Alizarinfabrik Dr. C. Leverkus im Januar 1874 angeblich keine Jugendlichen in Arbeit,[109] so wurde bei einer Fabrikrevision im November desselben Jahres ein 15jähriger Arbeiter ohne Arbeitsbuch und ohne polizeiliche Anmeldung angetroffen. Laut Aussagen des Unternehmers war ihm das Alter des Knaben höher angegeben worden, weil er jugendliche Arbeiter prinzipiell nicht einstelle. Der Knabe wurde entlassen.[110] Anfang 1875 arbeitete in der Alizarinfabrik Gauke & Co. zu Eitorf ein männlicher Jugendlicher unter 16 Jahren (von insgesamt 48 Arbeitern).[111] Auch die Bleiweiß-, Mennige- und Glättefabrik Libbertz & Zurhelle beschäftigte 1875 einen Arbeiter, der jünger als 16 Jahre war.[112] Zwei männliche Jugendliche gehörten 1875 und 1876 zur Belegschaft der Benzin- und Farbwarenfabrik Dr. Greiff, Longerich (1875: insgesamt 32 Arbeitnehmer).[113] Die Malerfarben- und Malerfirnisfabrik von Dr. B. Schönfeld, Düsseldorf, beschäftigte 1874 je einen Jungen und ein Mädchen zwischen 12 und 14 Jahren (von insgesamt 28 Beschäftigten).[114] Im Kreis Elberfeld gehörten 1855 und 1858 jeweils vier Mädchen unter 14 Jahren zur Belegschaft einer Firnisfabrik (1858: 9 Arbeitskräfte).[115] In einer Duisburger Wichsfabrik waren 1858 als einzige Arbeitskräfte zwei Jungen und ein Mädchen unter 14 Jahren tätig.[116]

[104] G. Schulz, Integrationsprobleme, S. 87, Tabelle 3.
[105] Für die Gummi- und Guttaperchawaren-, Zündstreichholz-, Zündhütchen-, Dynamit- und Riechstoffproduktion läßt sich dagegen ein beachtliches Maß von Kinder- und Jugendarbeit nachweisen. H. Amendt, Arbeitnehmer, S. 184.
[106] HStA D., LA Solingen 366, fol. 48; es handelt sich dabei wohl um 14- bis 16jährige.
[107] StA Düsseldorf, II–179; II–1487, fol. 170.
[108] HStA D., Reg. Düsseldorf 24646, fol. 291 ff.
[109] HStA D., LA Solingen 256, fol. 151.
[110] Ebd., fol. 235.
[111] HStA D., Reg. Köln 2158, fol. 39 f.
[112] Ebd., fol. 53 f.
[113] Ebd., fol. 75 ff.; StA Köln 403–VII–1–56.
[114] StA Düsseldorf, II–179; II–1487, fol. 170.
[115] HStA D., Reg. Düsseldorf 2165, fol. 47.
[116] Ebd., fol. 47; 2166 fol. 38.

Über das Lebensalter der in den Farbenfabriken beschäftigten Arbeitskräfte ist nur wenig bekannt. Lediglich aus der Bleiweißindustrie liegen einige Altersangaben vor, die in der folgenden Tabelle zusammengestellt sind.

Tab. 27: Anzahl und Alter der Arbeitnehmer in den Bleiweißwerken[117]

Alter (Jahre)	de Raadt & Co. 21.9. 1827	Kleberger & Co. 21.9. 1827	Dr. Schüler 27.8. 1864	Deus & Moll		M. Müller		Summe
				Okt. 1869	8.12. 1876	Okt. 1869	8.12. 1876	
−19	1	−	−	1	2	−(−)	−	4
20−29	5	5	2	11	3	9(5)	5	40(36)
30−39	6	1	1	8	6	6(4)	2	30(28)
40−49	1	1	2	1	1	5(5)	4	15
50−59	−	−	4	2	2	6(2)	2	16(12)
60−70	−	−	−	1	−	−(−)	−	1
Summe	13	7	9	24	14	26(16)	13	106(96)
Durchschnittsalter (arithm. Mittel)	29,8	29	44	31,9	33,5	37,2 (36,6)	36,9	34,6 (34,2)

Wie aus der Aufstellung ersichtlich ist, war die Mehrzahl der Arbeitnehmer Ende der 20er Jahre sowie in den 60er und 70er Jahren des Jahrhunderts zwischen 20 und 39 Jahre alt. In fast allen Unternehmen stellte diese Altersgruppe weit über 50 % der Belegschaft. Es wurden in den 60er und 70er Jahren aber auch mehrere ältere Arbeitskräfte beschäftigt.

Aufgrund ihrer gesundheitsschädlichen Arbeitsbedingungen hatten die Bleiweißfabriken wahrscheinlich in Zeiten großer Arbeitskräftenachfrage besondere Rekrutierungsprobleme. So klagte der Kölner Bleifarbenfabrikant Leyendecker 1876, daß sich der durch die Gründerperiode bedingte Arbeitskräftemangel für seine Branche unangenehm auswirkte. Die Bleifarbenindustrie müsse sich oft mit Arbeitskräften zufriedengeben, die für andere Industriezweige zu alt und schwach seien.[118]

---

[117] H. Amendt, Arbeitnehmer, S. 137 f. Die Zahlen in Klammern geben allein die Arbeitskräfte an, die in der Bleiweißherstellung arbeiteten.
[118] HStA D., Reg. Köln 2174, fol. 202 f.

Die Einzugsgebiete der meisten rheinischen Farbstoffbetriebe waren nicht sehr groß. Meist wohnten die Arbeitskräfte in unmittelbarer Nähe des Werkes.[119] Ausnahmen bildeten die in ländlichen Regionen errichteten Betriebe Curtius und Leverkus, die sich nach 1850 zu Großbetrieben entwickelten. Auch die Bleifarbenwerke, die aufgrund ihrer ungesunden Arbeitsbedingungen in der näheren Umgebung unbeliebt waren, hatten ein größeres Einzugsgebiet. Anwerbung von Ausländern oder von Arbeitskräften aus anderen Teilen Deutschlands kam in der Regel nicht vor. Die Einstellung schlesischer und polnischer Arbeiter durch die Firma Bayer im Jahr 1873 war offenbar eine Ausnahme.[120]

Seit der Jahrhundertmitte wurden in den großen Werken verstärkt Chemiker und Techniker eingestellt, die meist nicht in der näheren Umgebung der Betriebe beheimatet waren.[121]

Die chemische Industrie kannte schon in der frühindustriellen Phase[122] mehrere Kategorien von Beschäftigten, die sich hinsichtlich Funktion, Qualifikation, Bezahlung und daraus resultierender sozialer Stellung unterschieden.[123] Zum einen gab es die Gruppe der Hilfsarbeiter, die alle Arbeiten ausführte, zu denen keine besonderen Kenntnisse und Fertigkeiten gehörten, wie z.B. Verlade- und Transportarbeiten. Eine weitere Gruppe bildeten die Betriebsarbeiter, die vor allem mit der Herstellung und Verarbeitung chemischer Produkte beschäftigt waren. „Einen typischen ‚chemischen Arbeiter‘, . . . der wie in anderen Industrien (z.B. Weber, Spinner, Dreher, Gießer usw.) nach einer Reihe von Lehrjahren speziell für die Arbeit in der chemischen Industrie vorbereitet war, gab es nicht".[124] Die Betriebsarbeiter kamen häufig aus anderen Gewerben in ein Chemiewerk hinein und wurden dort angelernt. Daneben sind die Handwerker zu nennen, die im Laufe der Zeit hinzukamen und die eigentliche Produktion durch Bau- und Reparaturarbeiten ergänzten.[125]

---

[119] Wie G. Schulz, Integrationsprobleme, S. 76 ausführt, traf dies auf die gesamte chemische Industrie zu.

[120] H. Pinnow, Werksgeschichte, S. 39; Farbenfabriken vorm. Friedr. Bayer & Co., Bd. 3, S. 540.

[121] H. Amendt, Arbeitnehmer, S. 145.

[122] Fischers These, daß sich die Fabrikarbeiterschaft schon in der ersten Epoche der Industrialisierung sehr heterogen und differenziert darstellt, wird durch die folgenden Ausführungen bestätigt. Fischer weist an einer Vielzahl von Beispielen nach, daß es eine einheitliche Schicht unqualifizierter Arbeiter mit gemeinsamer wirtschaftlicher Klassenlage auch in der Frühindustrialisierung nicht gegeben hat. (W. Fischer, Innerbetrieblicher Status, S. 215–252); vgl. dazu auch K. Ditt, Technologischer Wandel, S. 237–261.

[123] Systematik nach E. Gartmayr, Angestellte und Arbeiter, S. 32 ff., 12 ff.

[124] Ebd., S. 34 (Zitat mit Tempusänderung: Präsens in Präteritum); vgl. G. Schulz, Integrationsprobleme, S. 75.

[125] Gartmayr nennt als vierte Gruppe der Arbeiterschaft die Frauen, die aber in der Farbenindustrie – wie oben gezeigt – noch keine Rolle spielten.

Den Arbeitern und Handwerkern übergeordnet waren die Aufseher und Werkmeister, die auch in kleineren Betrieben meist von Anfang an zu finden sind. Mit zunehmender Expansion der Betriebe und der Produktionsprogramme wurden verstärkt ausgebildete Chemiker und Techniker eingestellt. Während die Chemiker entweder im Forschungslaboratorium arbeiteten oder direkt im Betrieb die Produktion überwachten, war es Aufgabe der Ingenieure und Techniker, „die für die Produktion nötigen Maschinen und Apparate zu entwerfen, zu bauen, zu überwachen und zu erhalten".[126] Ihnen standen die Handwerker als Hilfskräfte zur Verfügung, während den Chemikern vorwiegend die Betriebsarbeiter unterstanden. Je nach Größe des Betriebes traten dann noch die kaufmännischen Angestellten und Verwaltungsangestellten hinzu.

Nicht alle Farbstoffbetriebe wiesen eine derart differenzierte Funktions- und Qualifikationsskala auf. Zu Anfang des Untersuchungszeitraums gab es in der Mehrzahl der Unternehmen nur Meister und Arbeiter. Selten traten Handwerker oder Angestellte, wie z.B. Buchhalter hinzu. Eine solche Belegschaftsstruktur war in kleineren Unternehmen auch um die Jahrhundertmitte und 1875 noch vorzufinden. So setzte sich 1851 die Belegschaft der Firnissiederei J. H. Rossum in Bonn nur aus einem Meister, Arbeitern und Hilfsarbeitern zusammen. Das Gleiche galt noch 1877 für die Düsseldorfer Firnisfabrik Gebr. Diederichs.[127]

Dagegen wuchsen andere Unternehmen im Laufe der Jahre zu Großbetrieben mit stark differenzierter Belegschaftsstruktur heran.[128] Ein Beispiel dafür bildet die Firma Bayer, die in den 60er Jahren dreierlei Beschäftigungsgruppen besaß: Arbeiter,[129] Meister und Kontorpersonal. Im Laufe der Zeit kamen Handwerker und Chemiker hinzu. Mit Anwachsen des Betriebsumfangs nahmen alle diese Funktionsgruppen zahlenmäßig zu. 1870 produzierten je dreißig Arbeiter unter einem Meister in der Fuchsin- und in der Anilinfabrik. 1872 kam die Alizarinfabrik hinzu, die mit zehn Arbeitern unter einem Meister und mit zwei bis drei Handwerkern die Produktion aufnahm.

Zur gleichen Zeit zeigte sich das Bedürfnis einer eigenen Handwerkerabteilung für den maschinellen Betrieb. 1874 waren allein in der Alizarinfabrik 65 Arbeiter unter vier Meistern aufgeteilt, denen folgende Arbeitsbereiche unterstanden: Anthracen, Oxydation, Verarbeitung, Anthrachinon und Alizarin-

---

[126] E. Gartmayr, Angestellte und Arbeiter, S. 15.
[127] StA Bonn, P. 286; HStA D., Reg. Düsseldorf 24925, fol. 200.
[128] H. Amendt, Arbeitnehmer, S. 165 weist darauf hin, daß die genannten Gruppen „weitere Funktions- und Qualifikations- Unterteilungen bzw. Abstufungen" aufwiesen, die sich u.a. in Lohn und Gehalt widerspiegelten.
[129] „Arbeiter" hier im engeren Sinne Hilfsarbeiter und Betriebsarbeiter, d.h. keine Handwerker, keine Meister, kein Kontorpersonal.

schmelze.[130] 1874 stellten Bayer & Co. folgende Handwerker ein: einen Schmied, einen Schlosser, zwei Bleilöter, einen Küfer und einen Maurer. Im gleichen Jahr umfaßte das Hauptkontorpersonal in Rittershausen jeweils einen Bureauchef, Kassierer, Korrespondenten, Expedienten und einen Laufburschen.[131] Die Farbenfabrik Bayer & Co. in Elberfeld hatte sich zu einem Großunternehmen entwickelt. Dies wird schon im Reglement für die Alizarinfabrik vom 5.10.1872 deutlich, in dem neben dem Geschäftsinhaber die Werkmeister, Chemiker und der „expedirende Commis Herr" als Vorgesetzte der Arbeiter bezeichnet werden, denen die Arbeiter pünktlichen Gehorsam schuldig sind und nach Kräften helfen müssen.[132]

Auch die Bleiweißfabriken beschäftigten Handwerker oder Personen, die vorwiegend handwerkliche Aufgaben erfüllten. Bei Kleberger & Co. arbeiteten z.B. im Jahre 1827 ein Aufseher, ein Maurer und fünf Arbeiter.[133] 1869 waren in der Bleiweißfabrik Deus & Moll von insgesamt 34 Beschäftigten 24 in der „eigentlichen Bleiweißproduktion" tätig, während die übrigen als Faßbinder, Maurer oder Maschinisten arbeiteten.[134] In den Bleiweißbetrieben machte gegen Ende unseres Zeitraums die Gruppe der Handwerker, Techniker und der anderen Personen, die nicht direkt an der Bleifarbenbereitung beteiligt waren, ca. ein Drittel aus.[135]

Die Arbeiterschaft der stark gesundheitsschädlichen Produktionsbereiche setzte sich hauptsächlich aus ungelernten Kräften zusammen.[136] So klagten beispielsweise die Bleifarbenfabrikanten darüber, daß sie sich ausschließlich mit Arbeitern der untersten „Klassen" begnügen müßten. Es blieben für sie nur Personen übrig, die aufgrund von gerichtlichen Strafen in anderen Fabriken nicht aufgenommen wurden oder wegen ihres extrem niedrigen Bildungsgrades entlassen worden waren. Nach Darstellung des Fabrikarztes Dr. Pfeifer standen bei Deus & Moll „die meisten Arbeiter, welche aus anderen Fabriken entlaufen sind, auf einem sehr niedrigen Grade der Bildung, sind unreinlich, der Trunkenheit ergeben, und befolgen weder die Anweisungen noch die Schutzmittel".[137]

Je nach Konjunkturlage verfügten diese Betriebe hin und wieder über qualitativ bessere Belegschaften. In Zeiten großen Arbeitskräfteangebots konnten auch sie auf qualifiziertere, leistungsfähigere Arbeiter zurückgreifen.[138]

---

[130] Farbenfabriken vorm. Friedr. Bayer & Co., Bd. 3, S. 540.
[131] Ebd., Bd. 1, S. 6.
[132] W.A. Bayer 10/15.
[133] HStA D., Reg. Düsseldorf 10749, fol. 59; H. Amendt, Arbeitnehmer, S. 163 f.
[134] HStA D., Reg. Düsseldorf 10749, fol. 138.
[135] H. Amendt, Arbeitnehmer, S. 164.
[136] HStA D., Reg. Düsseldorf 24971, fol. 12; E. Beyer, Fabrikindustrie, S. 74.
[137] HStA D., Reg. Düsseldorf 24971, fol. 12 v.
[138] H. Amendt, Arbeitnehmer, S. 164.

4.4. ARBEITSRECHTLICHE FRAGEN

Seit der Einführung der Gewerbefreiheit im Jahre 1810,[139] die alle Zunft-
schranken und -privilegien abschaffte, galt in Preußen das Recht des freien Ar-
beitsvertrags. Im § 134 der Allgemeinen Gewerbeordnung vom 17.1.1845 hieß
es dementsprechend, daß „die Regelung der Verhältnisse zwischen den selbständigen Gewerbetreibenden und ihren Gesellen, Gehilfen und Lehrlingen
‚Gegenstand freier Übereinkunft' sei". Das Gleiche traf für Verträge zwischen
Gewerbetreibenden und Fabrikarbeitern zu. Auch in den Folgejahren kam es
nicht zu einer Präzisierung arbeitsvertraglicher Grundsätze. Die novellierte Gewerbeordnung von 1869 übernahm vielmehr die Bestimmung des 1845er Ge-
setzes.[140] Dasselbe galt mit einer kleinen Einschränkung für die Novelle der
Gewerbeordnung von 1878. Aufgrund der tatsächlichen Arbeitsmarktverhält-
nisse stellten die sogenannten „freien Arbeitsverträge" aber nur selten wirk-
lich freie, dem Belieben beider Teile überlassene Verträge dar.[141]

Seit Beginn des 19. Jahrhunderts gab es etliche Versuche, das Arbeitsver-
hältnis näher zu regeln.[142] Bis zum Jahr 1860 war z.B. den Arbeitnehmern die
Führung eines Arbeitsbuches vorgeschrieben, in das der Arbeitgeber Beginn
und Ende des Beschäftigungsverhältnisses eintrug. Eventuell geleistete Lohn-
vorschüsse oder andere Verpflichtungen des Arbeiters wurden ebenfalls ver-
merkt. Das Arbeitsbuch konnte daher für den Arbeiter auch nachteilig sein.[143]
In den aufgrund einer königlichen Verordnung von 1849 in Preußen eingerichteten Gewerberäten verfügten die Unternehmer stets über Stimmenmehr-
heit.[144] Eine beiden Seiten gerechtwerdende Lösung der Problematik gab es
bis zum Ende des hier behandelten Zeitraums nicht.

Inwieweit den Arbeitsverhältnissen in der rheinischen Farbstoffindustrie
schriftliche Verträge oder mündliche Vereinbarungen zugrundelagen, ist nicht
bekannt. Seit der zweiten Hälfte des 19. Jahrhunderts wurden vielfach einzel-
vertragliche Abmachungen durch Fabrik- oder Arbeitsordnungen ersetzt.[145]
„Rechtstechnisch wurden die Arbeitsordnungen als Arbeitsverträge aufgefaßt:
Mit der Aushändigung oder dem Aushang unterbreitete der Arbeitgeber ein
Vertragsangebot, das die Arbeitnehmer ausdrücklich – durch Unterzeichnung –
oder stillschweigend – durch Eintritt in das Unternehmen in Kenntnis der Arbeitsordnung – annahmen".[146] Die Reglements variierten von Betrieb zu Be-

---

[139] A. Gladen, Sozialpolitik, S. 21.
[140] H. Amendt, Arbeitnehmer, S. 238.
[141] L.H.A. Geck, Arbeitsverhältnisse, S. 68.
[142] Vgl. zum Folgenden H. Amendt, Arbeitnehmer, S. 239 ff.
[143] H. Milz, Kölner Großgewerbe, S. 93.
[144] H.J. Teuteberg, Industrielle Mitbestimmung, S. 326.
[145] H. Amendt, Arbeitnehmer, S. 252; vgl. L.H.A. Geck, Arbeitsverhältnisse, S. 68 ff.
[146] W. Hromadka, Arbeitsordnung, S. 3.

trieb. Im allgemeinen[147] regelten sie das Verhältnis zwischen Arbeitgebern, Meistern, Vorgesetzten und den Arbeitern. Vielfach stand – wie z.B. bei Bayer & Co. – an erster Stelle der Fabrikordnung die Verpflichtung, dem Fabrikinhaber, den Werkmeistern, Chemikern und dem expedierenden Kommisherrn pünktlich und willig Gehorsam zu leisten und sie nach Kräften zu unterstützen, um einen reibungslosen Arbeitsablauf zu ermöglichen.[148] Anfang und Ende der täglichen Arbeitszeit waren in der Regel in den Fabrikordnungen festgesetzt. Darüberhinaus enthielten sie Schutzvorschriften und Verhaltensmaßregeln für besonders gesundheits- oder sogar lebensgefährliche Arbeitsgänge. Außerdem beschäftigten sich die Arbeitsordnungen mit der Sauberkeit am Arbeitsplatz, dem Verhalten bei den Mahlzeiten, dem Alkoholgenuß und Rauchen auf dem Betriebsgelände.[149] Meist enthielten sie Bestimmungen über Strafen bei Verstößen gegen die Arbeitsordnung oder anderen Vergehen.[150] Mitunter wurden auch Lohnsätze und Kündigungsfristen in das Reglement aufgenommen.[151]

Der Erlaß von Fabrikordnungen wurde erst durch die Gewerbeordnungsnovelle von 1891 für Fabriken mit über zwanzig Arbeitern verbindlich gemacht.[152] Schon lange vorher sind in der rheinischen Farbenindustrie Betriebsreglements nachweisbar. Folgende Fabrikordnungen sind bekannt: eine Fabrikordnung im Bleiweißwerk Deus & Moll (1864);[153] ein Betriebsreglement des Ultramarinwerkes A. Vorster, Düsseldorf von 1866;[154] das Reglement des Alizarinbetriebes F. Bayer & Co. vom 5.10.1872;[155] die Fabrikordnungen der Alizarin- und Fuchsinbetriebe F. Bayer & Co. vom 26.6.1877;[156] die Reglements der Bleiweißwerke Deus & Moll (1877)[157] und Bergmann & Simons (1878)[158] wie die Arbeitsordnung des Farbenbetriebes ter Meer & Co. vom 13.3.1879.[159]

---

[147] Vgl. zum Folgenden die Fabrikordnungen der Firma Krupp bei R. Ehrenberg, Krupp-Studien, S. 49 f., der Maschinenfabrik Esslingen bei H. Schomerus, Arbeiter Maschinenfabrik Esslingen, S. 315 f.; verschiedener Textilfabriken bei P. Borscheid, Textilarbeiterschaft, S. 545 ff. Für die spätere Zeit vgl. die Arbeitsordnung von Felten & Guilleaume bei G. Schulz, Arbeiter und Angestellte, S. 233 f.

[148] WA Bayer 10/15; vgl. HStA D., Reg. Düsseldorf 24658, fol. 6, 26, 33, 47; StA Wuppertal, J III–101; H. Amendt, Arbeitnehmer, S. 252.

[149] H. Amendt, Arbeitnehmer, S. 259.

[150] Vgl. dazu die Darstellung des Hauboldschen Hausgesetzes von 1834 bei R. Strauss, Chemnitzer Arbeiter, S. 64 ff.

[151] H. Amendt, Arbeitnehmer, S. 252.

[152] G. Schulz, Arbeiter und Angestellte, S. 58; F. Decker, Sozialordnung, S. 61 f.

[153] HStA D., Reg. Düsseldorf 10749, fol. 86.

[154] StA Düsseldorf, II–351, fol. 263.

[155] WA Bayer 10/15.

[156] HStA D., Reg. Düsseldorf 24658, fol. 86.

[157] Ebd., 24971, fol. 57.

[158] Ebd., 24971 fol. 104.

[159] Ebd., 24658, fol. 44.

Nicht in allen Betrieben wurden sämtliche Vereinbarungen des Arbeitsvertrages durch das allgemeine Reglement ersetzt. Vermutlich traten individuelle mündliche Absprachen, z.B. über die Vergütung, hinzu.[160] Für Führungskräfte galten überdies andere Maßstäbe. Daß sie mindestens z.T. schriftliche Verträge erhielten, zeigt sich bei Leverkus. Der Anstellungsvertrag für einen Betriebsleiter vom 30.9.1854 enthielt folgende Punkte:[161]

1. Verpflichtung, jede Arbeit „treu und willig und unverdrossen zu verrichten, jeden Nachtheil und Schaden zu verhüten zu suchen, so auch alle seine Kenntnisse und Thätigkeiten anzuwenden, um das Interesse des Geschäfts zu fördern". Strengste Verschwiegenheit über die Ultramarinfabrikation und das Geschäftswesen.
2. Arbeitszeit.
3. Vertragsdauer von 5 Jahren, vorher 3-monatige Kündigungsfrist für beide Teile.
4. Alles während der Vertragszeit Geschriebene und Gezeichnete bleibt Eigentum von Leverkus.
5. Verbot, während der Vertragsdauer und 5 Jahre danach in Deutschland weder selbständig eine Ultramarin-Fabrik zu gründen noch bei einer bestehenden oder neu zu errichtenden sich direkt oder indirekt zu beteiligen, bei deren Eigentümern in Dienst zu treten oder ihre ähnlichen Betriebe durch direkte oder indirekte Mitteilung seiner Kenntnisse zu fördern.
6. Bei Verstoß gegen 5. Konventionalstrafe von 1.000 Talern ohne Inverzugsetzung. Der Vater des neuen Betriebsleiters verpflichtete sich zur Zahlung, wenn der Sohn nicht zahlen sollte.

Über das Verhältnis zwischen Arbeitgebern und Arbeitnehmern ist nur wenig bekannt. In kleineren, überschaubaren Betrieben herrschten wahrscheinlich eher persönliche, familiäre Beziehungen als in den Mittel- und Großbetrieben, wo ein direkter Kontakt zwischen Unternehmer und Arbeitskräften durch Zwischeninstanzen unterbrochen war. Dies läßt sich beispielhaft für die Firma Bayer zeigen. In den 60er Jahren arbeitete der Fabrikteilhaber Weskott zusammen mit den Arbeitern im Betrieb. Diese hatten „persönlichen Anteil am Geschäftsgedeihen".[162] Konkrete Angaben über diesen „Anteil" sind nicht bekannt.

Friedrich Bayer entlohnte die Arbeiter anfangs persönlich. Später wurde diese Aufgabe dem Meister übertragen. Er war für korrekte Lohnauszahlung verantwortlich und führte das Lohnbuch bis 1872. Danach übernahm das Fabrikkontor das Lohnbuch, in dem mittlerweile neunzig Arbeiter verzeichnet waren. Vorher verhandelten Fabrikinhaber und Arbeiter direkt über alle Pro-

---

[160] H. Amendt, Arbeitnehmer, S. 260.
[161] Leverkus. Fortschritt, Wachstum und Verantwortung, o.p. (S. 43 ff.).
[162] Farbenfabriken vorm. Friedr. Bayer & Co., Bd. 3, S. 540.

bleme.[163] Die hier angedeutete Tendenz zur Entfremdung[164] setzte sich in der Folgezeit fort. Einigen Arbeitskräften, die die Anfangsstadien der Betriebe miterlebt hatten, kam die Entwicklung vom Klein- zum Großbetrieb zugute. So stieg E. Tust vom einfachen Arbeiter zum Fabrikanten und späteren Teilhaber der Firma Bayer & Co. auf, und A. Sitter, der 1864 als Chemiker in die Firma eingetreten war, wurde 1872 Teilhaber.[165] Dies waren jedoch Ausnahmen.

4.5. ARBEITSZEIT

Die Phase der beginnenden Industrialisierung war gekennzeichnet durch überlange Arbeitszeiten und eine extensive Ausnutzung der menschlichen Arbeitskraft. Dies war im wesentlichen eine Folge der Veränderungen im Produktionsprozeß, die durch den verstärkten Einsatz von Maschinen ausgelöst wurden. Durch möglichst ununterbrochenen Betrieb war eine optimale Nutzung der Maschinen möglich.[166] Das bedeutete für die Arbeitnehmer eine erhebliche Ausdehnung der täglichen Arbeitszeit, die Beschneidung der Feiertage und die allmähliche Einführung regelmäßiger Sonntagsarbeit,[167] so daß schließlich kaum noch Ruhezeiten übrigblieben.[168] Für den Zeitraum 1800–1860 wurden folgende durchschnittliche Arbeitszeiten ermittelt:[169]

                um 1800   : 10–12 Stunden
                um 1820   : 11–14 Stunden
                um 1830–60 : 14–16 Stunden.[170]

---

[163] Ebd., Bd. 2, S. 539, 544; H. Amendt, Arbeitnehmer, S. 310 weist darauf hin, daß die Übernahme von Arbeitgeberfunktionen durch einige Belegschaftsmitglieder zur inneren Differenzierung der Arbeitnehmerschaft beitrug.

[164] Später versuchte Bayer die zwischen Arbeitgeber und Arbeitnehmern entstandene Kluft durch Einsetzung eines Sozialsekretärs und einer Fabrikpflegerin zu überbrücken. C. Duisberg, Arbeiterschaft, S. 117. Auf die Rolle sozialpolitischer Maßnahmen zur Milderung sozialer Gegensätze weist H. Schäfer, Arbeiterfluktuation, S. 274 hin.

[165] Farbenfabriken vorm. Friedr. Bayer & Co., Bd. 1, S. 4 f.

[166] R. Meinert, Arbeitszeit, S. 3.

[167] Häufig versuchten die Arbeitnehmer, die Sonntagsarbeit durch Feiern des sogenannten ‚Blauen Montags' auszugleichen. Dies war in größerem Umfang jedoch nur in Zeiten des Arbeitskräftemangels möglich. J. Reulecke, Arbeiterurlaub, S. 212 ff.

[168] Ebd., S. 211 ff.

[169] R. Meinert, Arbeitszeit, S. 5.

[170] So dauerte z.B. im Jahre 1846 die Arbeitszeit in der Maschinenfabrik Esslingen von 6–19 h mit einer Stunde Unterbrechung am Mittag. H. Schomerus, Arbeiter Maschinenfabrik Esslingen, S. 315. Bei Felten & Guilleaume wurde im Sommer 1848 von 5–20h, im Winter von 7 bis nach 16 bzw. nach 19h gearbeitet. G. Schulz, Arbeiter und Angestellte, S. 46. Ähnlich lange Arbeitszeiten sind aus der Chemnitzer Textil- und Maschinenbauindustrie bekannt. R. Strauss, Chemnitzer Arbeiter, S. 33, 64. Bei Krupp dauerte die Arbeitszeit in den 40er Jahren 13 bzw. 14 Stunden einschließlich einer anderthalbstündigen Pause. R. Ehrenberg, Krupp-Studien, S. 86.

Sogar Kinder arbeiteten bis zu 15 Stunden pro Tag.[171] Gegen diesen Mißbrauch richteten sich die ersten Maßnahmen staatlicher Arbeiterschutzpolitik, während die Arbeitszeit erwachsener Arbeitnehmer über 16 Jahre weiterhin unbeschränkt blieb.[172] 1849 übertrug der Gesetzgeber die Regelung der Arbeitszeit den neu errichteten Gewerberäten und erklärte gleichzeitig alle Verträge über Sonn- und Feiertagsarbeit für nichtig.[173] Da jedoch die Institution der Gewerberäte kaum Bedeutung erlangte und die Sonn- und Feiertagsarbeit in ‚Dringlichkeitsfällen‘ vom Arbeitgeber in den Arbeitsvertrag aufgenommen werden konnte, hatte die 49er Verordnung kaum Konsequenzen für die Arbeitszeitregelung.[174] In der Praxis wirksame gesetzliche Arbeitszeitbeschränkungen für erwachsene Arbeitnehmer gab es während des gesamten Untersuchungszeitraums nicht.

Daten über die tägliche Arbeitszeit aus der Frühzeit der rheinischen Farbenindustrie sind uns nicht überliefert. Die erste bekannte Angabe betrifft die Firma Bayer in den 1860er Jahren. Hier wurde in der Regel von 6 bis 19 Uhr gearbeitet mit je 1/2 Stunde Pause vor- und nachmittags und einer Stunde am Mittag, also 11 Stunden reine Arbeitszeit. Die Firma orientierte sich damit an einer Verordnung der Stadt Elberfeld vom 11.6.1868.[175] Die seit den 60er Jahren allgemein feststellbare Tendenz zur Verkürzung der Arbeitszeit spiegelte sich in dieser Regelung wider. Im Durchschnitt betrug die tägliche Arbeitszeit 1861–1870 12 bis 14 Stunden; 1871–1880 12 Stunden. Überstunden waren jedoch auch in diesen Jahren nicht ausgeschlossen.[176] So wurde z.B. bei Bayer je nach Auftragslage die Produktion zeitweise bis 24 Uhr ausgedehnt.

Nach der Fabrikordnung vom 5.10.1872 verkürzte sich die reguläre Arbeitszeit bei der Firma Bayer erneut. Die Tagesschicht dauerte von 6–19 h mit Pausen von 8–8.30 h, 12–13.30 h und 16–16.30 h, d.h. es wurden 10 1/2 Stunden gearbeitet. Die Nachtschicht sah demgegenüber nur 10 Stunden reine Arbeitszeit vor. Sie dauerte mit einer Stunde Unterbrechung von 19 bis 6 Uhr. Unpünktlichkeit wurde, wie in anderen Betrieben auch,[177] mit Lohnabzug bestraft: Eine Verspätung von 15 Minuten kostete 1 Sgr., für 30 Minuten wurden 1,5 Sgr. verlangt. Wer noch später kam, mußte ein Viertel seines Tagelohns an die Strafkasse zahlen.[178]

---

[171] J. Reulecke, Arbeiterurlaub, S. 212.

[172] H. Pechan, Arbeiterschutz, S. 246.

[173] A. Gladen, Sozialpolitik, S. 26 f.

[174] H. Amendt, Arbeitnehmer, S. 269 f.

[175] Farbenfabriken vorm. Friedr. Bayer & Co., Bd. 3, S. 540; H. Pinnow, Werksgeschichte, S. 20; H. Amendt, Arbeitnehmer, S. 270.

[176] R. Meinert, Arbeitszeit, S. 9 f.

[177] Vgl. die strengen Strafbestimmungen der Krupp'schen Fabrikordnungen. Abgedruckt bei R. Ehrenberg, Krupp-Studien, S. 50.

[178] WA Bayer 101/15; nach Bonhoeffer, in: Farbenfabriken vorm. Friedr. Bayer & Co., Bd. 3, S. 540 wurde erst 1875 die Mittagspause auf 1,5 Stunden verlängert; nach H.

Die Arbeitszeiten in den anderen Farbstoffbetrieben waren mehr oder weniger gleich lang wie bei Bayer. 1874 wurde in der Ultramarinfabrik J. P. Piedboeuf in Düsseldorf von 6–18 Uhr gearbeitet. Sommer wie Winter ging der Betrieb von 6–18 Uhr mit zwei Stunden Unterbrechung, d.h. also 10 Stunden reine Arbeitszeit. In manchen Werken gab es jahreszeitlich bedingt unterschiedliche Arbeitszeiten. Die beiden Düsseldorfer Betriebe Deus & Moll und Schönfeld arbeiteten im Sommer 1874 von 6–19 Uhr, im Winter des gleichen Jahres von 7–19 Uhr. Da sich an der Pausenregelung, die insgesamt zwei Stunden Arbeitsunterbrechung vorsah, nichts änderte, wurden im Sommer 11, im Winter 10 Stunden täglich gearbeitet.[179]

Bei Leverkus und Bayer galten für einzelne Personen oder Gruppen verschiedene Arbeitszeiten. Beispielsweise arbeiteten 1872/73 die im Fabrikkontor von Bayer & Co. beschäftigten Personen nur 7,5–8 Stunden werktäglich.[180] Im Anstellungsvertrag eines Betriebsleiters bei Leverkus vom 30.9.1854 wurde festgelegt, daß dieser von 6–20 Uhr arbeiten mußte. Wenn Leverkus keine andere Anordnung traf, hatte er außer den „gewöhnlichen Arbeiterruhezeiten" zusätzlich von 9–11 und von 16–18 Uhr frei, d.h. seine reine Arbeitszeit dauerte 9 bis 10 Stunden.[181]

In den 60er und 70er Jahren betrug der Arbeitstag eines „normalen" Arbeitnehmers in der rheinischen Farbstoffindustrie ca. 12–13 Stunden mit 2–2,5 Stunden Pause, das ergibt eine reine Arbeitszeit von 10–11 Stunden. Es herrschte Tages- und Nachtarbeit, Sonntagsarbeit kam auch vor – zumindest bei Bayer.[182]

Urlaubsregelungen sind im 19. Jahrhundert generell unüblich gewesen. Zwar gab es vereinzelt schon die Gewährung von Urlaub als freiwillige Sozialleistung, doch bestand kein Recht auf Urlaub.[183]

4.6. FLUKTUATION

Unter Fluktuation versteht man den „Personalwechsel (Zu- und Abgang) zwischen verschiedenen Betrieben innerhalb bestimmter Zeiträume (Monat, Quartal, Jahr)".[184] Der Begriff bezeichnet einen komplexen Vorgang, dem zahlreiche Ursachen zugrundeliegen können.[185] Lebensalter und Familienstand, Geschlecht und Qualifikation können das Fluktuationsverhalten eines

---

Pinnow, Werksgeschichte, S. 35 ist die Arbeitszeit 1874 allgemein auf 10,5 Stunden ermäßigt worden.

[179] StA Düsseldorf, II–1487, fol. 154.
[180] Farbenfabriken vorm. Friedr. Bayer & Co., Bd. 3, S. 539.
[181] Leverkus. Fortschritt, Wachstum und Verantwortung, o.p. (S. 43).
[182] Farbenfabriken vorm. Friedr. Bayer & Co., Bd. 3, S. 542; in der Anfangszeit wurden für die Sonntagsarbeit Prämien gezahlt.
[183] J. Reulecke, Arbeiterurlaub, S. 216.
[184] H. Schäfer, Arbeiterfluktuation, S. 262.
[185] H.-J. Rupieper, Herkunft, S. 101.

Arbeitnehmers beeinflussen. Je nach Industriezweig, Konjunktur und Jahreszeit[186] lassen sich höhere oder niedrigere Fluktuationsraten[187] beobachten. Auch das Alter eines Unternehmens, seine Größe und der Umfang seiner sozialen Leistungen spielen eine Rolle. Von Werk zu Werk unterschiedliche Arbeits- und Lohnbedingungen sowie regionale Unterschiede auf dem Arbeitsmarkt können das Fluktuationsverhalten mitbestimmen.[188] Schließlich ist auch der Personalwechsel zu nennen, dem keine freiwillige Entscheidung des Arbeitnehmers, sondern die Entlassung durch den Arbeitgeber zugrundeliegt.

Fluktuation, die einen gewissen Rahmen nicht übersteigt, gehört zum normalen Erscheinungsbild der Industriewirtschaft. „Ein zu starker Wechsel von Arbeitskräften kann jedoch z.B. in Industriebetrieben den Fluß der Produktion, vielleicht sogar den gesamten Betriebsablauf, empfindlich stören und unter Umständen auch die Qualität der Arbeit beeinträchtigen".[189]

Welche der o.g. Faktoren für die relativ hohe Fluktuation in der rheinischen Farbenindustrie maßgebend waren, läßt sich nur vermuten. Generell war die Möglichkeit zum Arbeitsplatzwechsel im rheinischen Industriegebiet eher vorhanden als in vorwiegend ländlich strukturierten Räumen.[190]

Ein Vergleich mit dem jährlichen Abgang in anderen Branchen zeigt, daß die chemische Industrie in besonderem Maße von lebhaftem Personalwechsel betroffen war. Wie oben festgestellt wurde, beschäftigten die Chemieunternehmen zum großen Teil unqualifizierte Arbeitskräfte, die stets zum schnellen Wechsel der Arbeitsstätte neigten.[191] Sicherlich spielten auch die gesundheitsschädlichen Arbeitsbedingungen eine entscheidende Rolle. So finden wir in der Bleiweißindustrie, die extrem gefährliche Arbeitsgänge aufwies, die kürzesten Beschäftigungszeiten und die stärkste Fluktuation.

---

[186] Vgl. dazu H. Schomerus, Saisonarbeit, S. 113 ff.
[187] Auf die begrenzte Aussagekraft der Fluktuationsrate weist H. Schäfer, Arbeiterfluktuation, S. 264 ff. hin.
[188] Eine ausführliche Analyse der genannten Faktoren liefert F. Syrup , Studien, S. 268 ff.
[189] H. Schäfer, Arbeiterfluktuation, S. 263.
[190] F. Syrup, Studien, S. 271.
[191] Ebd., S. 268, 285 f.; H.-J. Rupieper, Herkunft, S. 104; Diskussion dieser Problematik bei H. Schäfer, Arbeiterfluktuation, S. 270.

Tab. 28: Beschäftigungsdauer der Arbeiter in den Bleiweißfabriken[192]

Dauer (Jahre)	Kleberger & Co. 21.9.27	de Raadt & Co. 21.9.27	Dr. Schüler 27.8.64	Deus & Moll			M. Müller		Gesamt- zahl
				30.9. 1827	Okt. 1869	8.12. 1876	Okt. 1869	8.12. 1876	
Bis 1/2	3	9	4	2	19	5	14	6	62
" 1	1	–	2	–	2	5	–	3	13
" 2	1	1	1	5	1	5	1	1	16
Über 2	2	3	2	–	2	2	1	3	15
Arbeiter- gesamtzahl	7	13	9	7	24	17	16	13	106

Aus dieser Aufstellung ist ersichtlich, daß die meisten Bleiweißarbeiter weniger als ein Jahr an ihrer Arbeitsstelle verblieben.[193] Eine Ausnahme bildete die 1827 bei Deus & Moll beschäftigte Belegschaft. Von sieben Arbeitern waren hier fünf bis zu zwei Jahren im Werk tätig. Im Durchschnitt war die Beschäftigungsdauer in den 60er und 70er Jahren niedriger als in den 20er Jahren. Die Beschäftigten in den Bleifarbenfabriken mit der längsten Arbeitsdauer waren in erster Linie Aufseher oder Fabrikmeister, die aufgrund ihrer Arbeit wahrscheinlich nicht so krankheitsgefährdet waren.[194]

Auch in der Ultramarinproduktion war eine starke Fluktuation der Arbeitskräfte zu verzeichnen. Bei der Firma Leverkus waren im Januar 1839 vier Arbeiter beschäftigt. Im Juli des gleichen Jahres hatten alle bis auf einen ihre Arbeit verlassen, und dieser war im Januar 1840 ebenfalls gegangen. Von den im Juli 1839 beschäftigten acht Personen arbeiteten ein halbes Jahr später noch vier bei Leverkus. Im Juli und Oktober 1840 waren nur mehr zwei übrig. Im Januar 1840 hatte Leverkus eine Belegschaft von neun Personen. Von diesen waren im Juli und Oktober desselben Jahres noch drei im Werk beschäftigt.[195] Auf der anderen Seite gab der Fabrikinspektorbericht für 1874 an, daß in den Ultramarinfabriken des Reg. Bez. Düsseldorf viele Arbeiter schon zwanzig bis dreißig Jahre ohne jegliche Gesundheitsschäden tätig seien.[196]

4.7. ARBEITSLOHN

Wie in anderen Bereichen der chemischen Industrie herrschte wahrscheinlich auch in der Farbenindustrie die Lohnauszahlung am Ende einer jeden

[192] H. Amendt, Arbeitnehmer, S. 300. Die neun Arbeiter bei de Raadt & Co. waren zwei bzw. „wenige" Monate beschäftigt.
[193] Vgl. dazu HStA D., Reg. Düsseldorf 24971, fol. 14: ähnliche Angaben für Deus & Moll und M. Müller & Söhne aus dem Jahre 1875; E. Beyer, Fabrikindustrie, S. 77: Mehrzahl der Arbeiter verbleibt durchschnittlich nur 3–5 Monate in der Fabrik (1876).
[194] HStA D., Reg. Düsseldorf 10749, fol. 60, 73 f., Reg. Köln 2174, fol. 202 f.
[195] Leverkus. Fortschritt, Wachstum und Verantwortung, o.p. (S. 39). Die beiden Maurermeister, die 1838/40 bei Leverkus arbeiteten, wurden hier nicht berücksichtigt.
[196] E. Beyer, Fabrikindustrie, S. 73.

Woche vor.[197] Für die Firmen Leyendecker und Bayer & Co. läßt sich dies nachweisen.[198] In den Anfangsjahren zahlte Friedrich Bayer selbst die Löhne aus, mit wachsender Größe des Betriebs übernahmen dann die Meister, 1872 das Fabrikkontor diese Aufgabe.[199]

Die Fabrikordnung des Farbenbetriebes ter Meer & Co. aus dem Jahre 1879 sah vor, daß die Lohnauszahlung jeden Donnerstag für die vergangene Woche erfolgen sollte.[200] Es standen so immer vier Tagelöhne aus, die dem Arbeitgeber als Schutz gegen Nichteinhaltung der Kündigungsfrist durch den Arbeitnehmer dienten. Verließ der Beschäftigte vor Ablauf der Kündigungsfrist seinen Arbeitsplatz, so behielt der Arbeitgeber den rückständigen Betrag ein.[201]

Mit der allgemeinen Gewerbeordnung von 1849 wurden alle Fabrikinhaber grundsätzlich verpflichtet, ihre Beschäftigten in barem Geld zu entlohnen. Lohnzahlungen in Form von Waren, wie sie in zahlreichen Industriezweigen üblich waren, wurden durch dieses ‚Truckverbot' untersagt.[202] Für die Farbenindustrie der Rheinprovinz ist uns eine unbare Entlohnung nicht bekannt.[203]

Bei Bayer & Co. gab es gemäß der Fabrikordnungen von 1872 und 1877 einen „Leistungslohn", d.h. der Lohn für jeden in die Fabrik eintretenden Arbeiter wurde nach seinen Leistungen festgesetzt.[204] Da jedoch nur ein geringer Teil der Arbeiter dauernd die gleiche Arbeit verrichtete und die einzelnen Arbeitsarten innerhalb des Werks differierten, ergaben sich aus dieser Bestimmung Lohntarifschwierigkeiten. Für Überstunden, die über die täglich festgesetzte Arbeitszeit hinausgingen, gab es bei der Firma Bayer zu Beginn ihres Bestehens eine besondere Vergütung. Sonntagsarbeit wurde durch Prämien bezahlt.[205] Bei ter Meer & Co. galt 1879 folgende Regelung: Für die Überstunde war ein Zehntel des Tageslohns oder ein Sechzigstel des Wochenlohns vorgesehen. Sonntagsarbeit sollte wie die Überstunden zuzüglich einem Fünftel Aufschlag vergütet werden. Die Sonntage, der Neujahrstag, Oster- und Pfingstmontag und die beiden Weihnachtstage galten als Feiertage, die im Wochenlohn voll vergütet wurden. Alle anderen Tage, an denen nicht gearbeitet wurde,

---

[197] Wie H. Schomerus, Arbeiter Maschinenfabrik Esslingen, S. 144 f. zeigt, war die wöchentliche Entlohnung nicht in allen Betrieben üblich. In der Maschinenfabrik Esslingen wurden z.B. Arbeiter wie Angestellte monatlich bezahlt. Auch die 14tägige Entlohnung kam in einigen Fabriken vor. Vgl. F. Decker, Sozialordnung, S. 94.

[198] HStA D., Reg. Köln 2174, fol. 202 f.; Farbenfabriken vorm. Friedr. Bayer & Co., Bd. 3, S. 542 f.

[199] Vgl. S. 133.

[200] HStA D., Reg. Düsseldorf 24658, fol. 44.

[201] Dieses Beispiel unterstützt die These von H. Schomerus, Arbeiter Maschinenfabrik Esslingen, S. 144 f., die ein Interesse der Arbeitgeber an einer längeren Lohnzahlungsperiode voraussetzt, „weil sie ihnen eher Gelegenheit bot, über die Manipulation der sog. ‚Stehgelder' Einfluß auf die Fluktuation der Arbeiterschaft zu nehmen". Ebd., Anm. 105.

[202] A. Gladen, Sozialpolitik, S. 26.

[203] H. Amendt, Arbeitnehmer, S. 315 ff.

[204] WA Bayer 10/15; HStA D., Reg. Düsseldorf 24659, fol. 6.

[205] Farbenfabriken vorm. Friedr. Bayer & Co., Bd. 3, S. 543.

sollten nur nach gesonderter vorheriger Absprache in den Lohn einbezogen werden.[206]

Tab. 29: Arbeitslohn − Erwachsene männliche Arbeitnehmer[207]

Jahr	Betrieb/Ort	Arbeitslohn pro Woche	Bezeichnungen
1811	Köln: Bleiweißfabrik Fonck	7 Frs. 80 Cent.	Durchschnittsarbei-
	2 Farbenfabriken	9 Frs.	terlohn
1826 (21.7.)	Bleiweißbetrieb Deus, Düsseld.	144 Stüber	Arbeiter
1831/1832	Bleiweißbetrieb in Wald (Kreis Solingen)	84 Sgr.	Durchschnittslohn der 5 Männer
1839/1840	Ultramarinbetrieb Leverkus, Wermelskirchen	80 Sgr.	Arbeiter oder Meister
1854 (30.9.)	Ultramarinbetrieb Leverkus	461 Sgr.	Betriebsleiter
Mitte/Ende 1860er Jahre	Farbenbetrieb Bayer, Elberfeld	180 Sgr.	
1866 (9.3.)	Ultramarinbetrieb A. Vorster, Düsseldorf	102−144 Sgr.	Durchschnittslohn
1869 (13.11.)	Bleiweißbetriebe M. Müller & Söhne, Deus & Moll, Düsseldorf	114−126 Sgr.	Arbeiter
Anfang 1870er Jahre	Alizarinbetrieb Farbenbetrieb Bayer	210 Sgr. 210−234 Sgr.	Durchschnittswochen- lohn
1873	Alizarinbetrieb Bayer, Elberfeld	210 Sgr.	Durchschnittslohn der Arbeiter
1874 (30.11.)	Malerfarbenbetrieb Schönfeld, Düsseldorf	120−210 Sgr.	Arbeiter
1874 (30.11.)	Ultramarinbetrieb Piedboeuf, Düsseldorf	150−180 Sgr.	Arbeiter
1874 (30.11.)	Bleiweißbetriebe Deus & Moll, M. Müller & Söhne, Düsseldorf	150−180 Sgr.	Arbeiter
1875	Farbenbetrieb Bayer, Elberfeld	ca. 173 Sgr. 3 Pfg. ca. 167 Sgr. 3 Pfg.	Handwerker Arbeiter

---

[206] HStA D., Reg. Düsseldorf 24658, fol. 44.
[207] Nach H. Amendt, Arbeitnehmer, Tab. 133, Tabellenteil, S. 254 ff.

Die verschiedenen Produktionsbetriebe der Farbenindustrie wiesen unterschiedliche Arbeitsbedingungen auf und stellten verschiedenartige Anforderungen an ihre Arbeitskräfte, die sich u.a. in entsprechend unterschiedlichen Lohnhöhen ausdrückten. Daß trotz der vielen Krankheitsfälle und des damit verbundenen starken Arbeitskräftewechsels immer Arbeiter für die Bleifarbenfabriken zu finden waren, lag in Zeiten mit geringem Arbeitskräfteüberschuß am relativ hohen Lohn.[208]

1826 empfingen die Arbeiter des Bleiweißbetriebes Deus in Düsseldorf den „gewöhnlichen geringsten Tagelohn von 24 Stübern".[209] Von dem Wermelskirchener Ultramarinwerk Leverkus sind folgende Angaben erhalten: 1839/40 verdiente ein Arbeiter oder Meister in der Woche durchschnittlich 2 Tlr. und 20 Sgr.[210] Ein Anstellungsvertrag für den Betriebsleiter von Leverkus sieht am 30.9.1854 ein jährliches Gehalt von 800 Tlrn. preuß. Cour. vor, das, gemessen an den Leistungen des Betriebsleiters, noch erhöht werden sollte.[211]

Aus den 60er Jahren sind weit höhere Lohnangaben überliefert. 1866 zahlte der Ultramarinbetrieb A. Vorster einen durchschnittlichen Tagelohn von 17—24 Sgr., je nachdem ob über die gewöhnliche Arbeitszeit hinaus gearbeitet werden mußte oder nicht. Das entsprach einem Wochenlohn von 3 Tlrn., 12 Sgr. bis 4 Tlrn., 24 Sgr. . Die 1869 in der Bleiweißfabrik Deus & Moll gezahlten Löhne lagen mit 19—21 Sgr. pro Tag in der gleichen Größenordnung.[212] Die relativ höchsten Löhne wurden in den 1860er Jahren bei Bayer verdient. Arbeiter erhielten wöchentlich 6 Tlr., Überstunden wurden besonders vergütet und die Sonntagsarbeit mit Prämien belohnt. Darüberhinaus soll Weskott für besondere Arbeiten und Leistungen noch Trinkgelder gegeben haben.[213]

Auch zu Anfang der 1870er Jahre waren die Lohnsätze bei Bayer & Co. relativ hoch. Es wurden 3,50—3,90 M pro Tag bezahlt. In der Alizarinfabrik waren es durchschnittlich 7 Tlr. (= 21 M) Wochenlohn. Außerdem wurden in diesem Betrieb Dienstaltersprämien gezahlt: für 26 Wochen ununterbrochene Dienstzeit erhielt der Arbeiter 13 Tlr. (oder 39 M) Prämie.[214] Das Reglement für die Arbeiter der Alizarinfabrik vom 5.10.1872 enthielt folgende Bestimmungen: Die Lohnsumme richtete sich nach den Leistungen des eintretenden Arbeiters. Außerdem wurden jedem Arbeiter 15 Sgr. pro Woche als Spareinlage gutgeschrieben, die nach einem halben Jahr ausgezahlt wurden bzw. auf Wunsch bei 6 prozentiger Verzinsung weiter im Unternehmen blieben. Ver-

[208] E. Beyer, Fabrikindustrie, S. 7.
[209] HStA D., Reg. Düsseldorf 10749, fol. 22.
[210] Leverkus. Fortschritt, Wachstum und Verantwortung, o.p. (S. 39): Wie groß die Lohnspannen zwischen den Arbeitern selbst und zwischen Arbeitern und Meistern waren, ist nicht bekannt.
[211] Ebd., o.p. (S. 44).
[212] Vgl. auch zum Folgenden Tab. 29, S. 143.
[213] Farbenfabriken vorm. Friedr. Bayer & Co., Bd. 3, S. 543.
[214] H. Pinnow, Werksgeschichte, S. 39; die Einrichtung von Dienstaltersprämien läßt darauf schließen, daß ein reger Arbeitskräftewechsel bzw. kurze Beschäftigungsdauer und/oder häufige Erkrankungen vorgeherrscht haben müssen.

loren gingen diese vom Werk freiwillig gemachten Spareinlagen demjenigen, der die Arbeit vor Ende des halben Jahres verließ oder der wegen schlechten Betragens und schlechter Leistungen entlassen werden mußte.[215] Einige Vergleichsdaten bieten für November 1874 die Malerfarbenfabrik Schönfeld und die Ultramarinfabrik J. P. Piedboeuf in Düsseldorf. Die im Winter und Sommer gleich hohen Wochenlöhne der erwachsenen Männer lagen bei Schönfeld zwischen 4 und 7 Tlrn., d.h. 12 bis 21 M. Bei Piedboeuf betrugen Niedrigst-, Mittel- und Höchstsatz: 5 Tlr., 5 Tlr. 15 Sgr., 6 Tlr. oder 15 M, 16,50 M, 18 M. Piedboeuf zahlte für alle seine Arbeiterinnen 9 M pro Woche, während Schönfeld drei Lohnsätze vorsah: 6 M, 7,50 M und 9 M.[216]

Aufschlußreiche Daten sind für die zweite Hälfte der 70er Jahre bei Bayer & Co. erhalten:[217]

Durchschnittstundenverdienst (in Pfennigen):

Jahr	Handwerker	Arbeiter	Jug.Arbeiter (14–16 J.)
1875	27,5	26,5	9,3
1876	27,6	26,9	9,9
1877	28,2	27,3	9,8
1878	29,2	27,9	10,0

Demnach verdienten die Handwerker bei Bayer stets ca. 3,4 % mehr als die „Arbeiter".[218] Die jugendlichen Arbeitskräfte erhielten ca. ein Drittel des Erwachsenenlohnes.

Von 1839 bis in die 1870er Jahre zeigte sich allgemein ein Anstieg des Nominallohnes in der Farbenindustrie. Die Lohnhöhen innerhalb dieser Industrie waren nicht einheitlich. Sie wiesen deutliche Schwankungen von Werk zu Werk auf und kannten große Unterschiede innerhalb der einzelnen Belegschaften.

Für die Ermittlung des Reallohns hat Amendt die Preisindexreihen mehrerer Nahrungsmittel zu drei selbständigen Nahrungsmittelpreisindices (Basisjahr 1850) verschiedener Zusammensetzung zusammengefaßt. Ihnen ist zu entnehmen, daß sich die Nahrungsmittelpreise in den drei Regierungsbezirken Köln, Düsseldorf und Aachen ähnlich entwickelten. Besonders große Schwankungen ergeben sich bei den Getreidepreisindices, während die aus einer großen Anzahl von Warenpreisen errechneten Indexreihen deutlich geringere Schwankungsbreiten aufweisen. Insgesamt zeigt sich vom Beginn der 20er Jahre bis

---

[215] WA Bayer 10/15.
[216] StA Düsseldorf, II–1487, fol. 166.
[217] Farbenfabriken vorm.Friedr. Bayer & Co., Bd. 3, S. 543.
[218] „Arbeiter" hier im engeren Sinne gebraucht.

in die 70er Jahre des 19. Jahrhunderts eine steigende Tendenz der Nahrungsmittelpreise.[219]

Tab. 30: Reallohnwerte − Erwachsene männliche Arbeitnehmer[220]

Jahr	Betrieb/Ort	Reallohnwert im bezeichneten Jahr	im Fünfjahresabschnitt
1811	Köln: „Farbenfabriken"	73,2	72
	„Bleiweißfabrik" Fonck	63,5	62,4
1826	Bleiweißbetrieb Deus Düsseldorf	96	72
1839	Ultramarinbetrieb	67,8	80,8
1840	Leverkus, Wermelskirchen	80	
1866	Ultramarinbetrieb Vorster, Düsseldorf	71,3−100,7	68,5−96,6
1869	Bleiweißbetriebe Düsseldorf	95,8−105,9	76,5−84,6
1874	Farbenbetriebe, Barmen/ Düsseldorf	92,3−161,5	87−152,2
	Bleiweiß- und Ultramarin- betriebe, Düsseldorf	115,4−138,5	108,7−130,4
1865	Farbenbetrieb Bayer,	160,7	152,5
1866	Elberfeld	125,9	120,8
1867		100,6	
1868		136,4	
1869		151,3	
1871		138,2−153,9	152,2−169,6
1873		145,8	152,2
1875		132,8	121,2

In den Reallohnreihen wurden von Amendt die Nominallöhne zu dem aus
Weizen- und Roggenpreis gebildeten Index des betreffenden Jahres und zu den
Fünfjahresdurchschnittswerten der aus Weizen- und Roggenpreisen gebildeten
Indices in Beziehung gesetzt. Danach wurde der 1811 in dem Kölner Bleiweiß-
betrieb Fonck festgestellte Reallohnwert 1826 von dem Düsseldorfer Blei-
weißhersteller Deus um 51,2 % übertroffen. 1831 betrug die Differenz infolge
der Teuerung nur noch ca. 4,1 %. 1869 lagen die Reallohnsätze bei Deus &
Moll und M. Müller & Söhne um 50,8−66,8 % über dem 1811 ermittelten
Wert der Kölner Firma. Fünf Jahre später ist ein Unterschied von 81,1−118,1 %
feststellbar.

Der niedrigste, 1866 im Ultramarinwerk Vorster erreichte Reallohnwert
war bis zu 10,9 % geringer als der für 1840 bei Leverkus ermittelte Wert. Dagegen übertraf der höchste, 1866 bei Vorster festgestellte Reallohn den 1840er
Wert bei Leverkus um 25,9 %. Der Reallohn stieg also in dieser Zeit nur wenig

---

[219] Hierzu vgl. H. Amendt, Arbeitnehmer, S. 376 ff.
[220] Ebd., Tab. 147, Tabellenteil, S. 291 f.

an. 1874 lag der Reallohn der Arbeiter von Piedboeuf (vorm. Aug. Vorster) dagegen 44–73 % über dem von 1840 und 37–61 % über dem von 1866.

Bei der Firma Bayer & Co. wurde 1865 anscheinend eine Reallohnspitze erreicht. Aufgrund steigender Nahrungsmittelkosten fiel der Reallohn zwischen 1865 und 1867 um 37,4 %. Er stieg 1868–1873 wieder, blieb aber etwa 4–9 % unter der Höhe des Jahres 1865. Die Preisschwankungen der zweiten Hälfte der 1870er Jahre bedeuteten bei steigenden Nominallöhnen nur unwesentlich veränderte Reallöhne, die aber im Vergleich zur ersten Hälfte des Jahrzehnts um ca. 10–20 % niedriger lagen.[221]

4.8. SICHERHEIT UND GESUNDHEIT AM ARBEITSPLATZ

Klagen über schlechte, gesundheitsschädliche Arbeitsplatzbedingungen waren in der Zeit der Frühindustrialisierung besonders häufig.[222] Zahlreiche Faktoren wie überlange Arbeitszeiten, enge, schlecht gelüftete Räume, mangelhafte Unfallverhütungsmaßnahmen und unzureichende hygienische Einrichtungen beeinträchtigten die Qualität der Arbeitsplätze in vielen Industriezweigen.[223] Nicht nur in den Fabrikbetrieben, sondern auch im Heimgewerbe herrschten zum Teil schlechte Arbeitsplatzbedingungen.[224] Staatliche Maßnahmen auf dem Gebiet des Arbeiterschutzes, die Abhilfe geschaffen hätten, waren zu Beginn und in der Mitte des 19. Jahrhunderts noch sehr spärlich.[225] Einen ersten Ansatz machte man in Preußen mit dem Erlaß der Gewerbeordnung von 1845. Doch waren ihre auf den Arbeiterschutz bezogenen Bestimmungen so vage, daß sie oft ohne Wirkung blieben.[226] Daneben gab es Polizeiverordnungen für einzelne Industriezweige, die teilweise recht detaillierte Anweisungen zum Arbeiterschutz enthielten.[227] Auch war die Erteilung der Konzession zur Eröffnung eines Betriebes meist mit gewissen Auflagen zum Schutz der Arbeitskräfte verbunden.[228] Die Kontrolle ihrer Einhaltung war jedoch problematisch. Zwar gab es seit 1853 die Möglichkeit, Fabrikinspektoren ein-

---

[221] Ebd., S. 387 f. und Tab. 30, S. 146.

[222] Eine kritische Betrachtung der zahlreichen Schilderungen über die Arbeitsbedingungen bei P. Borscheid, Textilarbeiterschaft, S. 360 ff.

[223] Beispiele bei R. Ehrenberg, Krupp-Studien, S. 111 f.; W. Wortmann, Eisenbahnarbeiter, S. 95 f., S. 115 ff.; A. Thun, Industrie Niederrhein 1, S. 175 ff. F. Decker, Sozialordnung, S. 46 ff.; H. Zieger, Wohlfahrtspflege, S. 113.

[224] Beispiele bei A. Thun, Industrie Niederrhein 1, S. 148 f.; 92 ff.; 153 ff.; R. Strauss, Chemnitzer Arbeiter, S. 107 ff.; P. Borscheid, Textilarbeiterschaft, S. 363 ff.

[225] Das Regulativ von 1839 und die Novelle zu diesem Gesetz von 1853 betrafen lediglich den Schutz der Kinder und Jugendlichen.

[226] Vgl. dazu und zu der vorangegangenen sozialpolitischen Diskussion in Preußen H. Amendt, Arbeitnehmer, S. 391 ff.

[227] Ebd., S. 398 ff.

[228] Ebd., S. 393 f.

zusetzen, doch überwachten diese in erster Linie die Befolgung der Jugendschutzbestimmungen.[229]

Die Einhaltung der anderen Vorschriften wurde von den örtlichen Polizeibehörden mehr oder weniger erfolgreich kontrolliert.[230] Eine allgemeine gesetzliche Regelung brachte erst die Gewerbeordnung für den Norddeutschen Bund vom 21.6.1869, die allen Gewerbebetrieben den Schutz ihrer Arbeitnehmer vorschrieb.[231] Dieses Gesetz leitete verstärkte staatliche Maßnahmen in den 70er Jahren ein. Dazu gehörten die Einführung von Bezirkspolizeiverordnungen, Unfall- und Krankenstatistiken, die Anordnung regelmäßiger Fabrikrevisionen und die verstärkte Heranziehung der Fabrikinspektoren zur Kontrolle der Betriebe.[232] Die endgültige gesetzliche Fixierung einer umfassenden obligatorischen Gewerbeaufsicht erfolgte jedoch erst nach Ablauf des Untersuchungszeitraums im Jahre 1878.[233]

In der chemischen Industrie waren die Arbeiter seit jeher besonders gesundheitsgefährdenden Bedingungen ausgesetzt.[234] Verglichen mit anderen Branchen wies die chemische Industrie stets außerordentlich hohe Unfall- und Krankheitsziffern auf.[235] Die Arbeitsplatzbedingungen in der rheinischen Farbenindustrie, die auch für den Gesundheitszustand der Arbeitnehmer maßgebend waren, lassen sich nur anhand von Einzelbeispielen beschreiben. Die Aussagen beruhen im wesentlichen auf Berichten von Bürgermeistern, Landräten, Kreisphysici und Fabrikinspektoren, die teils gute, teils kritische Beurteilungen abgaben. Daneben wurden Konzessionsunterlagen herangezogen, deren Aussagewert jedoch begrenzt ist, da man nicht weiß, inwieweit ihre Anweisungen befolgt wurden.

Besonders gefährlich war die Arbeit in den Bleifarbenfabriken, da die Luft häufig mit Bleiweißstaub angereichert war und eine giftige Bleiweißschicht Fußböden, Wände und Gerätschaften überzog. Da die einzelnen Fabrikationsabteilungen meist in Verbindung miteinander standen, wurden alle Arbeitsräume in geringerem oder stärkerem Ausmaß in Mitleidenschaft gezogen.[236] Wenn auch Fabrikarzt, Kreisphysikus oder später der Fabrikinspektor die Räumlichkeiten einzelner Fabriken als ausreichend groß, hoch, hell, belüftet

---

229 A. Gladen, Sozialpolitik, S. 39.
230 H. Amendt, Arbeitnehmer, S. 401.
231 A. Gladen, Sozialpolitik, S. 46 f.
232 H. Amendt, Arbeitnehmer, S. 402 f.
233 A. Gladen, Sozialpolitik, S. 154, Anm. 335; H. Pechan, Arbeiterschutz, S. 247.
234 G. Schulz, Integrationsprobleme, S. 78; F. Syrup, Studien, S. 269.
235 Daß dies auch noch für die ersten Jahrzehnte des 20. Jahrhunderts zutrifft, zeigt C. Duisberg, Arbeiterschaft, S. 24 ff., 60 ff.
236 HStA D. Reg. Düsseldorf 10748, fol. 2; 24971, fol. 34 ff.; Reg. Köln 8856, fol. 115, 143; 2174, fol. 202 f.; LA Solingen 366, fol. 36, 66.

und sauber bezeichneten,[237] so darf dies nicht darüber hinwegtäuschen, daß der längere Aufenthalt und die Arbeit in den Fabriklokalen gesundheitsschädlich waren.[238] Infolgedessen erkrankten die Arbeiter in den Bleifarbenfabriken häufig an Bleikoliken und -vergiftungen. Die Patienten waren in solchen Fällen meist für ein bis zwei Wochen arbeitsunfähig.

Nicht alle Arbeiter waren in gleichem Maße gefährdet. Je nach Körperkonstitution, Art der Tätigkeit und eigenem Verhalten am Arbeitsplatz war der einzelne mehr oder weniger großen Gesundheitsrisiken ausgesetzt. Wie oben schon erwähnt, arbeiteten u.a. in den 60er und 70er Jahren in den Bleiweißfabriken auch ältere Personen, die nicht in der besten körperlichen Verfassung waren. Ihre Anfälligkeit für Bleierkrankungen war daher von vorneherein hoch. Doch auch unter ihnen gab es, je nach Arbeitsplatz, unterschiedliche Grade von Krankheitsempfänglichkeit.[239] Diejenigen, die der Staubentwicklung unmittelbar ausgesetzt waren oder mit Bleifarben direkt in Berührung kamen, erkrankten am ehesten. Bei der Mennigeherstellung bestand das größte Risiko für die Arbeitskräfte, die den Mennig siebten bzw. die Brenn- und Kalzinieröfen ausleeren mußten.[240]

Die staatlichen Instanzen waren sich der Gefahren in der Bleifarbenproduktion bewußt. Schon 1827 machten daher die Regierungsbehörden in Aachen und Düsseldorf ihre Konzessionsgenehmigung von der Einstellung eines Fabrikarztes abhängig. Erneute Verfügungen in den 1860er Jahren zeigten jedoch, daß diese und andere Forderungen gar nicht oder nur unzureichend erfüllt wurden.[241] Die Fabrikanten versuchten, das Gesundheitsrisiko durch Vorschrift bestimmter Verhaltensweisen zu mindern. So sollten sich die Arbeiter bei manchen Arbeitsgängen Nase und Mund mit nassen Tüchern verbinden. Die Anwendung von Öl und geringen Mengen Glaubersalz, der Verzehr von Milch und fetten Speisen galten als geeignete Gegenmaßnahmen. Gurgeln mit Wasser und Essig wurde ebenfalls angeordnet. Darüberhinaus sollten sich die Arbeiter bei Ausführung der gefahrvollen Arbeitsprozesse abwechseln.[242]

---

[237] Gute Beurteilungen erhielten die Bleiweißbetriebe Deus & Moll am 30.9.1827, 12.9.1864, Dr. Schüler am 27.8.1864 und M. Müller & Söhne am 12.9.1864, 13.11.1869, vgl. HStA D. Reg. Düsseldorf 10749, fol 55, 74, 85 f., 137.
[238] Vgl. dazu: HStA D., Reg. Düsseldorf 10749, fol. 2 mit Reg. Düsseldorf 24971, fol. 34 ff. und Reg. Köln 8856, fol. 143.
[239] HStA D., Reg. Düsseldorf 10749, fol. 14 ff., 83 f., 89 f., 101, 113, 117, 130, 144, 146, 148, 150; 24971, fol. 14; Reg. Köln 2174, fol. 202 f.
[240] HStA D., Reg. Düsseldorf 10749, fol. 2, 14 ff., 20 ff.; Reg. Köln 8856, fol. 115; 2174, fol. 202 f.; in den Mennigebetrieben entwickelten sich auch beim Schmelzprozeß schädliche Dämpfe.
[241] HStA D. Reg. Düsseldorf 10749, fol. 36, 51 f., 69, 73 75.
[242] Ebd., fol. 9 f., 12.

Mit der Zeit besserte sich die Situation, nicht zuletzt durch technische und bauliche Veränderungen der Produktionseinrichtungen. Die Betriebe richteten im Laufe der Jahre Badestuben und Eßräume ein. 1864 gab es zwei Badestuben (davon jedoch nur eine für die Arbeiter) in der Bleiweißfabrik M. Müller & Söhne, während bei Deus & Moll die ersten beiden Badestuben 1869 nachweisbar sind.[243] Spezielle Speiseräume hatten 1869 Deus & Moll, M. Müller & Söhne und Schmoll & Co.. Daneben erhielten die Arbeiter Schwefelpillen, Handschuhe und besondere Arbeitskleider.[244] Ob diese Schutzmaßnahmen und Einrichtungen immer ausreichend eingesetzt und genutzt wurden, muß bezweifelt werden. Nach Aussage des Düsseldorfer Kreisphysikus in der Mitte der 70er Jahre fanden in den Bleiweißfabriken keine Untersuchungen der Arbeiter durch Fabrikärzte statt, die Bäder wurden nur selten benutzt, und es gab nicht genügend Arbeitskittel. Der Kreisphysikus empfahl aus diesen Gründen dringend eine sanitätspolizeiliche Beaufsichtigung der Bleiweißfabriken.

Auf die mangelhafte Kontrolle der Betriebe durch staatliche Behörden in der frühindustriellen Phase wurde bereits hingewiesen. Die sporadischen Besuche des Kreisphysikus und der Ortsbehörden reichten nicht aus, um Änderungen herbeizuführen. Auch von den Fabrikärzten konnte man keine Hilfe erwarten, da sie eine Überwachung der Arbeitsplatzbedingungen nicht als ihre Aufgabe betrachteten.[245]

Da die Gesundheit der Arbeiter auch von ihrem eigenen Verhalten am Arbeitsplatz abhing, forderte die Regierung ausdrücklich die Aufklärung der Fabrikarbeiter.[246] Am häufigsten und schwersten erkrankten nach Aussage der Unternehmer die Leute, die besonders unreinlich und nachlässig waren. Das lag zum Teil auch daran, daß die Schutzvorschriften sehr hinderlich waren.[247] Sicherlich bemühten sich auch die Arbeitgeber in unterschiedlichem Maße um die Aufklärung ihrer Arbeiter und die Arbeitsplatzbedingungen.[248]

---

[243] Ebd., fol. 85 f.

[244] HStA D., Reg. Düsseldorf 10749, fol. 137 f.; Reg. Köln 8856, fol. 73 f., 143; E. Beyer, Fabrikindustrie, S. 74 f.

[245] HStA D. Reg. Düsseldorf 24971, fol. 12 ff. Laut Fabrikinspektorbericht vom 8. 12. 1876 badeten bei Deus & Moll von 17 Arbeitern einer keinmal, drei einmal und 13 zweimal pro Woche; bei M. Müller & Söhne von 13 Arbeitern einer keinmal, zehn einmal und zwei sechsmal pro Woche. Ebd., fol. 7, 39 f.

[246] HStA D. Reg. Düsseldorf 10749, fol. 36 f., 51 f. Vereinzelt erfolgte die Aufklärung durch Fabrikordnungen wie z.B. 1864 bei Deus & Moll. Vgl. ebd., fol. 86.

[247] Ebd., fol. 9 f., 20 ff., 78.

[248] HStA D., Reg. Düsseldorf 24971, fol. 34 ff., aber auch die von Wilhelm Leyendecker verfaßte Schrift: Abhandlung über die nachtheiligen Einwirkungen von Blei auf die Gesundheit der in Bleifarben-Fabriken beschäftigten Arbeiter und über die wirksamsten Mittel, diesem Übelstande zu begegnen.

Einige Zahlenangaben mögen das Ausmaß der in den Bleiweißfabriken aufgetretenen Krankheitsfälle veranschaulichen. Bei der Firma Leyendecker, deren Inhaber sich besonders der Gesundheitsvorsorge in der Branche annahmen, erkrankten in der ersten Hälfte der 70er Jahre jährlich ca. 6–18 % aller Arbeitskräfte. Dieser Wert wurde in den Düsseldorfer Bleiweißbetrieben noch übertroffen. Zwischen 12 und 52 % der Arbeiter bei Deus & Moll bzw. Müller & Söhne erkrankten in der zweiten Hälfte der 1870er Jahre.[249] Dabei ist zu bedenken, daß in dieser Zeit die Betriebszugehörigkeit der meisten Beschäftigten weniger als ein Jahr betrug.[250] Da eine Verfügung der Düsseldorfer Regierung vom 31.1.1827 die Einstellung von Personen verbot, die schon mehrfach krank gewesen waren und insgesamt eine schwache Konstitution hatten,[251] stellten die Bleiweißfabriken immer wieder neue Arbeitskräfte ein. Diese Anordnung wurde eingehalten, wie aus dem 1867 verfaßten Bericht des Fabrikinspektors über Deus & Moll hervorgeht.[252]

Am 8.12.1876 beschäftigten Deus & Moll siebzehn Arbeiter in der Bleiweißproduktion. Von diesen waren nur drei je einmal bleikrank gewesen. Zum gleichen Zeitpunkt arbeiteten bei M. Müller & Söhne unter sechzehn Arbeitnehmern zwei Personen, die einmal eine Bleikolik gehabt hatten, ein weiterer Arbeiter war aus dem gleichen Grund zweimal arbeitsunfähig gewesen.[253]

Im Bleiweißbetrieb Dr. Schüler gab es laut einer Erhebung vom 27.8.1864 unter zehn Arbeitern einen akut an Bleikolik erkrankten Arbeiter, ein weiterer war zu einem früheren Zeitpunkt erkrankt gewesen, und zwei Arbeiter hatten vorher zweimal wegen Krankheit gefehlt.[254]

Zu Gesundheitsschädigungen kam es nicht nur in der Bleifarbenindustrie, sondern auch in den anderen Farbbetrieben bestanden Gefahrenquellen.

Ebenso wie die Zinkweißherstellung war auch die Ultramarinfabrikation mit starker Staubentwicklung verbunden. Kritische Arbeitsprozesse waren bei der Ultramarinherstellung die Rohstoffzerkleinerung und die Pulverisierung des fertigen Ultramarins. Der dabei anfallende Staub verursachte Atmungs- und Verdauungsbeschwerden. Laut Bericht der Firma Leverkus von 1874 und nach Aussage des Fabrikinspektors im gleichen Jahr sollen jedoch keine wesentlichen Gesundheitsschäden aufgetreten sein,[255] weil die stauberzeugenden Arbeitsgänge in den Betrieben des Reg. Bezirks Düsseldorf nur in gut durchlüfteten Hallen stattfanden.[256]

In den älteren Ultramarinfabriken fand der Fabrikinspektor Beyer 1874 noch schlechte sanitäre Anlagen vor. Dagegen führte er einzelne Mißstände in

---

249 H. Amendt, Arbeitnehmer, Tab. 153, Tabellenteil, S. 304–308.
250 Vgl. S. 141.
251 HStA D., Reg. Düsseldorf 10749, fol. 51 f.
252 Ebd., fol. 130.
253 HStA D., Reg. Düsseldorf 24971, fol. 39 f.
254 HStA D., Reg. Düsseldorf 10749, fol. 73 f.
255 HStA D., LA Solingen 366, fol. 5; E. Beyer, Fabrikindustrie, S. 72 f., 75.
256 E. Beyer, Fabrikindustrie, S. 72 f., 75.

neueren Betrieben darauf zurück, daß die gesundheitsgefährdenden Neben-
wirkungen und Gefahren neuer Fabrikationsmethoden nicht immer gleich
erkannt würden.[257] Dies ist wahrscheinlich zu allen Zeiten ein Problem der
chemischen Industrie gewesen.

Störungen durch unangenehme Gerüche und Dämpfe traten häufig in den
Firnissiedereien und Lackkochereien auf, da aufgrund der Konzessionsauf-
lagen während des Siedevorgangs Türen und Fenster dicht geschlossen blieben,
um eine Belästigung der Nachbarn zu vermeiden.[258] Die Barmener Lackkoche-
rei A. Dahl gab 1873 an, ein Verfahren zu besitzen, bei dem eine Geruchsbelästigung des beistehenden Kochers völlig ausgeschlossen sei.[259]

Bei der Farbenfabrik Hilgers war das Auflösen der Pikrinsäure mit Gefahren
verbunden. Es entstanden dabei mit Säure angereicherte Wasserdämpfe,
die mit der Zeit gesundheitsschädliche Wirkungen auf die Arbeiter hatten. Am
19. Oktober 1869 forderte daher der Medizinalrat, die mit Pikrinsäure erfüllten Dämpfe auf unschädliche Weise zu beseitigen. Im gleichen Jahr wurde die
Firma zur Einrichtung von Speise- und Ankleideräumen verpflichtet.[260]

In der Alizarinfabrik Neuhaus, vorm. Frische in Elberfeld waren die Arbeit-
nehmer 1876 bei der Bereitung der Sulphan-Säure und der Verarbeitung des
Ätz-Natrons durch umherspritzende Flüssigkeit gefährdet und trugen deshalb
Schutzbrillen.[261]

Für die Anilinfarbenfabriken stellte die Verwendung von Arsen ein großes
Problem dar. Gerieten z.B. die Hände mit arsenikhaltiger Flüssigkeit in Berührung, so entstanden oft kleinere Geschwüre an den Händen, die aber meist
schnell und ohne Folgeschäden abheilten, wenn die Arbeit rechtzeitig unterbrochen wurde. Schlimmer waren die Anfang der 60er Jahre auftretenden
Vergiftungen, die auf den Genuß von arsenikhaltigem Trinkwasser zurückzuführen waren. Die Gefahren der Anilinfarbenherstellung waren zu dieser
Zeit noch wenig bekannt, und daher existierten keine Betriebsvorschriften.

Bei Bayer bereitete die Fuchsinfabrikation den Beschäftigten eine sehr unangenehme Arbeit: Der Inhalt des Schmelzkessels mußte auf Bleche geschöpft
werden. Dabei kamen häufig schwere Arsen- und Blauölvergiftungen vor. Die
Arbeiter „lösten" das Problem auf ihre Art: Sie legten zusammen, und für 2,5
Sgr. fand sich immer jemand, dem es angeblich nichts ausmachte, den Kessel
auszuschöpfen.[262] In den 70er Jahren wurden die in der Arsenherstellung beschäftigten Arbeiter mit Fabrikkleidern und Holzschuhen ausgestattet und zu

[257] Ebd., S. 67.
[258] Die Seifensiederei Ritzdorff in Bonn erhielt derartige Auflagen im Jahre 1869
(StA Bonn, P 327), der Hildener Firnisbetrieb der Firma Wiederhold am 17.9.1877 (100
Jahre Wiederhold, S. 90).
[259] HStA D., Reg. Düsseldorf 24925, fol 140.
[260] StA Köln, Long. 300; HStA D., Reg. Köln 8856, fol. 155.
[261] StA Wuppertal, J III–101.
[262] H. Pinnow, Werksgeschichte, S. 21.

häufigem Baden angehalten.[263] Bei Bayer waren 1872 eigens Speiseräume vorhanden. Dort hatte jeder Arbeiter ein Schränkchen zur Unterbringung seiner Eßwaren und einen Haken zur Aufbewahrung der Kleider. Nach der Arbeit sollten sich die Beschäftigten gründlich reinigen. Bei Nichteinhaltung dieser Vorschriften hatte die Firma ihrer Fabrikordnung gemäß das Recht, Strafgelder zu fordern.[264]

Eigentliche Arbeitsunfälle sind nur wenige bekannt. Beispielsweise wurden 1877 drei Arbeiter durch einen überkochenden Kessel in der Düsseldorfer Firnisfabrik Diederichs und in der Benzin- und Farbwarenfabrik Dr. Greiff in Longerich bei Köln verletzt. Der Unfall bei Diederichs hätte nach Meinung des Fabrikinspektors durch die Anwendung eines Luft- oder Sandbades vermieden werden können.[265] 1876 muß eine Explosion und Entzündung von Naphthalin in der Schwärzefabrik von W. A. Hospelt, Ehrenfeld, stattgefunden haben.[266]

4.9. KRANKENKASSEN

Ein ungelöstes Problem in der frühindustriellen Phase war die Versorgung der erkrankten Arbeiter. Im Reg. Bez. Düsseldorf existierte eine Verfügung vom 11.12.1826,[267] nach der die Fabrikanten verpflichtet wurden, die Heilungskosten für ihre Arbeiter zu übernehmen. Inwieweit diese Verordnung jedoch realisiert wurde, ist nicht mehr nachprüfbar. Darüberhinaus war der Lebensunterhalt des erkrankten Arbeiters und seiner Familie ungesichert, da der Arbeiter während der Krankheit keinen Lohn erhielt.[268] Staatliche sozialpolitische Maßnahmen waren im frühen 19. Jahrhundert noch sehr spärlich und betrafen in erster Linie die Handwerker, die zunächst schutzbedürftiger erschienen als die Fabrikarbeiter.[269]

Die ersten Hilfskassen des 19. Jahrhunderts hatten sich nach dem Vorbild der zünftischen Büchsen, Bruderschaften und Laden gebildet, die als „Frühform der Sozialversicherung"[270] zu betrachten sind. Diese aufgrund von Einzelinitiativen errichteten Kassen wurden durch die Preußische Allgemeine

---

[263] E. Beyer, Fabrikindustrie, S. 70, 75; H. Pinnow, Werksgeschichte, S. 23.
[264] WA Bayer 10/15.
[265] HStA D., Reg. Düsseldorf 24925, fol. 200; StA Köln, 403−VII−1−56.
[266] HStA D., Reg. Köln 2158, fol. 321.
[267] HStA D., Reg. Düsseldorf 10749, fol. 29 ff.
[268] Ebd., fol. 29 ff.
[269] Dies resultierte aus der Einführung der Gewerbefreiheit und dem daraus folgenden Niedergang des zünftischen Versorgungswesens.
[270] L. Puppke, Sozialpolitik, S. 51.

Gewerbeordnung vom 17.1.1845 legalisiert und die Schaffung neuer Kassen unter behördlicher Aufsicht erlaubt. Die Gemeinden erhielten das Recht, den Beitritt für Gesellen und Gehilfen durch Ortsstatut verbindlich zu machen. Auch Fabrikarbeiter durften die Mitgliedschaft erwerben, doch erst die Novelle zur Gewerbeordnung vom 9.2.1849 gab den Gemeinden die Möglichkeit, per Ortsstatut die Fabrikarbeiter zum Beitritt und die Unternehmer zu Beitragszahlungen zu verpflichten.[271]

Die Hilfskassenbewegung machte zunächst nur geringe Fortschritte, da die gesetzlichen Verfügungen noch relativ unverbindlich waren.[272] Erst durch das Gesetz über die gewerblichen Unterstützungskassen vom 3.4.1854 wurde die Entwicklung beschleunigt. Es räumte den Bezirksregierungen das Recht ein, „von sich aus Ortsstatuten für Kassen zu erlassen und damit als Genehmigungsbehörde auch stärker als zuvor Einfluß auf die Statutengestaltung zu nehmen".[273]

Im Jahre 1860 gab es in Preußen immerhin schon 779 Unterstützungskassen für Fabrikarbeiter, zu denen auch die Unternehmer Beiträge leisteten. 1874 war die Zahl auf 1931 Kassen mit über 450.000 Mitgliedern angewachsen.[274] Eine Vereinheitlichung des Hilfskassenwesens wurde durch das Gesetz über die eingeschriebenen Hilfskassen vom 7.4.1876 angestrebt.[275] Die Gründung von Unterstützungskassen wurde wesentlich erleichtert, alle neu entstehenden Kassen sollten gleiche Leistungen erbringen und die Rechte und Pflichten ihrer Mitglieder einheitlich festsetzen. Eine endgültige gesetzliche Regelung blieb jedoch der Bismarckschen Sozialgesetzgebung vorbehalten.

Die Arbeiter der rheinischen Farbenindustrie waren teils Mitglieder der örtlichen gewerblichen Unterstützungskassen, teils wurden sie aus betrieblichen Kassen unterstützt. Solche Kassen, deren Gründung auf die Initiative der Unternehmer zurückging, entstanden lange vor den oben beschriebenen gesetzlichen Maßnahmen.[276] Sie können als „Wegbereiter der deutschen Krankenversicherung"[277] bezeichnet werden.

In den Farbwerken des Rheinlandes wurden im Vergleich mit anderen Unternehmen[278] erst relativ spät Fabrikkrankenkassen eingerichtet. 1868

---

[271] R. Schwenger, Betriebskrankenkassen, S. 8.

[272] K. Lohmann, Sozialpolitik, S. 57 f.

[273] L. Puppke, Sozialpolitik, S. 53.

[274] W. Fischer, Pionierrolle, S. 40.

[275] L. Puppke, Sozialpolitik, S. 56.

[276] Einen kurzen historischen Abriß über die frühen Betriebskrankenkassen gibt K. Friede, Betriebskrankenkassen, S. 7−11.

[277] R. Schwenger, Betriebskrankenkassen, S. 29.

[278] In der Dürener Industrie gab es seit 1804 etliche Betriebskrankenkassen. F. Decker, Sozialordnung, S. 178 ff.; Krupp richtete seine Krankenkasse 1836 ein. R. Ehrenberg, Krupp Studien, S. 55, 121 ff.; Die Maschinenfabrik Esslingen besaß seit 1846 eine Krankenkasse. H. Schomerus, Arbeiter Maschinenfabrik Esslingen S. 180. Aus dem Kölner Wirtschaftsraum ist die Gründung einer betrieblichen Krankenkasse im Jahre 1788 bekannt. H. Zieger, Wohlfahrtspflege, S. 39 ff.

gründeten Deus & Moll eine Fabrikarbeiterkrankenkasse,[279] der alle Arbeiter beitreten mußten.[280] In der Bleiweißfabrik Leyendecker, Köln, wurde 1879 die Gründung einer solchen Kasse vorgenommen.[281]

Über die Versorgung der übrigen, in den Bleifarbenwerken beschäftigten Arbeiter ist nur wenig bekannt. In Euchen, Reg. Bez. Aachen, waren die Arbeiter der Bleiweißfabrik Wildenstein 1826 in einer besonders schlechten Lage: Der Bürgermeister hatte veranlaßt, daß kein mit Bleikolik behafteter Arbeiter Unterstützung aus der Gemeindekasse erhielt, wie es bei anderen erkrankten Armen der Fall war.[282] 1864 waren alle Arbeiter der Elberfelder Bleiweißfabrik Dr. Schüler in der gewerblichen Unterstützungskasse.[283] Dagegen berichtete der Kreisphysikus am 12.9.1864 von der Düsseldorfer Bleiweißfabrik Deus & Moll, daß der Fabrikherr zu keiner Unterstützung der Arbeiter verpflichtet wäre und die Privatladen anfangen würden, die Bleiweißarbeiter aufzunehmen.[284] Nach dem Revisionsbericht von 1869 mußten die Arbeiter der Firmen M. Müller & Söhne der Düsseldorfer Unterstützungskasse beitreten. Daß sich die örtlichen Unterstützungskassen über den Beitritt wohl wenig gefreut haben, zeigt sich u.a. daran, daß M. Müller & Söhne 1876 gezwungen waren, einen um 50 % höheren Beitrag als die übrigen der Kasse zugehörigen Fabriken zu zahlen.[285]

In den anderen Zweigen der Farbenindustrie wurden eigene Fabrikarbeiterunterstützungskassen nur von folgenden größeren Unternehmen unterhalten.
– Zinkhütte/Zinkweißbetrieb Vieille Montagne, Eppinghofen (1855 nachweisbar).[286]
– Ultramarinbetrieb A. Vorster, Düsseldorf (1862 gegr.).[287] Laut Kassenstatut vom 1.1.1866 hatte jeder Fabrikarbeiter, soweit er nicht anderweitig versichert war, der Kasse beizutreten. Für den Wochenbeitrag von 2 Sgr. erhielt der gemäß Attest des Fabrikarztes krankgeschriebene Arbeitnehmer 2 Tlr. pro Woche nebst freier ärztlicher Behandlung und Medizin. Die Unterstützung wurde auch nach Tagen bezahlt. Krankheiten, die nach Aussage des Arztes selbstverschuldet bzw. durch Unachtsamkeit entstanden waren, begründeten keinen Unterstützungsanspruch. Bei Tod eines Kassenmitgliedes erhielten die Hinterbliebenen 10 Tlr. Sterbegeld. Der Fabrikinhaber, der Kassenverwalter war, zahlte 50 % der wöchentlichen Beiträge. Straf-

---

[279] HStA D., Reg. Düsseldorf 24971, fol. 28.
[280] HStA D., Reg. Düsseldorf 10749, fol. 138.
[281] HStA D., Reg. Köln 2174, fol. 202 f.
[282] HStA D., Reg. Düsseldorf 2158, fol. 2.
[283] Ebd., fol. 73.
[284] Ebd., fol. 86.
[285] HStA D., Reg. Düsseldorf 24971, fol. 38.
[286] LHA Koblenz, 403–8306, fol. 302 f.
[287] StA Düsseldorf, II–351, fol. 257, 263 f.

gelder infolge Übertretung der Fabrikordnung flossen der Krankenkasse zu.[288]

— Dampfkesselfabrik J. Piedboeuf und Ultramarinfabrik von J. P. Piedboeuf vorm. Aug. Vorster (1872 zusammengelegt)[289] :

In der gemeinsamen Kasse wurde laut Statut neben dem Eintrittsgeld von einem halben Tageslohn ein Beitrag von 6 Pfg. pro Taler Lohn erhoben. Der Unternehmer, der die Hälfte der Arbeitnehmerbeiträge an die Kasse zu zahlen hatte, verwaltete die Kasse zusammen mit drei gewählten Kassen-Vorstehern. Neben freier ärztlicher Behandlung und kostenlosen Arzneimitteln erhielt jedes erkrankte Kassenmitglied vom vierten Krankheitstage an eine Geldunterstützung von der Hälfte des täglichen Lohnes. Bei Verletzungen wurde der Krankenlohn sofort vom Unfalltage an bezahlt. Bei nicht ausreichenden Kassenmitteln sollte das Krankengeld zeitweilig auf 1/3 des täglichen Lohnes, bei verheirateten Arbeitnehmern aber nicht unter 1,5 Tlr. gesenkt werden. Das Krankengeld war längstens auf 6 Monate festgesetzt. Bei Tod des Erkrankten vor dieser Zeit sollte das Geld noch bis zwei Wochen nach dem Tod an die Hinterbliebenen gezahlt werden. Das Sterbegeld betrug 10 Tlr. Außerordentliche Unterstützungen wie Witwen- und Waisengelder konnten nur vom Kassenvorstand bewilligt werden.

— Alizarinbetrieb Bayer & Co. (1872 nachweisbar)[290] :

Die Unterstützungskasse von Bayer kannte bessere Bedingungen als die bisher aufgeführten. Neben freier ärztlicher Hilfe durch zwei selbst zu bestimmende Ärzte und einem Sterbegeld von 25 Tlrn., stand dem erkrankten Arbeiter eine Barunterstützung von 3 Tlrn. pro Woche oder 15 Sgr. pro Tag zu. Freie ärztliche Hilfe und Krankengeld wurden für 52 Wochen gewährt — nur verringerte sich in der zweiten Hälfte dieser Zeit das Krankengeld um die Hälfte. Unterbrechungen der Krankheit bis zu 13 Wochen schufen keinen neuen Unterstützungsfall. Der Mitgliedsbeitrag betrug 2 Sgr. pro Woche. Die Firma zahlte 50 % der Beiträge. Mit Austritt aus der Firma erlosch jeder Kassenanspruch. Eine Erkrankung, die während des Arbeitsverhältnisses eintrat und dem Mitglied Kassenansprüche sicherte, durfte nicht als Entlassungsgrund angesehen werden.[291] 1877 wurde ein Statut der „Fabrikarbeiter-Unterstützungskasse von F. Bayer & Comp. eingeschriebene Hilfskasse in Elberfeld" erlassen.[292]

— Farbenwerk ter Meer & Co., Uerdingen (1879 nachweisbar).[293]

---

[288] Ebd., fol. 257, 263 f. Bei Kassengründung bezuschußte Vorster die Kasse mit 100 Talern (fol. 61).

[289] StA Düsseldorf, II–351, fol. 309 ff.

[290] WA Bayer 10/15: Unter den allgemeinen Bestimmungen des Reglements vom 5.10.1872 war zu lesen: „Wer krank ist oder die Arbeit aussetzen will, hat sich jedesmal zu entschuldigen, und wird ohne dieses nichts aus der Krankenkasse bezahlt". und „Die ... verwirkten Strafen werden ... der Krankenkasse zu Gute gebracht".

[291] Farbenfabriken vorm. Friedr. Bayer & Co., Bd. 3, S. 544 f., Bonhoeffer gibt für die Errichtung der Unterstützungskasse das Jahr 1873 an.

[292] Ebd., Bd. 3, S. 545; WA Bayer 221/15.

[293] HStA D., Reg. Düsseldorf 24658, fol. 27.

Die wenigen betrieblichen Unterstützungskassen stellten zwar erfreuliche, doch späte und geringe Anfänge dar. Sie besaßen nur eine geringe Unterstützungsfähigkeit. Die Versorgung der invaliden Kassenmitglieder, der Familienmitglieder und der Witwen und Waisen von verstorbenen Kassenangehörigen fehlte gänzlich. Immerhin linderten die betrieblichen Kassen die größte Not, während der Staat noch untätig war.

In den kleineren Betrieben der Farbstoffindustrie gab es keine Unterstützungskassen. Die Arbeitnehmer besaßen keinen Schutz, wenn sie nicht irgendeiner freiwilligen Vereinigung oder einer der in den 1860er Jahren gebildeten Ortsunterstützungskassen angehörten.[294] Nur für wenige Kassen kann der mitgliedsberechtigte oder − verpflichtete Personenkreis abgesteckt werden. Während die Unternehmen Deus & Moll, A. Vorster bzw. J. P. Piedboeuf jeden Arbeitnehmer verpflichteten einzutreten,[295] bestand bei Bayer & Co. laut Statut von 1877 nur eine Beitrittspflicht der männlichen Arbeitnehmer ab 16 Jahren.[296]

4.10. FAMILIEN- UND LEBENSVERHÄLTNISSE DER ARBEITNEHMER

Wieviele Personen durch das Einkommen der Arbeitnehmer in der Farbenindustrie der Rheinprovinz ernährt werden mußten, kann wegen Datenmangels nur an einigen Unternehmen gezeigt werden. Während 1821/22 in den drei Rußhütten des Reg. Bez. Trier jeweils ca. drei bis vier Familienmitglieder auf einen Arbeitnehmer kamen,[297] waren es im Mineralblaubetrieb Chr. Weber zu Kirchberg (Kr. Jülich) 1821−1831 zwischen ein und acht Personen. Das Smaltewerk des Reg. Bez. Düsseldorf zählte in den Jahren 1839−1853 durchweg zwei bis drei Familienmitglieder pro Beschäftigten.[298] Ein ähnliches Zahlenverhältnis ergab sich für die Farbenfabrik Leverkus in den 1850er Jahren. Achtzig Arbeitnehmer hatten für insgesamt 300 Menschen zu sorgen.[299]

Auf eine geringere Zahl von Familienmitgliedern pro Arbeitnehmer kommt man in den Zinkweißbetrieben der Vieille Montagne und von W. Grillo.[300] Aus diesen Angaben läßt sich schließen, daß in der Farbenindustrie verhältnismäßig wenige verheiratete und viele jüngere Männer arbeiteten. Dies traf vermutlich vor allem für die gesundheitsgefährdende Bleiweiß- und Zinkweißindustrie zu.

[294] H. Amendt, Arbeitnehmer, Tab. 154, Tabellenteil, S. 310 ff.
[295] StA Düsseldorf, II−351, fol. 233, 263, 310.
[296] H. Amendt, Arbeitnehmer, Tab. 158, Tabellenteil, S. 338 ff.
[297] HStA D., BA Düren 431, fol. 260 ff.
[298] Vgl. H. Amendt, Arbeitnehmer, Tab. 159, Tabellenteil S. 351 f.
[299] Leverkus. Fortschritt, Wachstum und Verantwortung, o.p. (S. 3).
[300] Vgl. H. Amendt, Arbeitnehmer, Tab. 159, Tabellenteil, S. 352 f.

Werfen wir noch einen Blick auf die Wohnverhältnisse eines Teils der Arbeitnehmer. Die mit der heranwachsenden Industrie steigende Nachfrage nach Arbeitskräften hatte u.a. zur Folge, daß es an den Industriestandorten zu größeren Bevölkerungsakkumulationen kam.[301] Die Nachfrage nach Wohnungen stieg entsprechend an und konnte nicht ausreichend befriedigt werden.[302] Boden- und Mietpreise erreichten unangemessene Höhen, so daß viele Arbeiter nicht einmal eine bescheidene Wohnung mieten konnten.[303]

In ländlichen Gegenden mußten die Arbeiter dagegen häufig längere Anmarschwege zu ihrem Arbeitsplatz zurücklegen, da in unmittelbarer Nähe keine Wohnungen vorhanden waren.[304]

Die Beseitigung der Wohnungsnot war eine wichtige sozialpolitische Aufgabe dieser Zeit,[305] deren Lösung die Unternehmer auf verschiedene Weise in Angriff nahmen,[306] während der Staat auch hierin untätig war. Sie errichteten Wohnheime für die unverheirateten Arbeitskräfte, Mietwohnungen für Arbeiterfamilien oder gewährten Darlehen zum Bau von Eigenheimen.[307] Der betriebliche Wohnungsbau diente nicht nur den Interessen der Beschäftigten, sondern war für die Unternehmer ein Mittel, tüchtige Arbeitskräfte an die Firma zu binden[308] und darüberhinaus die Integration der Arbeiter in die Gesellschaft zu fördern.[309]

Über die Wohnungsfürsorge der Farbenindustrie des Rheinlandes bis 1875 ist nur wenig bekannt. Aus einer Aufstellung der Betriebe des Stadtkreises Düsseldorf für 1874[310] geht hervor, daß Deus & Moll eine Wohnung besaßen, die dem Werkmeister zur Verfügung stand. Die Firnissiederei Diederichs & Co. hatte ebenfalls eine Wohnung, während der Ultramarinbetrieb J. P. Piedboeuf über zwei Wohnungen verfügte. Da in diesem Jahr fünfzig Arbeitnehmer in diesen drei Betrieben beschäftigt waren, konnte nur ein geringer Teil der Belegschaft von den werkseigenen Wohnungen profitieren. Wahrscheinlich wurden sie langjährigen[311] oder besonders qualifizierten Arbeitskräften vorbe-

---

[301] Auf die Entwicklung im Kölner Raum geht H. Zieger, Wohlfahrtspflege, S. 65 ff. ein.
[302] Eine Schilderung der Verhältnisse in der Stadt Aachen bei A. Thun, Industrie Niederrhein 1, S. 56 ff.
[303] Auf die Problematik einer Bewertung vergangener Wohnverhältnisse weist A. Kraus, Wohnverhältnisse, S. 164, 181 hin.
[304] F. Decker, Sozialordnung, S. 140.
[305] P. Mieck, Unternehmer , S. 150; G. Schulz, Arbeiter und Angestellte, S. 254.
[306] Auf dem Gebiet der Wohnungsfürsorge ging die Firma Krupp den übrigen Unternehmen bahnbrechend voraus. W. Kley, Krupp, S. 59 ff.
[307] P. Mieck, Unternehmer, S. 149, 168 ff.; F. Decker, Sozialordnung, S. 172 ff.; H. Zieger, Wohlfahrtspflege, S. 65 ff.
[308] A. Günther, Wohlfahrtseinrichtungen, S. 33 ff.
[309] H. Zieger, Wohlfahrtspflege, S. 75; F. Decker, Sozialordnung, S. 178.
[310] StA Düsseldorf, II−179.
[311] Auf den Aspekt der Belohnung betriebstreuer Arbeitskräfte geht G. Schulz, Arbeiter und Angestellte, S. 350 ein.

halten. Dagegen waren 1874 bei Leverkus die meisten der 130 Arbeitnehmer in fabrikeigenen Wohnungen untergebracht.[312] Welche Kosten oder Verpflichtungen den Bewohnern entstanden, ist nicht bekannt. Für die Firma Bayer trat die Notwendigkeit der Wohnungsfürsorge erst mit der Gründung des Werkes Leverkusen auf. In Elberfeld rekrutierten sich die Arbeitskräfte hauptsächlich aus der ortsansässigen Bevölkerung, so daß sich der Werkswohnungsbau erübrigte.[313] Eine Ausnahmesituation trat im Jahr 1873 ein: die von Bayer & Co. angeworbenen schlesischen und polnischen Arbeiter fanden keine Unterkunft und mußten im Betrieb selbst über den Bütten und Schmelzöfen übernachten.[314] In der ersten Hälfte des 19. Jahrhunderts war es noch üblich, daß Unternehmer und Beschäftigte in den Räumlichkeiten des Betriebes oder in angrenzenden Gebäudeteilen wohnten.[315].

[312] HStA D., LA Solingen 366, fol. 5.
[313] Bayer Wohnungswesen, S. 7.
[314] Vgl. H. Pinnow, Werksgeschichte, S. 39.
[315] Vgl. F. Decker, Sozialordnung, S. 81.

5. DIE UNTERNEHMER DER FARBENINDUSTRIE

Die Unternehmer der Farbenindustrie werden einmal unter dem Aspekt ihres gesellschaftlichen Umfeldes analysiert. Dabei muß sich dieser, die Unternehmerforschung weiterführende Ansatz[1] auf Beispiele beschränken, die durch die Quellenlage vorgegeben sind. Darüberhinaus hat die Bewältigung ökonomischer Probleme durch die Unternehmer interessiert. Dieser Komplex kann teilweise auch nur exemplarisch erfaßt werden, doch zeichnen sich hier unter Berücksichtigung der Darlegungen in den Abschnitten über den technischen Fortschritt sowie Produktion und Absatz tendenzielle Antworten ab.

5.1. ZUR HERKUNFT DER UNTERNEHMER

5.1.1. REGIONALE HERKUNFT

Die Erforschung der räumlichen Herkunft der Unternehmer der Farbenindustrie erfolgt nicht in dem Bemühen, Unterschiede im Wirtschaftsstil von Unternehmern verschiedener landsmannschaftlicher Abstammung im Sinne von Däbritz[2] und Wiedenfeld[3] zu typologisieren. Sie soll vielmehr zeigen, ob sich die Unternehmerschaft des hier behandelten Wirtschaftszweiges überwiegend aus Einheimischen oder aus Zugewanderten zusammensetzte und wie groß die Zuwanderungsdistanzen waren.

Die regionale Herkunft der Unternehmer der Farbenindustrie wurde nach zwei Richtungen hin bestimmt. Sie wurde einmal, zur Ermittlung der räumlichen Mobilität, am Geburtsort der Unternehmer gemessen, zum anderen, um spezifische standortbedingte Gründe des Ortswechsels miteinzuschließen, am letzten Wohnort vor Antritt der Unternehmerfunktion. In den folgenden Tabellen kennzeichnet Raum 1 den Ort des Unternehmenssitzes, Raum 2 das Gebiet der Rheinprovinz mit Ausnahme des Ortes des Unternehmenssitzes, Raum 3 sonstige preußische und deutsche Gebiete und Raum 4 das Ausland nach den Grenzen von 1871. Außerdem sind die Herkunftskriterien stets dem Zeitabschnitt zugeordnet, in dem die Farbenproduktion aufgenommen wurde.

---

[1] Vgl. die in Anmerkung 35, S. 8 genannten Arbeiten.
[2] W. Däbritz, Der deutsche Unternehmer, S. 255 ff.
[3] K. Wiedenfeld, Herkunft der Unternehmer, S. 257 ff.

Tab. 31: Die regionale Herkunft von Unternehmern der Farbenindustrie
(gemessen am letzten Wohnort der Unternehmer vor Antritt der Unternehmerfunktion)

	1800–1820	1821–1840	1841–1860	1861–1875
Raum 1	Joh. Rethel [4]	Ed. Vossen [5] Frz. Vossen [6] F.A. Deus [7] H.Wh. Uckermann [8] Dr. C. Leverkus [9]	W.A. Hospelt [12] Fr. Wh. Curtius [13] L.A. Curtius [14] Jul. Curtius [15] Fr. Curtius [16] R.F. Haarhaus [17] Dr. Chr. Wöllner [18] C.A. Lindgens sen. [19] Ad. Lindgens [20] C.A. Lindgens jun. [20] Bapt. Junckerstorff [21] J. Odenthal [22] W. Leyendecker [23] J.J. Steinbüchel [24]	Fr. Bayer [25] Fr. Weskott [26] Ed. Tust [27] Wh. Hilgers [28] C. Jäger [29] O. Jäger [30] H. Jäger [31] J.W. Weiler [32] Ad. Junckerstorff [33] Leo Vossen [34] A. Vossen [34] J. Leverkus [35] C. Leverkus [35] Dr. F. Schönfeld [36] A. Monheim [37] V. Monheim [38] H. Monheim [38] B. Boisserée [39] F. Coblenzer [40] A. Herbig [41] M. Kemp [42] J. Wessel [42] W.A. Nierstrass [43] P.J. Trimborn [44] J.J. Wiederhold [45] Wh. Volger [45] Wh. Wolfs [46] A. Bergmann [47] M. Müller [48] G. Müller [49] J.M. Uckermann [50]

161

	1800–1820	1821–1840	1841–1860	1861–1875
Raum 2		K.G. Bischof ([10]) H. Moll ([11])		A. Siller ([51]) L. Abels ([52])
Raum 3				C. Gessert ([53]) Th. Gessert ([53]) Dr. J. Gessert ([53])
Raum 4				C. Rumpff ([54])
Untersuchte Fälle	1	7	14	37
Insgesamt		59		

Tab. 32: Die regionale Herkunft von Unternehmern der Farbenindustrie (gemessen am Geburtsort der Unternehmer)

	1800–1820	1821–1840	1841–1860	1861–1875
Raum 1		F. Vossen [58] Dr. C. Leverkus [59]	E. Vossen [63] L.A. Curtius [64] Fr. Curtius [65] J. Curtius [65] R.F.W. Haarhaus [66] B. Junckerstorff [67] C. Lindgens [68] Wh. Leyendecker [69]	Fr. Bayer [74] Fr. Weskott [75] C. Jäger [76] O. Jäger [76] H. Jäger [76] L. Vossen [77] A. Vossen [77] Dr. F. Schönfeld [78] B. Boisserée [79] A. Junckerstorff [80]
Raum 2	F. Mannes [55] G. Wöllner [56]	F.A. Deus [60] H. Moll [60]	Dr. Chr. Wöllner [70] F.W. Curtius [71] C.A. Lindgens [72]	Aug. Siller [81] Jul Leverkus [82] C. Leverkus [82] A. Herbig [83] F. Schmoll [84]
Raum 3		K.G. Bischof [61] J.Ph. Kleberger [62]		C. Rumpff [85] J.J. Wiederhold [86]
Raum 4	Joh. Rethel [57]		A. Lindgens [73]	
Untersuchte Fälle	3	6	12	17
Ingesamt		38		

[4] A.J. Roth, Aachener Farbindustrie, S. 24.

[5] R.G. Bojunga, 100 Jahre L. Vossen & Co., o.p.; A.J. Roth, Aachener Farbindustrie, S. 52; HStA D., Reg. Aachen 13631, fol. 67, 74, 77, 80, 85.

[6] HStA D., Reg. Aachen 13631, fol. 67, 74, 77, 80, 85.

[7] StA Düsseldorf, XXIII–222, Bericht Adolf Junckerstorff vom Jahre 1915, S. 3.

[8] RWWA, 1–4–4, fol. 11; StA Köln 403–XX–1–59, Steuerlisten 1828, 1829.

[9] Leverkus, die Familie, S. 13.

[10] P. Diergart, Stellung, S. 195.

[11] StA Düsseldorf, XXIII–222, Bericht Adolf Junckerstorff vom Jahre 1915, S. 2.

[12] Kölner Stadtanzeiger Nr. 269 vom 17.6.1893.

[13] E. Schwoerbel, Friedrich Wilhelm Curtius, S. 10.

[14] WA Henkel, Bestand Matthes & Weber 125, Firmenzirkular vom 20.11.1850; C.v. Berg, Geschichte der Familie Curtius, S. 198.

[15] C.v. Berg, Geschichte der Familie Curtius, S. 198; Curtius, die Familie, S. 83.

[16] Curtius, die Familie, S. 83.

[17] E. Geldmacher, 100 Jahre Herbig-Haarhaus, o.p.

[18] HStA D., Reg. Köln 2190, fol. 118.

[19] C.v. Berg, Geschichte der Familie Lindgens, Bd. 2, S. 185 f.

[20] Ebd., S. 212 ff.

[21] StA Düsseldorf, XXIII–222, Bericht Adolf Junckerstorff vom Jahre 1915, S. 1 f.

[22] StA Köln, 403–XX–1–47: Schieffer, Präsident des Kgl. Gewerbegerichtes am 24.4.1846.

[23] Kölnische Zeitung Nr. 515 vom 22.6.1891.

[24] HStA D., Reg. Köln 8851, fol 165, 166, 176.

[25] W. Köllmann, Friedrich Bayer, S. 7 f.

[26] R. Weskott, Friedrich Weskott, S. 135 f.

[27] WA Bayer 1/4, Entwicklung der Farbenfabrik Friedrich Bayer, Ms. Vorgeschichte 1860–1881, S. 5.

[28] HStA D., Reg. Köln 8855, fol. 100.

[29] R. W. Carl, Carl Jäger Anilinfarbenfabrik, S. 8.

[30] Ebd., S. 12.

[31] Ebd., S. 9, 19.

[32] C. Eberhardt, Chemische Fabriken vorm. Weiler-ter-Meer, o.p.

[33] StA Düsseldorf, XXIII–222, Bericht Adolf Junckerstorff vom Jahre 1915, S. 2.

[34] R.G. Bojunga, 100 Jahre L. Vossen & Co., o.p.

[35] Leverkus, die Familie, S. 26.

[36] Kölnische Zeitung Nr. 1296 vom 17.12.1904

[37] F. Monheim, Monheim, S. 4.

[38] Adreßbuch Aachen 1861, S. 162.

[39] HStA D., Reg. Köln 8863, fol. 111, 123.

[40] J. Klersch, Reichsstadt, S. 17; HStA D., Reg. Köln 1272, fol. 75; RWWA, 1–4–7, fol. 202.

[41] E. Geldmacher, 100 Jahre Herbig-Haarhaus, o.p.

[42] HStA D., Reg. Köln 1272, fol. 29, 75.

[43] Ebd., fol. 100.

[44] HStA D., Reg. Köln 8854, fol. 74.

[45] 100 Jahre Wiederhold, S. 19.

[46] HStA D., Reg. Köln 1272, fol. 75.

[47] G.A. Walter, Mineralfarbenindustrie, S. 173.

[48] StA Düsseldorf, XXIII–222, Bericht Adolf Junckerstorff vom Jahre 1915, S. 5.

[49] Ebd., S. 5; StA Düsseldorf, II–183, Notabelnliste Düsseldorf 1873.

[50] StA Köln, 403–E–3–44, Steuerliste 1867; RWWA, 1–21–4, Auszug aus dem Handelsregister.

[51] WA Bayer 1/4, Entwicklung der Farbenfabriken Friedrich Bayer, Ms. Vorgeschichte 1860–1881, S. 3.

[52] HStA D., Reg. Köln 8863, fol. 111, 123.

[53] WA Bayer 3/2: E. Kritzner, I.G. Leverkusen an Karl Lupp, Direktionsabteilung Elberfeld am 3.1.1877, Abschrift eines verblichenen Briefes.

[54] WA Bayer 1/4, Entwicklung der Farbenfabriken Friedrich Bayer, Ms. Vorgeschichte 1860–1881, S. 3.

[55] H. Vogts, Kölner Friedhöfe, Spalte 76, Nr. 188.

[56] Kölnische Zeitung Nr. 25 vom 10.1.1898.

[57] A.J. Roth, Aachener Farbindustrie, S. 24.

[58] R.G. Bojunga, 100 Jahre L. Vossen & Co., o.p.; A.J. Roth, Aachener Farbindustrie, S. 52.

[59] Leverkus, die Familie, S. 13.

[60] StA Düsseldorf, XXIII–222, Bericht Adolf Junckerstorff vom Jahre 1915, S. 2 f.

[61] P. Diergart, Stellung, S. 195.

[62] HStA D., Reg. Düsseldorf 10749, fol. 9.

[63] A.J. Roth, Aachener Farbindustrie, S. 52; R.G. Bojunga, 100 Jahre L. Vossen & Co., o.p.; HStA D., Reg. Aachen 13631, fol. 67, 74, 77, 80, 85.

[64] C.v. Berg, Geschichte der Familie Curtius, S. 208.

[65] WA Henkel, Bestand Matthes & Weber 188, Friedrich und Julius Curtius.

[66] E. Geldmacher, 100 Jahre Herbig-Haarhaus, o.p.

[67] StA Düsseldorf, XXIII–222, Bericht Adolf Junckerstorff vom Jahre 1915, S. 2.

[68] C.v. Berg, Geschichte der Familie Lindgens, Bd. 2, S. 219, Nr. VII–98, S. 212, Nr. VII–97.

[69] Kölnische Zeitung Nr. 515 vom 22.6.1891.

[70] Kölnische Zeitung Nr. 25 vom 10.1.1898.

[71] E. Schwoerbel, Friedrich Wilhelm Curtius, S. 1.

[72] C.v. Berg, Geschichte der Familie Lindgens, Bd. 2, S. 185, Nr. VI, S. 126.

[73] C.v. Berg, Geschichte der Familie Lindgens, Bd. 2, S. 212, Nr. VIII, S. 7.

[74] W. Köllmann, Friedrich Bayer, S. 7 f.

[75] R. Weskott, Friedrich Weskott, S. 135 f.

[76] R.W. Carl, Carl Jäger Anilinfarbenfabrik, S. 8 ff.

[77] R.G. Bojunga, 100 Jahre L. Vossen & Co., o.p.

[78] Kölnische Zeitung Nr. 1296 vom 17.12.1904.

[79] Geschlossen aus: R. Steimel, Mit Köln versippt, Bd. 1, S. 38, Tafel 21.

[80] StA Düsseldorf, XXIII–222, Bericht Adolf Junckerstorff vom Jahre 1915, S. 3.

[81] WA Bayer 1/4, Entwicklung der Farbenfabriken Friedrich Bayer, Ms. Vorgeschichte 1860–1881, S. 3.

[82] Leverkus, die Familie, S. 23, 26. Julius und Carl Leverkus wurden in Wermelskirchen geboren, traten jedoch erst nach der Betriebsverlegung nach Leverkusen die Unternehmerfunktion an.

[83] E. Geldmacher, 100 Jahre Herbig-Haarhaus, o.p.

[84] StA Köln, 435–Ehrenf. 146: Kgl. Reg. an Bürgermeister Schulz in Ehrenfeld, 27.6.1870.

[85] Geschlossen aus: WA Bayer 1/4, Entwicklung der Farbenfabriken Friedrich Bayer, Ms. Vorgeschichte 1860–1881, S. 10.

[86] 100 Jahre Wiederhold, S. 84.

Die regionale Herkunft der Unternehmer, gemessen am Geburtsort, ist uns in 38 Fällen bekannt. Davon kamen zwanzig (ca. 52 %) aus Raum 1, zwölf (ca. 31 %) aus Raum 2, vier (ca. 10 %) aus Raum 3 und zwei (ca. 5 %) aus Raum 4.[87] Von 59 Unternehmern kennen wir den letzten Wohnort vor Antritt der Unternehmerfunktion. 51 (ca. 86 %) kamen davon aus Raum 1, vier (ca. 6 %) aus Raum 2, drei (ca. 5 %) aus Raum 3 und einer der Unternehmer aus Raum 4.[88]

Die Farbenindustrie der Rheinprovinz wurde also überwiegend von ortsansässigen Unternehmern begründet. Ein Beispiel dafür ist Friedrich Bayer,[89] der 1825 in Barmen geboren wurde. Nach Abschluß seiner Lehrzeit in der Barmer Firma Wesenfeld & Co., einer chemischen Fabrik, blieb er noch einige Zeit als leitender Angestellter in diesem Unternehmen, verließ jedoch diese Stellung um die Jahrhundertmitte, um sich als Farbenhändler unter der Firma Friedrich Bayer selbständig zu machen. Aus diesem Handelsgeschäft ging im Jahre 1863 die Barmer Teerfarbenfabrik Friedr. Bayer & Co. hervor.
Der Unternehmensgründung am Heimatort ging jedoch nicht selten ein längerer Auslandsaufenthalt voraus. Leverkus studierte auch in Paris, Franz Schönfeld war nach dem Studium in Gießen und Heidelberg als wissenschaftlicher Assistent an der Universität London tätig. F.W. Curtius und Adolf Lindgens sammelten Fabrikationskenntnisse in England.[90]

Eine erhöhte räumliche Mobilität der Unternehmer läßt sich nur innerhalb der Rheinprovinz feststellen. Sie fand in der Regel während des Ausbildungs- und ersten Karriereverlaufs statt. Daraus erklärt sich auch, daß in der Tabelle 32, in der die regionale Herkunft am Geburtsort gemessen wurde, ein verhältnismäßig hoher Prozentsatz der Unternehmer aus Raum 2 stammte, nämlich 31,5 % von 38 Unternehmern, während in Tabelle 31, in der die regionale Herkunft am letzten Wohnort vor Antritt der Unternehmerfunktion gemessen wurde, nur noch 6,7 % von 59 Unternehmern aus Raum 2 kamen. Es hatte sich eine eindeutige Verlagerung nach Raum 1, dem Ort des Unternehmenssitzes, vollzogen. In Tabelle 32 finden wir etwa 52 % von 38 Unternehmern in Raum 1, in Tabelle 31 hingegen 86 % von 59 Unternehmern. Ausbildungs- und Karrierevorteile, die Köln für die Kaufleute des 19. Jahrhunderts als Sitz bekannter Handelsunternehmen bot, waren vermutlich für Adolph Herbig, der in Burbach/Siegerland geboren war, ausschlaggebend für

---

[87] Siehe Tabelle 32, S. 163.
[88] Siehe Tabelle 31, S. 161 f.
[89] WA Bayer 1/4, Entwicklung der Farbenfabriken Friedrich Bayer, Ms. Vorgeschichte 1860–1881, S. 1 ff.
[90] 100 Jahre Dr. Fr. Schoenfeld & Co.; Kölnische Zeitung Nr. 1296 v. 17.12.1904; M. Schumacher, Auslandsreisen, S. 49 f.

die Übersiedlung nach Köln. Bevor er in einem Kölner Vorort die Unternehmerfunktion in der Firnis- und Lackfabrik Herbig-Haarhaus im Jahre 1871 übernahm, war er längere Zeit als Reisender für die Farbengroßhandlung und Firnisfabrik Haarhaus tätig gewesen.[91]

Standortvorteile gegenüber dem Herkunftsort veranlassten Carl Leverkus, sich im Jahre 1864 im Raume Köln niederzulassen. Der ursprüngliche Standort, seine Heimatstadt Wermelskirchen, in der er als erster in Preußen die Herstellung von Ultramarin aufgenommen hatte, lag fern von Wasserstraßen und Bahnverbindungen, wodurch sowohl der Bezug der Rohstoffe als auch der Versand der fertigen Ware erheblich verteuert wurde.[92] Dieser Nachteil konnte nach 1848, als sein Patent für die Ultramarinherstellung in Preußen abgelaufen war und ihm durch neue Fabriken Konkurrenz entstand, auch durch technische Verbesserungen im Wermelskirchener Werk nicht behoben werden, so daß eine Betriebsverlegung unausweichlich wurde.[93]

5.1.2. BERUFLICHE HERKUNFT

Die berufliche Herkunft der Unternehmer der Farbenindustrie ist in 98 Fällen bekannt. Darunter waren etwa 49 % Kaufleute, 22 % Fabrikanten, 12 % Apotheker und Chemiker, 6 % Hochschulabsolventen anderer Studienrichtungen, ferner zwei Verwaltungsbeamte, und acht der Unternehmer kamen aus unterschiedlichen Berufen.[94]

Die Kaufleute waren zum überwiegenden Teil vor der Übernahme der Unternehmerfunktion in der Farbenindustrie Inhaber eines Farb- und Materialwarengeschäftes oder einer Kommissions- und Speditionsfirma. Sie hatten durch den Chemikalienhandel und -versand bereits eine Beziehung zu chemischen Produkten, zumal sie sich neben dem Handel teilweise auch in der Herstellung versuchten. Im hier behandelten Zeitraum wurde das Handelsgeschäft nach der Gründung einer chemischen Fabrik in vielen Fällen beibehalten und diente als Absatzstelle für einen Teil der erzeugten Produkte. Typisch für diese Kategorie sind Wilhelm Anton Hospelt, Carl Anton Lind-

---

[91] E. Geldmacher, 100 Jahre Herbig-Haarhaus, o.p.
[92] Leverkus. Fortschritt, Wachstum und Verantwortung, o.p. (S. 44); G.A. Walter, Mineralfarbenindustrie, S. 22.
[93] Vgl. S. 70 f., 202 f.
[94] Siehe Tab. 33, S. 168 ff. Eine wirtschaftliche und gesellschaftliche Einordnung der ‚Fabrikanten' und ‚Kaufleute' ist nicht möglich, so daß die Begriffe in dieser Hinsicht einen weiten Bereich abdecken.

Tab. 33: Die berufliche Herkunft von Unternehmern der Farbenindustrie

	1800–1820	1821–1840	1841–1860	1861–1875
Inhaber eines Farb- und Materialwarengeschäftes	H.H. Essingh [95]	F. Vossen [102] Ph. Kleberger [103] H.Wh. Uckermann [104]	W.A. Hospelt [112] E. Vossen [113] M. Neven [114] E. Cuntze [115] F.W. Fuchs [116] M.F.W. Norrenberg [117] Haarhaus [118] J.H. Rossum [119] Wh. Wolfs [120]	O. Bredt [134] J. Dahl [135] F. Dahl [136] F. Bayer [137] C. Jäger [138] F. Coblenzer [139] W.A. Nierstras [140] M. Kemp [141] J. Wessel [141] A. Court [142] A. Baur [142] F. Wever [143]
Inhaber eines Kommissions- und Speditionsgeschäftes			C.A. Lindgens [121] C. Lindgens [121] A. Lindgens [121]	J.W.A. Weiler [144] L. Abels [145] B. Boisserée [146]
„Kaufmann" (ohne weitere Angaben)	P.A. Fonck [96] F. Mannes [97] Brüninghausen [98]	Koch [105]	J.J. Steinbüchel [122] M.F. Norrenberg [123]	C. Richter [147] F. Schmoll [148] M. Breitenbach [148] S.A. Weide [149] J.W. de Foy [150] F.A. Koll [151] F.W. Voß [151] F. Kretzer [152] G. Norrenberg [153]
Angestellter Kaufmann				C. Rumpff [154] A. Herbig [155]

	1800–1820	1821–1840	1841–1860	1861–1875
Fabrikanten der chemischen Industrie		B. Sternenberg [106]	F.W. Curtius [124] L.A. Curtius [125] J. Curtius [126] F. Curtius [126]	J. Boedecker [156] A. Vossen [157] L. Vossen [157] Wh. Hilgers [158] H. Jäger [159] J. Leverkus [160] C. Leverkus [160] A. Junckerstorff [161] I.M. Uckermann [162]
Fabrikanten in anderen Branchen	Villeroy [99]	F.A. Deus [107] H. Moll [107]	B. Junckerstorff [127] J. Odenthal [128] Wh. Leyendecker [129] Boch [130]	M. Müller [163]
Chemiker		Dr. C. Leverkus [108] Prof. K.G. Bischof [109]	Dr. Chr. Wöllner [131]	Dr. B. Sieber [164] A. Siller [165] Dr. Ph. Greiff [166] Dr. H. Tillmanns [167] Dr. F. Schönfeld [168]
Apotheker	G. Wöllner [100]	de Raadt [110] Dr. J.P.J. Monheim [111]	Hrch. Cuntze [132]	
Arzt				Dr. J. Köhler [169]
„Akademiker" (ohne nähere Angaben)				Dr. J. Gessert [170] Dr. Born [170] Dr. Weyll [170] Dr. Schüler [171] Dr. A. Bagh [172]

169

	1800–1820	1821–1840	1841–1860	1861–1875
Landrat				Simons ([173])
Wagenlackierer			Siré ([133])	
Farmer in Amerika				O. Jäger ([174])
Anstreichermeister				Trimborn ([175])
Färbereibes.				Fr. Weskott ([176])
Ang. i. e. chem. Fabrik				F. Hax ([177])
Fachmann, „Meister"				A. Zigan ([178])
Beamter, (Praefekturrat)	J. Rethel ([101])			
Selbständ. Schneiderm.				J.J. Wiederhold ([179])
Colorist, (Färber)				Wh. Volger ([179])
Untersuchte Fälle	7	11	25	55
Insgesamt			98	

[95] G.A. Walter, Mineralfarbenindustrie, S. 51.

[96] H. Milz, Kölner Großgewerbe, S. 65.

[97] H. Vogts, Kölner Friedhöfe, Spalte 76, Nr. 188.

[98] G.A. Walter, Mineralfarbenindustrie, S. 51.

[99] Ebd., S. 92.

[100] Kölnische Zeitung Nr. 25 vom 10.1.1898.

[101] A.J. Roth, Aachener Farbindustrie, S. 24.

[102] R.G. Bojunga, 100 Jahre L. Vossen & Co., o.p.; A.J. Roth, Aachener Farbindustrie, S. 52.

[103] HStA D., Reg. Aachen 13631, fol. 42 ff.

[104] G.A. Walter, Mineralfarbenindustrie, S. 172.

[105] HStA D., Reg. Aachen 13631, fol. 42 ff.

[106] StA Köln, 403–E–3–66, Nachweisung der in der Bürgermeisterei Merheim vorhandenen Fabrikanlagen vom 24.11.1829.

[107] StA Düsseldorf, XXIII–222, Bericht Adolf Junckerstorff vom Jahre 1915, S. 2 f.

[108] Leverkus hatte Pharmazie und zusätzlich Chemie studiert. Leverkus. Fortschritt, Wachstum und Verantwortung, o.p., (S. 1).

[109] P. Diergart, Stellung, S. 195.

[110] HStA D., Reg. Düsseldorf 10749, fol. 73.

[111] LHA Koblenz, 403–11083, fol. 27.

[112] Kölner Stadtanzeiger Nr. 269 vom 17.6.1893; HStA D., Reg. Köln 1272, fol. 12.

[113] R.G. Bojunga, 100 Jahre L. Vossen & Co., o.p.

[114] J. Klersch, Reichsstadt, S. 146, Anm. 267; J.B. Scherer, Wilhelm Anton Hospelt, S. 7.

[115] HStA D., Reg. Köln 1272, fol. 99; Kölner Adreßbuch 1849, S. 175; Auskunft von Herrn Lapp-Cuntze vom 21.3.1963, nach Dipl.-Kfm. Helmut Klöckner.

[116] HStA D., Reg. Köln 8863, fol. 71; RWWA, 1–4–7, fol. 245; Kölner Adreßbuch 1849, S. 209.

[117] RWWA, 1–4–7, fol. 245; Kölner Adreßbuch 1849, S. 317.

[118] HStA D., Reg. Köln 1272, fol. 29 und 8851, fol. 132; E. Geldmacher, 100 Jahre Herbig-Haarhaus, o.p.

[119] RWWA, 1–4–7, fol. 202.

[120] HStA D., Reg. Köln 8851, fol. 129 f. und 1272, fol. 75; StA Köln 403–VII–2–35, Bekanntmachung des Bürgermeisters von Müngersdorf; Kölner Adreßbuch 1849, S. 415.

[121] C.v. Berg, Geschichte der Familie Lindgens, Bd. 2, S. 185 f.

[122] HStA D., Reg. Köln 8851, fol. 165.

[123] HStA D., Reg. Köln 8857, fol. 17.

[124] C.v. Berg, Geschichte der Familie Curtius, S. 194 ff.

[125] Ebd., S. 208.

[126] WA Henkel, Bestand Matthes & Weber 188, Friedrich und Julius Curtius.

[127] StA Düsseldorf, XXIII–222, Bericht Adolf Junckerstorff vom Jahre 1915, S. 2.

[128] StA Köln, 403–XX–1–47, Georg Dussel, Köln, an das Oberbürgermeisteramt Köln, 18.4.1846.

[129] Kölnische Zeitung Nr. 515 vom 22.6.1891.

[130] G.A. Walter, Mineralfarbenindustrie, S. 92.

[131] Kölnische Zeitung Nr. 25 vom 10.1.1898.

[132] Auskunft von Herrn Lapp-Cuntze vom 21.3.1963, nach Dipl.-Kfm. Helmut Klöckner.

[133] HStA D., Reg. Köln 8851, fol. 60.

[134] Adreßbuch Elberfeld 1864, S. 50; B. Kuske, Die übrigen Industrien, S. 458.

[135] Adreßbuch Elberfeld 1864, S. 80.

[136] B. Kuske, Die übrigen Industrien, S. 458.

[137] W. Köllmann, Friedrich Bayer, S. 7.

[138] R.W. Carl, Carl Jäger Anilinfarbenfabrik, S. 9.

[139] HStA D., Reg. Köln 1272, fol. 75; J. Klersch, Reichsstadt, S. 17; StA Köln, Long. 300, Verzeichnis der gewerblichen Anlagen in der Bürgermeisterei Longerich von 1888, mit Angabe des Konzessionsdatums.

[140] HStA D., Reg. Köln 1272, fol. 100; ebd., 8853, Rekursbescheid vom 8.2.1862; Adreßbuch Köln 1849, S. 36.

[141] HStA D., Reg. Köln 1272, fol. 29; StA Köln, Long. 300, Konzessionserteilung vom 21.3.1870.

[142] 100 Jahre Court & Baur, o.p.

[143] HStA D., Reg. Köln 1272, fol. 56.

[144] Geschichte Werk Uerdingen, S. 39.

[145] HStA D., Reg. Köln 8863, fol. 110.

[146] Ebd., fol. 110; R. Steimel, Mit Köln versippt, Bd. 1, S. 38, Tafel 21.

[147] Adreßbuch Elberfeld 1864, S. 326.

[148] StA Köln, 435−Ehrenf. 146, Kgl. Reg. Köln an Bürgermeister Schulz in Ehrenfeld, 27.6.1870.

[149] HStA D., Reg. Köln 8863, fol. 91.

[150] StA Bonn, 1811, Steuerlisten 1866.

[151] Adreßbuch Elberfeld 1864, S. 221.

[152] StA Köln, Long. 300, Konzessions-Verzeichnis vom 8.10.1875.

[153] HStA D., Reg. Köln 8853, fol. 66, 182.

[154] WA Bayer 1/4, Entwicklung der Farbenfabriken Friedrich Bayer, Ms. Vorgeschichte 1860−1881, S. 10.

[155] E. Geldmacher, 100 Jahre Herbig-Haarhaus, o.p.

[156] W. Langewische, Godesberg, S. 73.

[157] R.G. Bojunga, 100 Jahre L. Vossen & Co., o.p.

[158] StA Köln, Long. 300, Konzessionsverhandlungen 1868; HStA D., Reg. Köln 8855, fol. 116, 141.

[159] R.W. Carl, Carl Jäger Anilinfarbenfabrik, S. 9 f.

[160] Leverkus, die Familie, S. 26.

[161] StA Düsseldorf, XXIII−222, Bericht Adolf Junckerstorff vom Jahre 1915. S. 3.

[162] StA Köln, 403−E−3−44, geschlossen aus Steuerliste 1867; RWWA, 1−21−4, Auszug aus dem Handelsregister.

[163] StA Düsseldorf, XXIII−222, Bericht Adolf Junckerstorff vom Jahre 1915, S. 5; StA Düsseldorf, II−183, fol. 176, 209, 263.

[164] R.W. Carl, Carl Jäger Anilinfarbenfabrik, S. 19.

[165] WA Bayer 1/4, Entwicklung der Farbenfabriken Friedrich Bayer, Ms. Vorgeschichte, 1860−1881, S. 3.

[166] HStA D., Reg. Köln 8857, fol. 199; C. Eberhardt, Chemische Fabriken vorm. Weiler-ter-Meer, o.p.

[167] C. Eberhardt, Chemische Fabriken vorm. Weiler-ter-Meer, o.p.

[168] Kölnische Zeitung Nr. 1296 vom 17.12.1904.

[169] RWWA, 1−21−4, fol. 40; 1−4−11, fol. 23.

[170] WA Bayer 3/2, Abschrift eines verblichenen Briefes vom 5.8.1907.

[171] Adreßbuch Elberfeld 1864, S. 380.

[172] StA Köln, 435−Ehrenf. 146, Kgl. Reg. Köln an Bürgermeister Schulz in Ehrenfeld, 27.6.1870.

[173] WA Bayer 3/2, Abschrift eines verblichenen Briefes vom 5.8.1907.

[174] R.W. Carl, Carl Jäger Anilinfarbenfabrik, S. 12.

[175] HStA D., Reg. Köln 8854, fol. 63 ff.

[176] R. Weskott, Friedrich Weskott, S. 135 f.

[177] G.A. Walter, Mineralfarbenindustrie, S. 126 f., Anm. 5, Firma Raderschatt & Co.

[178] HStA D., Reg. Köln 8855, fol. 198.

[179] 100 Jahre Wiederhold, S. 84.

gens und Friedrich Bayer. Hospelt[180] war, nach einer im Jahre 1837 begonnenen kaufmännischen Lehre in der Farbwarenhandlung Mathias Neven in Köln, eine Zeitlang als Handelsreisender tätig gewesen, bevor er 1844 eine eigene Farb- und Materialwarenhandlung eröffnete. Im Jahre 1854 ging er zur Farbenerzeugung über, die Handlung gab er erst in den achtziger Jahren des 19. Jahrhunderts auf. Carl Anton Lindgens[181] führte seit dem Jahre 1827 in Köln ein Kolonialwarengeschäft, das 1829 in ein Kommissions-, Speditions- und Bankgeschäft umgewandelt wurde. Die Firma vertrat unter anderem die Newcastle Mennigefabriken. Als die guten Gewinnaussichten bei eigener Herstellung der Mennige erkannt wurden, übernahm er 1851 gemeinsam mit seiner Söhnen Adolf und Carl, die seit den vierziger Jahren seine Teilhaber waren, eine Bleimennigefabrik in Mülheim/Rhein; das Kommissions- und Speditionsgeschäft wurde beibehalten. Auch Friedrich Bayer betrieb neben der Anilinfarbenproduktion den Farbenhandel weiter.

Nur von zwei Kaufleuten konnte nachgewiesen werden, daß sie vor der Übernahme der Unternehmerfunktion als Angestellte tätig gewesen waren; sie wurden durch die Heirat von Unternehmertöchtern Teilhaber in den schwiegerväterlichen Farbenfabriken.[182]

Unterschiedliche Ausgangspositionen gab es auch in der Gruppe der Fabrikanten. Aus anderen Zweigen der chemischen Industrie kam eine erste Gruppe von Fabrikanten, die mit der Aufnahme der Farbenherstellung die wirtschaftliche Ausnutzung ihrer Grundstoffe und/oder Fertigprodukte vervollständigen konnten. Friedrich Wilhelm Curtius gründete im Jahre 1849, nach Ablauf des Patents von Leverkus mit seinem ältesten Sohn Julius und weiteren Teilhabern eine Ultramarinfabrik unter der Firma „Julius Curtius" in Duisburg. Die Grundstoffe Soda und Schwefel stammten aus der eigenen Schwefelsäure- und Sodafabrikation.[183]

Zum anderen finden wir unter den Fabrikanten zukünftige Betriebserben. Ihre Berufsausbildung richtete sich von vornherein auf die spätere Leitung von Farbenfabriken aus. So war Adolf Junckerstorff, der im Jahre 1872 — nach dem Ausscheiden seines Vaters — geschäftsführender Teilhaber der Düsseldorfer Bleiweißfabrik Deus & Moll wurde, bereits seit 1862 als Mitarbeiter bei den „häufigen Umänderungen und vielfach nötigen Versuchen bei neuen Einrichtungen"[184] in der Fabrik beteiligt.

[180] J.B. Scherer, Wilhelm Anton Hospelt, S. 7; Kölner Stadtanzeiger Nr. 269 vom 17.6.1893; G.A. Walter, Mineralfarbenindustrie, S. 177, Anl. VII; vgl. auch S. 204.
[181] C.v. Berg, Geschichte der Familie Lindgens, Bd. 2, S. 185 f., 212; G.A. Walter, Mineralfarbenindustrie, S. 134, Anm. 2; F. Blumrath, 100 Jahre Lindgens & Söhne, S. 9 ff.
[182] C. Rumpff: H. Pinnow, Werksgeschichte, S. 34; A. Herbig: E. Geldmacher, 100 Jahre Herbig-Haarhaus, o.p.; HStA D., Rep. 115, Gesellschafts-Reg. Nr. 1107.
[183] C.v. Berg, Geschichte der Familie Curtius, S. 194.
[184] StA Düsseldorf, XXIII—222, Bericht Adolf Junckerstorff vom Jahre 1915, S. 2; HStA D., Reg. Düsseldorf 24971, fol. 53 ff.

Schließlich wurden auch Fabrikanten aus anderen Branchen zu Unternehmern in der Farbenindustrie. Teilweise kamen sie aus Industriezweigen, deren Rohstoffe und Produkte gleichzeitig als Grundstoffe chemischer Produkte verwendet werden konnten, so daß — wie im Falle der „Fabrikanten aus anderen Zweigen der chemischen Industrie" — eine erhöhte Wirtschaftlichkeit erzielt wurde. Entsprechend stellten die Bleiröhrenfabrikanten Odenthal & Leyendecker seit 1854 aus dem Rohstoff Blei gleichzeitig Bleiröhren und Bleifarben her.[185]

Wissenschaftlich-technisch ausgebildete Apotheker, Chemiker und Hochschulabsolventen anderer Studienrichtungen übernahmen in der chemischen Farbenindustrie natürlicherweise häufiger und früher als in anderen Branchen Unternehmerfunktion.[186]

Die Gruppe der Unternehmer aus unterschiedlichen Berufen setzt sich zusammen aus einem Wagenlackierer, einem Anstreichermeister, einem Farmer in Amerika, einem Färbereibesitzer, einem Färber, einem „Fachmann", der sich selbst als „Meister für die Einrichtung von Mennigefabriken" bezeichnete, und einem Angestellten in einer chemischen Fabrik.[187] Auch zwei Verwaltungsbeamte wurden zu Farbenfabrikanten, und zwar der aus Straßburg zugewanderte Johannes Rethel, der während der napoleonischen Zeit in Aachen als Praefekturrat angestellt war und im Jahre 1804 eine Berlinerblau- und Salmiakfabrik gründete[188] sowie Landrat a.D. Simons, der zeitweilig Direktor der Aktiengesellschaft für Chemische Industrie vorm. Gebr. Gessert in Elberfeld war.[189]

Von den insgesamt 48 Kaufleuten, die zum Unternehmer in der Farbenindustrie wurden, war die überwiegende Mehrheit, nämlich ca. 44 %, in der Firnis- und Lacksiederei tätig, 23 % in der Bleifarben- und 17 % in der Teerfarbenindustrie. Zur Herstellung von Berlinerblau gingen 6 % der 48 Kaufleute über, jeweils 4 % produzierten Smalte und Ruß, 2 % Erdfarben.

Von den 22 Fabrikanten war die Hälfte in der Bleifarbenindustrie vertreten, ca. 27 % in der Ultramarin-, 13 % in der Erdfarben- und 9 % in der Teerfarbenindustrie. Ein Drittel der zwölf Apotheker und Chemiker engagierte sich in der Teerfarben-, ein Viertel in der Bleifarben-, ein Sechstel in der Berlinerblau- und jeweils ein Zwölftel in der Ultramarin-, der Künstlerfarbenindustrie und der Industrie der Firnisse und Lacke. Von den sechs Hochschulabsolventen anderer Studienzweige betätigten sich jeweils drei in der Teerfarben- und der Bleifarbenindustrie.

---

[185] Tab. 37, S. 210 ff.
[186] H.-J. Teuteberg, Westfälische Textilunternehmer, S. 25.
[187] S. Tab. 33, S. 168 ff.
[188] A.J. Roth, Aachener Farbindustrie, S. 24.
[189] WA Bayer 3/2, Abschrift eines verblichenen Briefes vom 5.8.1907.

Die beiden Verwaltungsbeamten waren in der Berlinerblau- und der Teer-farbenindustrie zu finden. Die Kategorie der Unternehmer aus „sonstigen" Berufen verteilt sich folgendermaßen: Ein ehemaliger Angestellter in einer Bleifarbenfabrik wurde zum Unternehmer der Bleifarbenindustrie und auch der „Fachmann" und „Meister" für die Errichtung von Mennigefabriken, der im Jahre 1868 von sich behauptete, alle Mennigefabriken im preußischen Staate eingerichtet zu haben,[190] machte sich mit der Gründung einer Mennige-fabrik selbständig. Der Unternehmersohn Otto Jäger,[191] der zunächst Farmer in Amerika gewesen war, trat nach dem Verkauf seiner Farm schließlich doch in die Firma seines Vaters ein und initiierte 1858 den Bau der Fuchsinfabrik in Barmen. Ebenfalls zum Teerfarbenfabrikanten wurde der Färbereibesitzer Weskott. Die Hälfte der Unternehmer aus „sonstigen" Berufen, nämlich vier von insgesamt acht, übernahmen die Produktion von Firnis- und Lack: der Anstreichermeister, der Wagenlackierer, der Färber und der selbständige Schneidermeister.

Es ist nur in wenigen Fällen möglich, Erklärungen für die Verteilung der einzelnen Berufsgruppen auf die verschiedenen Zweige der Farbenindustrie zu geben, zumal dabei persönliche und familiäre Beziehungen und auch der Zu-fall eine große Rolle spielten.[192]

Für die Entscheidung der Mehrzahl der Kaufleute, zur Firnis- und Lackfa-brikation überzugehen, gibt es einleuchtende Gründe: Viele der Drogerie-, Farb- und Materialwarenhändler hatten die unkomplizierte Herstellung von Firnissen und Lacken bereits viele Jahre in Kundenproduktion betrieben und sie anschließend aus dem Handelsgeschäft ausgegliedert und verselbständigt. Da die Fabrikation auch ohne bedeutendes Kapital aufgenommen werden konnte, war das Gründungsrisiko gering. Das niedrige Gründungskapital war sicherlich auch ausschlaggebend dafür, daß die Hälfte der Unternehmer aus „sonstigen" Berufen in dieser Branche tätig war. Wir können also in der Firnis- und Lackindustrie eine verhältnismäßig breite Streuung bei der beruflichen Herkunft der Unternehmer beobachten.

Auch die Tatsache, daß die Mehrzahl der Apotheker und Chemiker sowie die Hälfte der „Hochschulabsolventen" zur Teerfarbenindustrie übergingen, läßt sich erklären. Ausschlaggebend für dieses Ergebnis ist nämlich der Zeit-raum von 1861 bis 1873. Zu dieser Zeit hatte sich einmal die Ausbildungssi-tuation der Apotheker und Chemiker an den Universitäten durch die Errichtung von Laboratorien grundlegend verbessert, so daß die wirtschaftliche Nutzung wissenschaftlicher Erkenntnisse leichter als in früheren Zeiten möglich war. Zum anderen war der Bedarf an Wissenschaftlern durch die Entwicklung der

---

[190] August Zigan, HStA D., Reg. Köln 8855, fol. 198 v.

[191] R.W. Carl, Carl Jäger Anilinfarbenfabrik, S. 12.

[192] J.W. Weiler wurde beispielsweise durch seinen Schwager Otto Jäger zur Anilinöl-produktion in Köln veranlaßt, weil dieser Schwierigkeiten hatte, sich das teure Ausgangspro-dukt für seine Fuchsinproduktion zu beschaffen. Siehe dazu: C. Eberhardt, Chemische Fabriken vorm. Weiler-ter-Meer, o.p.; R.W. Carl, Carl Jäger Anilinfarbenfabrik, S. 17.

Teerfarben in Deutschland größer als jemals zuvor. Die „überragende Höhe" der deutschen Teerfarbenindustrie wäre – nach Redlich – ohne den durch Liebig initiierten, staatlich geförderten chemischen Experimentalunterricht an den Universitäten und den dadurch herangezogenen „Stamm von Chemikern"[193] nicht möglich gewesen.

5.1.3. SOZIALE HERKUNFT

In der Farbenindustrie, in der die soziale Herkunft nur in 26 Fällen für den Zeitraum 1821–1875 bekannt ist, waren zehn dieser Unternehmer Fabrikantensöhne und sechs kamen aus Kaufmannsfamilien. Zwei Unternehmer waren naturwissenschaftlich vorbelastet, ihre Väter waren Apotheker. Eine im Verhältnis dazu recht hohe Anzahl, nämlich sieben, der Unternehmerväter hatten selbständige handwerkliche und gehobene beamtete Posten inne. Es waren: ein Schreinermeister, ein Gerbereimeister, ein Landwirt und Bleicher, ein Seidenwirker sowie ein Schulrektor, ein kriegsversehrter Offizier und ein Arzt, der als Stadt- und Amtsphysikus angestellt war.[194]

Die zunehmend stärkere Rekrutierung der Unternehmer aus der Gruppe der Fabrikanten statt der Gruppe der Kaufleute wird auch in der Farbenindustrie in der zweiten Hälfte des 19. Jahrhunderts deutlich und erklärt sich mit aus der „Positionsvererbung", die sich in der Farbenindustrie um diese Zeit von der ersten auf die zweite Generation vollzog.

Auffallend ist, daß die Kategorie der „sonstigen" Berufe sowohl in der sozialen wie in der beruflichen Herkunft der Unternehmer nach 1860 anstieg. Wenn man auch in Anbetracht der überwiegend selbständigen oder beamteten Positionen nicht von einer erhöhten Aufstiegsmobilität zum Unternehmerberuf hin sprechen kann, so läßt sich doch feststellen, daß der enge Kreis der wirtschaftsnahen Berufe zu dieser Zeit durchaus durchbrochen wurde.

Die Herkunftsbeschreibung der rheinischen Farbenfabrikanten ergibt also, daß die Unternehmer in ihrer überwiegenden Zahl sozial und beruflich den Handel- und Gewerbetreibenden zuzuordnen sind und branchenbedingt die wissenschaftlich ausgebildeten einen für den Untersuchungszeitraum relativ hohen Anteil ausmachten. Damit werden Forschungsbefunde, die die Auffassung vom frühindustriellen Unternehmer aus allen sozialen Schichten mit hoher Aufstiegsmobilität widerlegten, erneut gestützt und bestätigt. Darüberhinaus kann die Feststellung von Beau, die Unternehmer der chemischen Industrie im Rheinland und in Westfalen kamen aus dem Gewerbe, aus dem Handel mit Drogen, pharmazeutischen Erzeugnissen, Buntmetallen und Farben wie zu einem erheblichen Teil aus dem Stand der Apotheker für den Bereich der Farben grundlegend differenziert werden.

[193] F. Redlich, Teerfarbenindustrie, S. 4 ff.
[194] S. Tab. 34, S. 177 f.

Tab. 34: Die soziale Herkunft von Unternehmern der Farbenindustrie
(nach dem Beruf des Vaters)

	1800–1820	1821–1840	1841–1860	1861–1875
Kaufmann		Vossen [195]	C.A. Lindgens d.J. [199] J. Leyendecker [200] A. Junckerstorff [201]	C.A. Boisserée [206] St. Schönfeld [207]
Kaufmann u. Gutsbesitzer			C.A. Lindgens d.Ä. [202]	
Fabrikant				Wh. A. Jäger [208]
Farben-fabrikant/ Fabrikant d. chem. Industrie			F.W. Curtius [203]	B. Junckerstorff [209] M. Müller [210] H.W. Uckermann [211] B. Sternenberg [212] Dr. J.P.J. Monheim [213] Dr. C. Leverkus [214] Frz. Vossen [215] C. Jäger [216]
Apotheker		G. Wöllner [196] J.W. Leverkus [197]		
Schreiner-meister			J. Hospelt [204]	
Schulrektor		Bischof [198]		
Gerberei-besitzer				Herbig [217]
Kriegsvers. Offizier				Wiederhold [218]

	1800–1820	1821–1840	1841–1860	1861–1875
Arzt (Stadt- und Amts- physikus)			L.A. Curtius ([205])	
Seiden- wirker				Bayer ([219])
Landwirt u. Bleicher				Weskott ([220])
Untersuchte Fälle	–	4	7	15
Insgesamt				26

5.2. GESELLSCHAFTLICHE STELLUNG UND MOBILITÄT DER UNTERNEHMER

Die hier vorgenommene Beurteilung der sozialen Stellung der Farbenunternehmer des Rheinlandes im gegebenen Zeitraum stützt sich in der Vorgehensweise weitgehend auf die Untersuchungen, die Hansjoachim Henning[221] und Hans Jürgen Teuteberg[222] für die westfälische Unternehmerschaft bzw. Teile davon bereits durchgeführt haben. Als Kriterien für die Erfassung des sozialen Status ziehen dabei beide die soziale Herkunft, sichtbar am Beruf des Vaters, das Konnubium sowie gesellschaftliche Kontakte in Vereinen und Bürgergesellschaften heran. Henning beschränkt sich bei der Untersuchung der Heiratsverbindungen auf die Ehepartner der von ihm erfaßten Unternehmer, während Teuteberg auch die Berufe der Schwiegersöhne und damit eventuelle Änderungen im personalen Verflechtungsverhalten beachtet. Er

---

[221] H. Henning, Soziale Verflechtungen.
[222] H.-J. Teuteberg, Westfälische Textilunternehmer.

ANMERKUNGEN ZU TABELLE 34

[195] A.J. Roth, Aachener Farbindustrie, S. 52; G.A. Walter, Mineralfarbenindustrie, S. 37.
[196] Kölnische Zeitung Nr. 25 vom 10.1.1898.
[197] Leverkus, die Familie, S. 10.
[198] P. Diergart, Stellung, S. 195.
[199] C.v. Berg, Geschichte der Familie Lindgens, Bd. 2, S. 185 ff.
[200] Kölnische Zeitung Nr. 515 vom 22.6.1891.
[201] StA Düsseldorf, XXIII−222, Bericht Adolf Junckerstorff vom Jahre 1915, S. 2.
[202] C.v. Berg, Geschichte der Familie Lindgens, Bd. 2, S. 152 ff.
[203] E. Schwoerbel, Friedrich Wilhelm Curtius, S. 1 ff.
[204] J.B. Scherer, Wilhelm Anton Hospelt, S. 7; Kölner Stadtanzeiger Nr. 269 vom 17.6.1893.
[205] E. Schwoerbel, Friedrich Wilhelm Curtius, S. 1.
[206] R. Steimel, Mit Köln versippt, Bd. 1, S. 38, Tafel 21.
[207] 100 Jahre Dr. Fr. Schoenfeld & Co.
[208] R.W. Carl, Carl Jäger Anilinfarbenfabrik, S. 8.
[209] StA Düsseldorf, XXIII−222, Bericht Adolf Junckerstorff vom Jahre 1915, S. 2.
[210] Ebd., S. 5 und St A Düsseldorf, II−183, fol. 176, 209, 263.
[211] Geschlossen aus: StA Köln, 403−E−3−44, Steuerliste 1867; RWWA, 1−21−4, Auszug aus dem Handelsregister.
[212] Geschlossen aus: StA Köln, 403−XX−1−81, Notabelnlisten Deutz 1858, 1865.
[213] Adreßbuch Aachen 1861, S. 162; LHA Koblenz, 403−11083, fol. 15.
[214] Leverkus, die Familie, S. 26.
[215] R.G. Bojunga, 100 Jahre L. Vossen & Co., o.p.
[216] R.W. Carl, Carl Jäger Anilinfarbenfabrik, S. 8, 9, 12, 19.
[217] E. Geldmacher, 100 Jahre Herbig-Haarhaus, o.p.
[218] 100 Jahre Wiederhold, S. 84.
[219] W. Köllmann, Friedrich Bayer, S. 7.
[220] R. Weskott, Friedrich Weskott, S. 135.

bezieht darüberhinaus noch eine Reihe weiterer Gesichtspunkte in seine Studie ein, so u.a. das öffentliche Wirken der Unternehmer in politischen und wirtschaftlichen Institutionen wie Stadträten oder Handelskammern und gesellschaftliche Ehrungen wie Titel- oder Ordensverleihungen. Henning, der allerdings erst die Zeit nach 1860 untersucht, geht von der aus Voruntersuchungen gewonnenen These aus, daß man die Unternehmerschaft in zwei Gruppen unterteilen kann: nämlich in die kommerzienrätlichen und-ratsfähigen Unternehmer sowie in die gewerblichen Unternehmer.[223] Diese beiden Gruppen unterscheiden sich nicht nur in ihrer wirtschaftlichen und gesellschaftlichen Stellung, denn mit der Verleihung des Titels Kommerzienrat bzw. Geheimer Kommerzienrat ist die Erfüllung einer Reihe von Voraussetzungen verbunden,[224] sondern es gibt, laut Henning, auch deutliche Unterschiede in ihrem sozialen Verhalten. Der hier mögliche Einwand, daß der Titel den betreffenden Unternehmern erst im Alter zwischen 55 und 60 Jahren verliehen wurde und auf einen großen Teil des Sozialverhaltens keinen Einfluß mehr nehmen konnte, verliert insofern an Bedeutung, als die Voraussetzungen für den Erwerb einer solchen sozialen Stellung und damit des Titels entweder ererbt oder aber bereits in jungen Jahren erworben worden waren und somit das Sozialverhalten davon doch schon früh beeinflußt wurde. In Hennings Untersuchungen wird deutlich, daß die „Kommerzienräte" ein viel exklusiveres Verhalten zeigten als die „gewerblichen Unternehmer". Sowohl die Rekrutierung der Mitglieder dieser Gruppe als auch die Heiraten beschränkten sich fast ausschließlich auf die eigene Schicht, in der es feine Differenzierungen z.B. nach Branche oder Besitzstand gab. In ihrem Streben nach Arrondierung ihres Besitzstandes und nach Bewahrung des Statussymbols der wirtschaftlichen Selbständigkeit zeigten die Großunternehmer ein Verhalten ähnlich dem der traditionellen Standeseliten, ohne sich jedoch mit diesen verbinden zu wollen.[225] Soziale Exklusivität zeigte sich auch bei den privaten und, wenn auch in geringerem Maße, bei den gesellschaftlichen Kontakten.[226]

Bei den gewerblichen Unternehmern war die soziale Mobilität dagegen größer. Auch hier konzentrierten sich Rekrutierung, Heiraten und gesellschaftliche Kontakte hauptsächlich auf die eigene Gruppe. Es gab jedoch große Randgruppen, in denen Kontakte und Verbindungen zu statusgleichen sozialen Gruppen, wie etwa dem Handwerk oder der nicht-akademisch gebildeten Beamtenschaft stattfanden, mit dem Ziel, den Besitz oder aber das soziale

---

[223] H. Henning, Soziale Verflechtungen, S. 3.
[224] Voraussetzungen für die Erlangung des Titels waren ein beträchtliches, nicht betriebsgebundenes Vermögen, eine hervorragende kaufmännische oder industrielle Stellung sowie allgemeine Verdienstlichkeit. Vgl. dazu H. Henning, Soziale Verflechtungen, S. 3; H.-J. Teuteberg, Westfälische Textilunternehmer, S. 37; P.H. Mertes, Sozialprofil, S. 167 ff.
[225] Vgl. dagegen W. Conze, Konstitutionelle Monarchie, S. 193.
[226] H. Henning, Soziale Verflechtungen, S. 4—19.

Ansehen zu sichern bzw. zu mehren. Sogar ein Aufstieg aus nichtbürgerlichen Schichten war in dieser Gruppe möglich, da ein Standesbewußtsein kaum ausgeprägt war und lediglich Leistung und Besitz zählten.[227]

Teuteberg, der das ganze 19. Jahrhundert untersuchte, nimmt zwar eine solche Einteilung nicht vor; seine Untersuchungen bestätigen aber in vielem die Ergebnisse Hennings. Auch er stellte fest, daß die weitaus größte Zahl der untersuchten Unternehmer aus Familien des Handels oder des Gewerbes kamen. In der zweiten Hälfte des 19. Jahrhunderts verlagerte sich die Rekrutierung des größten Teils der neuen Unternehmer von der Gruppe der Kaufleute auf die der Fabrikanten. Beim Konnubium zeigte sich dieselbe Tendenz. Der weitaus größte Teil der Ehepartner stammte aus der gleichen sozialen Schicht, zumeist sogar aus demselben Gewerbezweig. Bei den nachfolgenden Töchtern dagegen ist ein Trend zum Bildungsbürgertum festzustellen, wohl um die soziale Stellung zu festigen bzw. aufzuwerten. In ihren öffentlichen Kontakten zeigten auch die von Teuteberg untersuchten Unternehmer den Drang nach Exklusivität. So konnte man z.B. in die Bürgergesellschaften, in denen die städtischen Honoratioren, Unternehmer sowie das Bildungsbürgertum vertreten waren, nur auf den Vorschlag eines Mitglieds aufgenommen werden.[228] Die Betätigung in wirtschaftlichen, politischen und sonstigen Vereinigungen oder Institutionen diente den Unternehmern sowohl dazu, ihre gesellschaftliche Stellung zur Geltung zu bringen, als auch dazu, persönliche Vorteile durch den Einfluß auf wirtschaftliche oder politische Entscheidungen auf kommunaler Ebene zu erwirken.[229]

Die uns vorliegenden, aus Firmengeschichten, Unternehmerbiographien, allgemeinen Darstellungen zur Wirtschafts- und Sozialgeschichte des Rheinlandes sowie aus Archivmaterial gewonnenen Angaben bestätigen die vorstehenden Aussagen für den Bereich der Farbenunternehmer. Es muß aber an dieser Stelle ausdrücklich darauf hingewiesen werden, daß das vorhandene Material sehr spärlich ist. Von etwa 140 Unternehmern können in diesem Abschnitt nur achtzehn genauer untersucht werden und das sind vor allem erfolgreiche Leiter großer Unternehmen. Über die Inhaber von mittleren und kleinen Betrieben, die es häufig im Bereich der Mineralfarben sowie der Ruß- und Firnisherstellung gab, ist dagegen in der Literatur nichts zu finden. Daher ist es unmöglich, ein allgemein gültiges Bild vom Sozialverhalten der Farbenunternehmer im Rheinland zu zeichnen, und Einseitigkeiten wie Verzerrungen können nicht ausgeschlossen werden. Um mehr Informationen aus der schmalen Materialbasis zu gewinnen, wurde hier über die oben genannten Untersuchungskriterien hinaus auch die Entwicklung innerhalb einer Familie betrachtet, so daß Söhne nicht nur als weitere einzelne Unternehmer, sondern auch als Fortführer einer Familientradition gesehen wurden, an denen even-

---

[227] H. Henning, Soziale Verflechtungen, S. 19–29.
[228] H. Croon, Wirtschaftliche Führungsschichten, S. 321 ff.
[229] H.-J. Teuteberg, Westfälische Textilunternehmer, S. 23–37.

tuell der wirtschaftliche und damit auch soziale Aufstieg einer Familie sichtbar wird. Ebenso werden, soweit bekannt, die Berufe und Heiratsverbindungen weiterer Kinder der Unternehmer aufgeführt.

Unter den hier erfaßten achtzehn Unternehmern gab es neun Kommerzienräte bzw. Geheime Kommerzienräte.[230] Von diesen waren sechs wiederum gleichzeitig auch die Firmengründer und zwei bauten die jeweils von ihren Vätern gegründeten Unternehmen weiter aus. Von Friedrich Wilhelm Remy ist uns nicht bekannt, ob er selbst der Gründer war oder ob er die Firma nur übernommen hat, so daß eine Einordnung nicht möglich ist.

Der älteste unter den Gründern war Carl Leverkus, der, soweit uns die Daten vorliegen, als erster, nämlich 1873 zum Kommerzienrat ernannt wurde. Dann folgten sowohl in der Reihenfolge der Geburtsdaten als auch in der Reihenfolge der Gründung ihrer Unternehmen wie der Ernennung zum Kommerzienrat Wilhelm Leyendecker, Julius Curtius, Adolf Lindgens, Franz Schönfeld und Leo Vossen. Alle gründeten ihre Firmen zwischen dem 24. und 31. Lebensjahr. Die Söhne, die die Unternehmen bereits von ihren Vätern übernehmen konnten, waren Friedrich Bayer jun. und Carl Leverkus jun.. Der jüngere Friedrich Bayer wurde drei Jahre vor dem sechs Jahre älteren Carl Leverkus zum Kommerzienrat ernannt.

Bei den Firmengründern gibt es nur von Leverkus sen., Curtius und Lindgens Angaben über den sozialen Stand der Ehefrau. Fünf Jahre nach der Gründung seiner Firma, im Jahr der Patenterteilung (1838) für die Ultramarinherstellung, heiratete Leverkus eine Gutsbesitzerstochter. Dies war, zumindest noch in jener frühen Zeit, eine ungewöhnliche Verbindung und läßt auf ein bereits hohes gesellschaftliches Ansehen von Carl Leverkus schließen.[231] Dasselbe gilt für Julius Curtius, der mit der Tochter eines promovierten Advokaten, d.h. eines akademisch gebildeten Beamten, verheiratet war.[232] Adolf Lindgens, der die Firma zusammen mit seinem Vater und seinem Bruder gegründet hatte, war mit einer Kaufmannstochter verheiratet. Bei den Firmenchefs in zweiter Generation ist lediglich der Name der Frau von Carl Leverkus jun. bekannt. Weitere Angaben fehlen.

Wenn man die Heiratsverbindungen aller elf Kinder von Carl Leverkus sen. betrachtet, kann man feststellen, daß die These, nach der Mitglieder der Schicht der Kommerzienräte danach strebten, nur innerhalb der eigenen Gruppe Verbindungen einzugehen, in hohem Maße bestätigt wird: Die Väter von drei Schwiegerkindern waren ebenfalls Kommerzien- bzw. Geheime Kommerzienräte und alle elf Ehepartner stammten aus Kaufmanns- bzw. Fabrikan-

---

[230] Vgl. zum Folgenden auch Tab. 35, S. 184 ff.
[231] Vgl. Anm. 225; H.-J. Teuteberg, Westfälische Textilunternehmer, S. 25 ff.
[232] Nach A. Weißler, Geschichte der Rechtsanwaltschaft, S. 430, betrachtete Preußen seine Advokaten aufgrund des unbeschränkten Ernennungsrechts des Staates als Staatsbeamte. H. Hattenhauer, Geschichte des Beamtentums, S. 249, 252/253 gibt an, daß bis über die Jahrhundertmitte nur der Staat als Arbeitgeber für Juristen in Frage kam und daß die Justizbehörden verpflichtet waren, jeden Assessor mit bestandenem Examen anzustellen.

tenfamilien. Bei der Weiterverfolgung der Stammbäume wird sichtbar, daß die Berufs- und Heiratsmöglichkeiten in der dritten Generation offensichtlich zahlreicher waren, denn hier finden sich neben Fabrikanten und Kaufleuten mehrfach auch Offiziere, akademisch gebildete Beamte und Rittergutsbesitzer. Dies widerspricht zwar der Auffassung Hennings von dem strengen Exklusivitätsstreben, bestätigt aber Teutebergs Aussagen über die gegen Ende des 19. Jahrhunderts zunehmenden Verbindungen mit diesen wirtschaftlich zum Teil unterlegenen Schichten, die aber noch immer ein hohes Sozialprestige und den Charakter eines Statussymbols besaßen.[233] Die Heiratsverbindungen der Kinder und Enkelkinder von Adolf Lindgens ergeben dasselbe Bild. Die beiden Söhne von Adolf Lindgens, die das Werk des Vaters weiterführten, waren mit Töchtern von Kommerzien- bzw. Geheimen Kommerzienräten verheiratet. Die Verbindung zwischen Emil Lindgens und Clara Leverkus stimmt überein mit Croons Beobachtung, daß Familien aus derselben Branche sich gern durch Heiraten miteinander verbanden.[234] Leider liegt für unseren Bereich aber nur das eine Beispiel vor, so daß Croons Feststellung für die rheinischen Farbenunternehmer nicht generell bestätigt werden kann. Auch bei den Enkeln von Lindgens finden sich dann die Verbindungen zur akademisch gebildeten Beamtenschaft sowie zu den Gutsbesitzern.

Im Fall von Carl Leverkus, Wilhelm Leyendecker, Adolf Lindgens und Franz Schönfeld sind wir über Mitgliedschaften in öffentlichen und wirtschaftlichen Institutionen unterrichtet. Alle waren Stadtverordnete und, außer Schönfeld, Mitglieder der Handelskammer, zum Teil in leitender Position. So war Wilhelm Leyendecker Präsident der Handelskammer Köln und Lindgens stellvertretender Vorsitzender der Kammer Mülheim/Rhein. Beide übten auch die Tätigkeit eines Handelsrichters aus. Leverkus und Lindgens erhielten Orden, und Schönfeld engagierte sich besonders im Bereich der Kunst, was durch persönliche Neigung erklärt werden kann. Die Mitgliedschaften in diesen öffentlichen Einrichtungen sind mit dem Streben nach Stärkung der eigenen Wirtschaftskraft durch Einflußnahme auf die politischen Entscheidungen auf kommunaler Ebene sowie mit der solchermaßen möglichen Dokumentierung einer bestimmten sozialen Stellung zu erklären.[235]

---

[233] Vgl. dazu W. Conze, Konstitutionelle Monarchie, S. 192 ff; H. Croon, Wirtschaftliche Führungsschichten, S. 325.
[234] H. Croon, Wirtschaftliche Führungsschichten, S. 327 f.
[235] H.-J. Teuteberg, Westfälische Textilunternehmer, S. 33/35.

Tab. 35: Merkmale der sozialen Stellung der „Kommerzienräte"

Name	Name der Ehefrau	Name, Beruf, Titel des Schwiegervaters	Name, Beruf, Titel der Schwiegersöhne	Titel, Orden	Mitgliedschaft in politischen, wirtschaftlichen und kirchlichen Institutionen
Friedrich Bayer jun. (1851–1920)				1902 Kommerzienrat 1912 Geheimer Kommerzienrat [236]	
Julius Curtius (1818–1889)	Sophie Ohlenschlager [237]	Dr. Adam Ohlenschlager [237] Advokat		1877 Kommerzienrat [238]	
Dr. Carl Leverkus sen. (1804–1885)	Juliane Augusta Küpper [239]	Johann Peter Arnold Küpper [240] Gutsbesitzer	Rudolf Carl Schumacher Seidenfabrikant; Friedrich Johann Flender Kaufmann, Fabrikant; Albert Lausberg Fabrikant; Ernst Gustaf Schmidt Rittergutsbesitzer; Carl Eduard Anton Mann; Otto Berniger Fabrikant; Axel Carl Anton Homeier Oberstleutnant;	1873 Kommerzienrat 1884 Geheimer Kommerzienrat 1876 Kronorden III. Klasse Ehrenbürger von Wermelskirchen [242]	Stadtverordneter, 1. Beigeordneter Mitglied der Handelskammer [243]

Name	Name der Ehefrau	Name, Beruf, Titel des Schwiegervaters	Name, Beruf, Titel der Schwiegersöhne	Titel, Orden	Mitgliedschaft in politischen, wirtschaftlichen und kirchlichen Institutionen
			Emil Franz Lindgens Fabrikant ([241])		
Carl Leverkus jun. (geb. 1845)	Amalie Mann ([244])		Ernst Meyer Fabrikant; Dr. Arthur Mudra Konsul, Oberleutnant der Reserve ([245])	1905 Kommerzienrat ([246])	
Wilhelm Leyendecker (1816–1891)	Sofie Wilhelmine Fabricius ([247])	Ludwig Friedrich Fabricius ([247])		1876 Kommerzienrat ([248])	Stadtverordneter Mitglied und Vorsitzender der Handelskammer Köln Handelsrichter Mitglied des Volkswirtschaftsrates Mitglied des Eisenbahnrates ([249])
Adolf Lindgens (1825–1913)	Anna Maria Roeder ([250])	Johann Adam Roeder ([250]) Kaufmann		1896 Kommerzienrat 1905 Geheimer Kommerzienrat Roter Adlerorden IV. Klasse Portug. Ritterkreuz I. Klasse ([251])	Stadtverordneter, Beigeordneter Mitglied und stellvertretender Vorsitzender der Handelskammer Mülheim/Rh. Vorstandsmitglied der Berufsgenossenschaft Mitglied des Eisenbahnrates ([251])

Name	Name der Ehefrau	Name, Titel, Beruf des Schwiegervaters	Name, Beruf, Titel der Schwiegersöhne	Titel, Orden	Mitgliedschaft in politischen, wirtschaftlichen und kirchlichen Institutionen
Friedrich Wilhelm Remy (geb. 1840)				1884 Kommerzienrat ([252])	
Franz Schönfeld (geb. 1834)				1901 Kommerzienrat ([253])	Stadtverordneter Mitglied des Verwaltungsrates und des Vorstandes der städtischen Kunsthalle Mitglied des städtischen Galerievereins Mitglied des Kunstvereins f. Rheinland und Westfalen ([254])
Leo Vossen (1846–1910)				1898 Kommerzienrat ([255])	

Tab. 36: Merkmale der sozialen Stellung der „gewerblichen Unternehmer"

Name	Name der Ehefrau	Name, Beruf, Titel des Schwiegervaters	Name, Beruf, Titel der Schwiegersöhne	Titel, Orden	Mitgliedschaft in politischen, wirtschaftlichen und kirchlichen Institutionen
Friedrich Bayer sen. (1825–1880)	Carolina Juliana Hülsenbusch [256]	Peter Caspar Hülsenbusch Kleinschmied [256]	Carl Rumpff, Kaufmann, Teilhaber; Henry Theodor Böttinger Fabrikant, Teilhaber [257]		
Otto Bredt (1817–1885)	Luise Nourney [258]				Stadtverordneter Mitglied des Kirchenvorstandes [258]
Friedrich Wilhelm Curtius (1782–1862)	Theodore Pilgrim [259]	August Theodor Pilgrim [260] Mineralbrunnenverwalter	Mathieu Elie Matthes Kaufmann, Fabrikant, Teilhaber; Alexander v. Asten Kaufmann; Otto Carstanjen Tabakfabrikant; Julius Ohlenschlager [261]		Stadtverordneter Mitglied und Präsident der Handelskammer Vorsitzender der Forstkommission [262]
Friedrich August Deus (1797–1878)	Marianne Moll [263]		Friedrich Westhoff Geschäftsführer v. Moll und Westhoff [264]		Stadtverordneter Mitglied der Handelskammer Mitglied im Eisenbahnkomitee [265]

187

Name	Name der Ehefrau	Name, Beruf, Titel des Schwiegervaters	Name, Beruf, Titel der Schwiegersöhne	Titel, Orden	Mitgliedschaft in politischen, wirtschaftlichen und kirchlichen Institutionen
Heinrich Moll (1792–1862)	Henriette Deus [266]		Baptist Junckerstorff Fabrikant, Teilhaber; Johann Heinrich Carstanjen Tabakfabrikant; Catwinkel, Kaufmann [267]		
Friedrich Haarhaus (etwa 1810–1874)			Adolph Herbig [268] Kaufmann, Teilhaber		
Adolph Herbig (1846–1902)	Luise Haarhaus [269]	Friedrich Haarhaus [270] Fabrikant			Stadtverordneter Mitglied der Handelskammer [270]
Wilhelm Anton Hospelt (1820–1893)	Elisabeth Breiderhoff [271]		Franz Ulrich Hagen Fabrikant, Kommerzienrat; Josef von Lauff Major a. D., Dichter [272]		Stadtverordneter Mitglied der Handelskammer Mitglied und Vorstandsmitglied des Kölner Dombauvereins [273]
Carl Jäger (1792–1871)	Karoline Paulus [274]		Dr. Benjamin Sieber [274] Chemiker, zeitweise Teilhaber		Stadtverordneter [274]

[236] F. Hendrichs, Friedrich Bayer, S. 677; LHA Koblenz, 403—9903; Biographisches Jahrbuch, Bd. IV., 1922, S. 313.

[237] B.P. Anft, Theodor Curtius, S. 445.

[238] LHA Koblenz, 403—9903, fol. 11 v.

[239] Leverkus, die Familie, S. 23.

[240] Ebd., Tafel 10 a.

[241] Ebd., Tafel 2, 4, 6, 7, 9, 11, 12.

[242] Ebd., S. 26.

[243] Ebd., S. 25.

[244] Ebd., Tafel 5.

[245] Ebd., Tafel 5.

[246] Ebd., Tafel 5; LHA Koblenz, 403—9903.

[247] W. Morgenroth, Innere Geschichte, S. 154.

[248] Kölnische Zeitung Nr. 515 vom 22.6.1891, Nachruf W. Leyendecker; LHA Koblenz, 403—9903, fol. 9 v.

[249] Kölnische Zeitung Nr. 515 vom 22.6.1891, Nachruf W. Leyendecker.

[250] R. Steimel, Mit Köln versippt, Bd. 2, Tafel 317.

[251] C.v. Berg, Geschichte der Familie Lindgens, Bd. 2, S. 214.

[252] LHA Koblenz, 403—9903, fol. 15 v., 95.

[253] LHA Koblenz, 403—9885, fol. 14, 15, 21. In der Kölnischen Zeitung Nr. 1296 vom 17.12.1904 sowie im Handelsblatt, Deutsche Wirtschaftszeitung vom 18.10.1962, S. 9 wird 1896 als Ernennungsdatum angegeben.

[254] Handelsblatt, Deutsche Wirtschaftszeitung vom 18.10.1962, S. 9, Fr. Schönfeld.

[255] A.J. Roth, Aachener Farbindustrie, S. 39; LHA Koblenz, 403—9903.

[256] F. Hendrichs, Friedrich Bayer, S. 677.

[257] Beiträge 100 Jahre, S. 9, Vorstand Bayer AG; H. Pinnow, Werksgeschichte, S. 34.

[258] J.V. Bredt, Familie Bredt, S. 126.

[259] A. Mühl, Friedrich Wilhelm Curtius, S. 6, 11.

[260] Ebd., S. 444.

[261] Ebd. S. 444; E. Schwoerbel, Friedrich Wilhelm Curtius, S. 6, 11; C.v. Berg, Geschichte der Familie Curtius, S. 207, 211.

[262] E. Schwoerbel, Friedrich Wilhelm Curtius, S. 5; DZA Merseburg, Rep. 120, A IV—13, Bd. 11, fol. 229, 229 v., 238.

[263] StA Düsseldorf, XXIII—222, Bericht Adolf Junckerstorff vom Jahre 1915, S. 3. Bei J. Lange-Kothe, Johann Dinnendahl II, S. 184 wird 1798 als Geburtsjahr von Deus angegeben. Der Name der Ehefrau lautet hier Maria Anna Theresa.

[264] StA Düsseldorf, XXIII—222, Bericht Adolf Junckerstorff vom Jahre 1915, S. 3—5.

[265] J. Lange-Kothe, Johann Dinnendahl II, S. 184; J. Wilden, Düsseldorfer Wirtschaftsleben, S. 58, 62 f.

[266] StA Düsseldorf, XXIII—222, Bericht Adolf Junckerstorff vom Jahre 1915, S. 2.

[267] Ebd., S. 2; J. Lange-Kothe, Johann Dinnendahl II, S. 184; R.v. Carstanjen, Geschichte, S. 21.

[268] Herbig-Haarhaus 1844—1919, S. 3.

[269] Ebd., S. 3; R. Steimel, Kölner Köpfe, S. 180.

[270] Herbig-Haarhaus 1844—1919, S. 2 f.

[271] R. Steimel, Mit Köln versippt, Bd. 2, Tafel 313.

[272] J.B. Scherer, Wilhelm Anton Hospelt, S. 14; R. Steimel, Mit Köln versippt, Bd. 2, Tafel 313.

[273] J.B. Scherer, Wilhelm Anton Hospelt, S. 8, 12, 13.

[274] R.W. Carl, Carl Jäger Anilinfarbenfabrik, S. 9, 19, 13.

Von den neun Farbenfabrikanten, die nicht Kommerzienrat wurden, d.h. also den nach Henning „gewerblichen Unternehmern",[275] ist die soziale Herkunft der Ehefrau in fünf Fällen bekannt: Friedrich Bayer sen. war mit der Tochter eines Kleinschmieds und Friedrich Curtius mit einer jungen Kaufmannswitwe, der Tochter des Mineralbrunnenverwalters in Fachingen verheiratet. Friedrich August Deus und Heinrich Moll waren Geschäftspartner und hatten jeweils eine Schwester des anderen zur Frau. Adolph Herbig wurde als Teilhaber von Friedrich Haarhaus aufgenommen, als er dessen Tochter heiratete. Dies sind Verbindungen, die sich gut in das von Henning und Teuteberg gezeichnete Bild einfügen. Die Ehepartner der Kinder dieser Unternehmer bestätigen ebenso die anfangs gemachten Aussagen: sie entstammten vorwiegend der Schicht der Fabrikanten. Kaufleute waren, wenn auch in geringerem Maße, ebenfalls vertreten.

Auffallend ist dabei, daß im Fall von Bayer, Curtius, Moll, Haarhaus und Jäger die Töchter mit Teilhabern im väterlichen Geschäft verheiratet waren oder aber der Schwiegersohn, wenigstens zuerst einmal, als Teilhaber ins Geschäft aufgenommen wurde. Häufig führte er, wie Adolph Herbig, das Geschäft nach dem Tode des Schwiegervaters weiter. Geschäftliche Verbindungen wurden also gern durch familiäre gefestigt oder aber ergaben sich daraus.

Aus dem Rahmen fällt die bereits erwähnte Heirat von Julius Curtius, eines Sohnes von Friedrich Curtius, mit Sophie Ohlenschlager, der Tochter eines promovierten Advokaten. Ob und wie Julius Ohlenschlager, der Mann der jüngsten Tochter von Curtius, mit Sophie verwandt war, läßt sich leider nicht ausmachen. Auffallend sind weiterhin die Ehe zwischen Fritz Curtius, einem weiteren Sohn, und Anna Nohl, der Schwester des Musikschriftstellers Ludwig Nohl und des Architekten und Teilhabers Max August Nohl,[276] sowie die Ehe zwischen einer Tochter Wilhelm Anton Hospelts und dem Major a.D. und später geadelten Dichter Josef Lauff. Eine andere Tochter von Hospelt war mit dem späteren Kommerzienrat Franz Ulrich Hagen verheiratet. Die Familie Hospelt befand sich anscheinend im Übergang zur kommerzienrätlichen Schicht, denn vom Sohn Hospelts wird mitgeteilt, daß er kurz vor seiner Ernennung zum Kommerzienrat verstorben sei.[277]

In Bezug auf Mitgliedschaften in öffentlichen Institutionen liegen uns im Fall von Bredt, Curtius, Deus, Herbig, Hospelt und Jäger Informationen vor. Curtius, Herbig, Hospelt und Jäger waren Stadtverordnete; Deus, Herbig und Hospelt waren Mitglieder der Handelskammer Köln und Curtius stand der Duisburger als Präsident vor. Otto Bredt war aktiv in kirchlichen Institutionen tätig; Hospelt als Vorstandsmitglied im Kölner Dombauverein. Auch hier findet sich also ein Engagement nur auf lokaler Ebene. Drei weitere Unterneh-

---

[275] Vgl. zum Folgenden Tab. 36, S. 187 f.
[276] A. Mühl, Friedrich Wilhelm Curtius, S. 444.
[277] J.B. Scherer, Wilhelm Anton Hospelt, S. 14 f.

mer, Moritz Müller, Wilhelm Anton Nierstras und Joseph Wilhelm Weiler beschränkten sich mit ihrer langjährigen Zugehörigkeit zur Handelskammer ebenfalls auf den lokalen Bereich[278], doch waren zwei Unternehmer auch über diesen hinaus tätig. Dr. Monheim und Rhodius gehörten dem Rheinischen Provinziallandtag an. Dr. Monheim war von 1826 bis 1845, Rhodius von 1841 bis 1845 dort Mitglied.[279]

Zur Selbstverwaltungstätigkeit der Unternehmer auf lokaler Ebene gehörte neben der Funktion als Stadtverordneter und als Handelskammermitglied auch die als Notabel. Für die Städte Köln, Düsseldorf und Bonn sind uns Farbenfabrikanten als Notabeln des Handelsstandes belegt.[280] Die Notabeln gehörten nach französischem Vorbild der Oberschicht an. In Köln führten sie die Gruppe der Großkaufleute an, die innerhalb der Oberschicht den größten Einfluß besaßen.[281] Zu ihnen gehörten „die angesehensten Kaufleute der Stadt, voran die Inhaber der ältesten Unternehmen, die wegen ihrer guten Wirtschaftsführung und Seriosität als besonders empfehlenswert galten." In Städten mit bis zu 15.000 Einwohnern gab es mindestens 25 Notabeln, in größeren Städten kam für je 1.000 Einwohner ein Notabel hinzu. Die Aufstellung der Liste der Notabeln, bei der selbstverständlich auch Fabrikanten berücksichtigt wurden, erfolgte in Köln in preußischer Zeit durch den Regierungspräsidenten, der die Stadtverwaltung und diese wiederum die Handelskammer um Vorschläge bat. Die Erarbeitung der Liste brachte häufig insofern Schwierigkeiten mit sich, als einerseits die ältesten Firmen, andererseits nach Ansicht der Handelskammer die wichtigsten Geschäftszweige vertreten sein sollten.[282]

In französischer Zeit wurden aus der Mitte der Notabeln die Mitglieder der Handelskammer, so z.B. 1803 in Köln, und des Handelsgerichtes gewählt.[283] Nach 1815 blieb die Handelskammer Köln als einzige Kammer aus französischer Zeit unverändert bestehen und wurde 1831, im Zuge der Gründung von Handelskammern in weiteren Städten der Rheinprovinz in eine preußische Handelskammer umgewandelt. Dabei wurde der Kreis der Wahlberechtigten

[278] H. Kellenbenz/K. van Eyll, Selbstverwaltung, S. 237, 239; J. Wilden, Düsseldorfer Wirtschaftsleben, S. 63.

[279] F. Monheim, Monheim, S. 139; G. Croon, Der Rheinische Provinziallandtag, S. 351 f.. Bei Croon wird Monheim nur für die Landtage aufgeführt, an denen er tatsächlich teilnahm, d.h. den 1., 3., 6., 7.. Er war jedoch vom 1. bis 8. Provinziallandtag der gewählte Vertreter Aachens und ließ sich auf den anderen Landtagen vertreten. Obwohl die Biographie Monheims vorliegt, wird hier nicht näher auf ihn eingegangen, denn in erster Linie war er als Apotheker tätig. Über Rhodius ist uns außer seiner Mitgliedschaft im Provinziallandtag nichts bekannt.

[280] Auffallend ist hier, daß sich in der Literatur für die genannten Städte nur für Köln die Bezeichnung Notabel des Handelsstandes findet. Vgl. z.B. J. Wilden, Düsseldorfer Wirtschaftsleben, S. 27 ff.

[281] H. Pohl, Wirtschaftsgeschichte Kölns im 18. und beginnenden 19. Jahrhundert, S. 33.

[282] H. Kellenbenz/K. van Eyll, Selbstverwaltung, S. 117.

[283] H. Pohl, Wirtschaftsgeschichte Kölns im 18. und beginnenden 19. Jahrhundert, S. 33, 145; H. Kellenbenz/K. van Eyll, Selbstverwaltung, S. 117.

stark ausgeweitet. Jeder, der mehr als 12 Tlr. Gewerbesteuer zahlte, war jetzt zur Wahl zugelassen. Alle Bemühungen der bisher führenden Schicht der Kaufleute, eine erneute Beschränkung des Wahlrechts auf die Notabeln zu erreichen, erbrachte nur die Heraufsetzung der Gewerbesteuergrenze auf 20 Tlr.[284] Hierdurch büßten die Notabeln ihre bisherige Stellung in der Handelskammer ein. 1877 verloren sie dann durch die Angliederung der Handelsgerichte an die Landgerichte und die damit verbundene Ernennung der Handelsrichter auf gutachterlichen Vorschlag der Handelskammer auch ihre zweite Aufgabe, an der sie, wie wir von Köln wissen, durch ihre geringe Beteiligung an den Wahlen der Handelsrichter wenig Interesse gezeigt hatten.[285]

Die Zugehörigkeit von Farbenfabrikanten zum Kreise der Notabeln läßt also auf die Bedeutung der Farbenherstellung wie auf fundierte Seriosität der Unternehmen und ihrer Leiter schließen. Für die Aufstellung der folgenden Listen wurden die in den Verwaltungsakten enthaltenen Notabelnverzeichnisse ausgewertet. Da der weitaus größte Teil der Farbenunternehmen erst in der zweiten Hälfte des 19. Jahrhunderts gegründet wurde, sind erst mit Ende der fünfziger Jahre viele Farbenfabrikanten in den Listen vertreten. Genauer läßt sich das verstärkte Auftreten der Unternehmen dieser Branche wegen des Fehlens fast aller Listen aus den vierziger und fünfziger Jahren leider nicht erfassen.

Von den Leitern der 50 Kölner Farbenbetriebe[286] waren nach unseren Unterlagen fünfzehn im behandelten Zeitraum Notabeln. Sie vertraten aber insgesamt nur elf Firmen, da mehrfach Vater und Sohn bzw. Brüder aufgeführt sind.

	Notabel in den Jahren:
Essingh, Theodor[287]	1829, 1830, 1832, 1833, 1841
Essingh, Hermann Josef[288]	1857, 1858, 1862, 1864–1875
Hospelt, Wilhelm Anton[289]	1862, 1864–1875
Leyendecker, Wilhelm[290]	1857, 1858, 1862, 1864–1875

---

[284] H. Kellenbenz/K. van Eyll, Selbstverwaltung, S. 87–90.
[285] Ebd. S. 118.
[286] Diese sowie alle folgenden Angaben über die Anzahl der Farbenunternehmen und deren Verteilung auf die verschiedenen Zweige der Farbenindustrie, sind der Tab. 1, S. 26 entnommen.
[287] RWWA, 1–22–3, o.p., Verzeichnis der Notabeln für 1829, 1830, 1832; 1–4–5, fol. 1, 24.
[288] RWWA, 1–4–7, fol. 199, 211; 1–4–10, fol. 10, 20, 101; StA Köln, 403–XX–1–76, fol. 9, 25, 57, 85, 113, 223, 246, 255, 318, 343, 360. Das Jahr 1874 ist hier wie auch bei allen folgenden Unternehmern, die über den vorstehenden Zeitraum Notabel waren, nicht belegt, da in den Quellen die Liste für dieses Jahr fehlt.
[289] RWWA, 1–4–10, fol. 11, 21, 101; StA Köln, 403–XX–1–76, fol. 10, 26, 58, 86, 114, 223, 247, 256, 318, 344, 361.
[290] RWWA, 1–4–7, fol. 201, 214; 1–4–10, fol. 11, 21, 101; StA Köln, 403–XX–1–76, fol. 11, 26, 58, 86, 114, 224, 248, 257, 319, 345, 362.

Lindgens, Carl Anton[291]	1857, 1858, 1862
Lindgens, Adolf[292]	1864
Lindgens, Carl[293]	1867–1875
Nierstras, Wilhelm Arnold[294]	1862, 1864–1875
Sternenberg, Benjamin[295]	1833, 1835, 1842–1844, 1847, 1849–1852, 1855, 1857
Sternenberg, Otto[296]	1862, 1864–1867, 1869–1872
Traine, Philipp[297]	1857, 1858, 1862, 1864–1875
Uckermann, Heinrich[298]	1849, 1857, 1858, 1862, 1864–1867
Wagner, Louis[299]	1862, 1864, 1865, 1869–1871
Weiler, Josef Wilhelm Anton[300]	1857, 1858, 1862, 1864–1875
Zurhelle, Emil Ludwig[301]	1873, 1875

Die folgende Übersicht gibt die branchenmäßige Verteilung der Kölner Farbenfabriken und in Klammern die Zahl der von ihnen gestellten Notabeln wieder:[302]

Mineralfarben:	24	(7)
organische Farben:	–	(–)
Teerfarben:	2	(1)
Schwärze:	6	(1)
Lacke, Firnisse:	14	(2)
nicht zuzuordnen:	3	(–)

[291] RWWA, 1–4–7, fol. 200, 212; 1–4–10, fol. 11.

[292] RWWA, 1–4–10, fol. 26.

[293] StA Köln, 403–XX–1–76, fol. 86, 114, 224, 248, 257, 319, 345, 362.

[294] RWWA, 1–4–10, fol. 11, 22, 101; StA Köln, 403–XX–1–76, fol. 11, 27, 59, 87, 115, 225, 248, 257, 319, 346, 362.

[295] StA Köln, 403–XX–1–81, Schreiben vom 10.02.1835, 29.4.1842, 20.4.1843, 29.4.1844, 24.5.1847, 21.6.1849, 12.9.1850, 21.6.1851, 9.10.1852, 8.1.1855; RWWA, 1–4–7, fol. 202.

[296] StA Köln, 403–XX–1–81, o.p., Verzeichnis der Notabeln für 1862; HStA D., LA Köln 91, fol. 45, 49, 53, 69, 82, 121, 142, 158, 169.

[297] RWWA, 1–4–7, fol. 201, 214; 1–4–10, fol. 13, 23, 102; StA Köln, 403–XX–1–76, fol. 12, 28, 59 v., 88, 116, 226, 250, 259, 321, 347, 364.

[298] RWWA, 1–4–7, fol. 98, 201, 214; 1–4–10, fol. 13, 23; StA Köln, 403–XX–1–76, fol. 12, 28, 59 v, 88.

[299] StA Köln, 403–XX–1–81, o.p., Verzeichnis der Notabeln für 1862; HStA D., LA Köln 91, fol. 45, 49, 133, 142, 158.

[300] RWWA, 1–4–7, fol. 201, 214; 1–4–10, fol. 13, 23, 103; StA Köln, 403–XX–1–76, fol. 12, 28, 59 v, 88, 116, 226, 250, 259, 321, 347, 364.

[301] HStA D., LA Köln 91, fol. 196, 203, 206, 214.

[302] Bei den 25 Kölner Betrieben, die laut Tabelle 1 Mineralfarben produzierten, ist zu beachten, daß hier zwei Betriebsstätten eines Unternehmens erfaßt wurden, so daß sich die Zahl der Produzenten von Mineralfarben auf 24 sowie die Gesamtzahl der Farbenunternehmer auf 49 verringert.

In Düsseldorf gab es elf Farbenunternehmen. Die Leiter von fünf dieser Unternehmen gehörten dem Kreis der Notabeln an. Es waren:

	Notabel in den Jahren:
Deus, Friedrich August[303]	1862–1864
Diederichs, Franz[304]	1872, 1874, 1875
Junckerstorff, Baptist[305]	1864, 1866–1871
Junckerstorff, Adolf[306]	1873–1875
Moll, Heinrich[307]	1857
Müller, Moritz[308]	1868–1873
Müller, Georg[309]	1870–1875
Schönfeld, Franz[310]	1873–1875
Vorster, August[311]	1863, 1864, 1866–1869

Diese Unternehmer repräsentierten drei von vier Düsseldorfer Mineralfarbenfabriken und zwei von fünf Firnis produzierenden Betrieben.

In Bonn war von sieben Farbenfabrikanten allein der Firnisfabrikant Johann Heinrich Rossum[312] Notabel (1857).

Bis auf wenige Ausnahmen ist bei allen Unternehmern zu beachten, daß sie außer den jeweiligen Farben noch verwandte Produkte herstellten, so daß nicht einzuschätzen ist, ob und wie weit ihre ökonomische und damit ihre soziale Position auf der Farbenherstellung beruhte. Soweit uns bekannt ist, hatten aber alle Unternehmer, bis auf Weiler, der vorher ein Speditionsgeschäft führte, ihr Farbenunternehmen vor ihrer Ernennung zu Notabeln des Handelsstandes gegründet.

5.3. UNTERNEHMERISCHE AUFGABEN

5.3.1. DIE WAHL DER UNTERNEHMENSFORM

Die Gründung von Unternehmen für die Farbenproduktion geschah als Einzelfirma oder in Form einer Gesellschaft. Wie hoch der in Einzelfirmen oder Gesellschaftsunternehmen gebundene Kapitalanteil in der Farbenindustrie

---

[303] StA Düsseldorf, II–183, fol. 4 v, 27 v, 68.
[304] StA Düsseldorf, II–183, fol. 185, 274, 336.
[305] StA Düsseldorf, II–183, fol. 69, 89 v, 109, 119, 146, 154 v, 176.
[306] StA Düsseldorf, II–183, fol. 208 v, 262, 337 v.
[307] RWWA, 1–4–7, fol. 204.
[308] StA Düsseldorf, II–183, fol. 120, 147, 155, 176 v, 186 v, 209 v.
[309] StA Düsseldorf, II–183, fol. 155, 176 v, 186v, 209 v, 263, 339.
[310] StA Düsseldorf, II–183, fol. 210, 264, 339 v.
[311] StA Düsseldorf, II–183, fol. 33, 71, 92, 111, 122, 448 v.
[312] RWWA, 1–4–7, fol. 202.

war, läßt sich nicht bestimmen. Der Anteil der Gesellschaftsunternehmen an der Gesamtzahl der bekannten Unternehmen wird bei ca. 50 % gelegen haben, soweit man es an Hand der Firmennamen und der Kenntnis der Zahl/Namen der Teilhaber bestimmen kann. Dabei konnte der Bezug zur Gründung nicht immer genau hergestellt werden, so daß dieses Verhältnis die infolge Erbauseinandersetzung oder Zusammenschluß entstandenen Gesellschaftsunternehmungen mit beinhaltet. Obwohl die Gesellschaftsform in vielen Fällen nicht zu ermitteln ist, scheinen Stille Gesellschaften und Offene Handelsgesellschaften zu überwiegen. Kommandit- und Aktiengesellschaften sind als Gründungsform im Untersuchungszeitraum nicht bekannt,[313] was sich aus dem noch relativ geringen Kapitalbedarf erklären läßt. Bei den Gesellschaftsgründungen waren aber die Probleme der Kapitalbeschaffung bzw. Risikostreuung nicht allein ausschlaggebend. Vielmehr gibt es auch Beispiele dafür, daß man sich einen Partner mit technischen Kenntnissen suchte.[314]

5.3.2. DER KAPITALBEDARF UND FINANZIERUNGSPROBLEME

Die Unternehmensgründung, Kapazitätserweiterungen und Innovationen fordern vom Unternehmer die Abwägung der zukünftigen Absatz- und Ertragssituation und die Beschaffung bzw. Bereitstellung der notwendigen Finanzierungsmittel im Sinne von verfügbarem Investitions- und Betriebskapital. Als Möglichkeiten, zur Gründung oder Erweiterung eines Unternehmens das notwendige Kapital im obigen Sinne zu beschaffen, boten sich dem Unternehmer während des Untersuchungszeitraumes an: eigene Mittel oder Gesellschafterkapital, bei bereits existierenden Unternehmen die Selbstfinanzierung aus erzielten Gewinnen, die Umwandlung einer Einzelfirma in ein Gesellschaftsunternehmen und die Fremdfinanzierung durch Kredite von Verwandten, Freunden, Bekannten und Banken.[315]

Konkrete Aussagen über die Finanzierungsmethoden im einzelnen und ihre spezifische Bedeutung im Bereich der Farbenindustrie zu machen, ist schwierig. Quellen, wie Bilanzen und Geschäftsunterlagen, die Aufschluß über Ge-

---

[313] Die Kommanditgesellschaft W. Leyendecker & Cie. wurde 1868 mit dem Ausscheiden Odenthals aus der Firma Odenthal & Leyendecker gegründet. G.A. Walter, Mineralfarbenindustrie, S. 173; RWWA, 1—21—4, fol. 46. 1872 fusionierten die Farbenfabriken B. Sternenberg in Deutz, Schmoll & Comp. und Gierlich & Helmers in Ehrenfeld zur „Aktiengesellschaft für chemische Bleiprodukte und Farben". 1879 war W.A. Hospelt Hauptaktionär der Gesellschaft. G.A. Walter, Mineralfarbenindustrie, S. 97 und StA Köln, 435—Ehrenf. 18, Mitteilung des Bürgermeisters von Ehrenfeld an den Landrat vom 3.5.1873.

[314] Als Beispiele seien Bayer, Weskott und Tust, Bischof und F. Rhodius; Curtius und Jäger; Wiederhold und Volger genannt. Vgl. Tab. 33, S. 168 ff. S. 199 f. W. Zorn, Typen und Entwicklungskräfte des deutschen Unternehmertums, S. 67 f.

[315] Vgl. allgemein zum Kapitalbeschaffungsproblem K. Borchardt, Kapitalmangel; H. Winkel, Kapitalquellen; P. Coym, Unternehmensfinanzierung; E. Klein, Zur Frage der Industriefinanzierung; J. Kocka, Unternehmer in der deutschen Industrialisierung.

winne und Gewinnentnahmen, über Herkunft und Verwendung von Eigen- und Fremdkapital geben könnten, liegen uns nicht vor. Nur indirekt kann über zeitgenössische Unternehmerbriefe, Biographien und autobiographische Äußerungen, Firmenfestschriften, Gesellschaftsverträge ein Bild der Kapitalbeschaffung in der rheinischen Farbenindustrie zu erstellen versucht werden. Die Gewerbesteuerlisten fallen als Quellen zur indirekten Bestimmung des Ertrages der Gewerbebetriebe wegen ihres unbefriedigenden Aussagewertes aus.[316]

Der Kapitalbedarf bei Gründung eines Unternehmens richtet sich wesentlich nach Betriebsgröße und technischer Ausrüstung. Beide Faktoren waren in der Farbenindustrie vor allem während der ersten Hälfte des 19. Jahrhunderts sehr unterschiedlich. Bei der Fabrikation von Schwärze, Firnis und Lacken handelte es sich fast durchweg um Kleinstbetriebe (1 — maximal 15 Arbeiter), alle anderen Bereiche wiesen im Untersuchungszeitraum mittlere Betriebsgrößen (16–100 Beschäftigte) auf. Dabei bewegten sich die Sparten Smalte, Berlinerblau, Mineralblau und Zinkweiß im unteren Abschnitt mit bis zu dreißig Arbeitnehmern, während in den Zweigen Bleiweiß-, Ultramarin- und Teerfarbenproduktion die Beschäftigtenzahlen seit den 40er Jahren zwischen dreißig und achtzig lagen. An der Wende von den 60er zu den 70er Jahren wurde der Großbetrieb mit mehr als 100 Beschäftigten in einzelnen Fällen schon erreicht (Curtius, Leverkus, Bayer).[317] Auch die technische Einrichtung gewinnt seit den 60er Jahren aufgrund der Durchsetzung von Innovationen an Bedeutung.

Über Gründungskapitalien liegen uns wenige Angaben vor. Immerhin läßt sich daran die Feststellung von Ernst Klein, daß der Kapitalbedarf bei der Errichtung chemischer Fabriken im Vergleich zum Bergbau und Eisenbahnbau vor 1850 relativ gering war und mit ca. 15–50.000 Tlrn., bei Großbetrieben mit kaum mehr als 100.000 Tlrn. einzuschätzen ist, bestätigen.[318] Bei den Kleinstbetrieben war er noch wesentlich geringer. Laut Gesellschaftsvertrag brachten die Gesellschafter der Lackfabrik Wiederhold & Volger, Derendorf, bei der Gründung 1867 ein Kapital von 5.400 Tlrn. ein.[319] Die gleiche Summe benötigten Lindgens & Söhne, Mülheim/Rhein, bei der Übernahme (1852/53) des Mennigebetriebes von Sternenberg & Wöllner. Für die Fabrikationsmethode und -geheimnisse waren 2.000 Tlr., für die Fabrik einschließlich Anschaffungen 3.400 Tlr. in drei Jahresraten mit 5 % Zinsen zu zahlen.[320] Julius Curtius schloß wegen des Ausscheidens eines stillen Teilhabers sechs

---

[316] R. Koselleck, Preußen zwischen Reform und Revolution, S. 600; P. Coym, Unternehmensfinanzierung, S. 21.
[317] Vgl. S. 125 f.
[318] E. Klein, Zur Frage der Industriefinanzierung, S. 120.; K. H. Kaufhold, Handwerk und Industrie 1800–1850, S. 343.
[319] 100 Jahre Wiederhold, S. 19. Diese Kapitalhöhe entsprach in der Zeit etwa der Kaufsumme für elf mechanische Tuchwebstühle. H. Blumberg, Textilindustrie, S. 48.
[320] C.v. Berg, Geschichte der Familie Lindgens, Bd. 2, S. 186.

Jahre nach der Gründung der Ultramarinfabrik (1855) einen neuen Gesellschaftsvertrag, nach dem die Teilhaber 40.000 Tlr., eine offenbar höhere Summe, aufbrachten.[321]

Für 30.000 Tlr. wechselte 1852 die Eppinghofener Zinkhütte, die auch Zinkweiß produzierte, den Besitzer. Die Immobilien wurden mit 2.250.000 Frs. (= ca. 610.000 Tlr.) der „Rheinpreußischen Zink-, Gruben- und Hüttengesellschaft" zugerechnet.[322]

Weiler & Co. in Ehrenfeld bei Köln gründeten 1861 eine Fabrik für Anilin und dessen Farbstoffe mit einem Kapital von 30.000 Tlrn., das bereits 1866 für Erweiterungszwecke verdoppelt wurde. Vergleichbar ist das Anfangskapital von Meister, Lucius & Co., die 1863 mit 66.450 Gulden (= 44.300 Tlr.) die Teerfarbenproduktion aufnahmen.[323] 1872 waren Gebäude, Maschinen, Apparate bei Weiler mit 159.360 Tlr. versichert.[324] Die 70er Jahre brachten den Vorstoß in andere Größenordnungen: 300.000–400.000 Tlr. sollte das Anlagekapital der „AG für Chemische Bleiprodukte und Farben" in Ehrenfeld (1872) erreichen.[325] Die Farbenfabriken vorm. Friedrich Bayer & Co. wiesen bei ihrer Umwandlung in eine AG 1881 ein Aktienkapital von 5,4 Millionen Mark auf.[326] Der Kapitalaufwand pro Arbeitsplatz oder Arbeiter läßt sich wegen der starken Streuung der Daten nicht errechnen. Auch über das Verhältnis von Anlage- zu Umlaufkapital wissen wir nichts.

Nach bisher vorliegenden Forschungsergebnissen hat, unabhängig von der Rechtsform, bei der Gründung oder Übernahme eines Unternehmens während der ersten Hälfte des 19. Jahrhunderts das Eigenkapital die entscheidende Rolle bei der Finanzierung gespielt.[327] Das gilt auch für die als Einzelfirma oder als Personengesellschaft etablierten Unternehmen der Farbenindustrie. Nach unseren Untersuchungen, die sich vorwiegend auf Beispiele aus den Jahren ab 1840 stützen, kam das Anfangskapital für die Farbenproduktion zum großen Teil aus vorheriger kaufmännischer, aber nicht unwesentlich auch aus vorheriger gewerblicher Tätigkeit.

Bei 98 unter diesem Gesichtspunkt untersuchten Unternehmen kam die Hälfte der Unternehmer aus dem kaufmännischen, ca. ein Fünftel aus dem gewerblichen Bereich.[328] Gelegentlich wurden Handel oder Gewerbebetrieb

---

[321] C.v. Berg, Geschichte der Familie Curtius, S. 198.

[322] H. Schramm, Kapitalbildung, 319 f.; vgl. S. 75 ff.; R.E. Cameron, France and the Economic Development of Europe, S. 382 f.

[323] C. Eberhardt, Chemische Fabriken vorm. Weiler-ter-Meer, o.p.; E. Bäumler, Ein Jahrhundert Chemie, S. 361.

[324] StA Köln, 403–V–1–8, Communal-Einkommenssteuerrolle von Ehrenfeld, 1872.

[325] G.A. Walter, Mineralfarbenindustrie, S. 97; StA Köln, 435–Ehrenf. 18, Brief des Bürgermeisters von Ehrenfeld an den Landrat vom 5.5.1873.

[326] H. Pinnow, Werksgeschichte, S. 51.

[327] P. Coym, Unternehmensfinanzierung, S. 58 f.; H. Winkel, Kapitalquellen, S. 284 f., 295 f.; K. Borchardt, Kapitalmangel, S. 58.

[328] Vgl. S. 167; P. Coym, Unternehmensfinanzierung, S. 64; vgl. H. Winkel, Kapitalquellen, S. 284.

noch parallel zur Farbenfabrikation weiter bzw. für den eigenen Bedarf betrieben und dienten als Finanzierungsstütze für die Produktion.[329] Dies schließt nicht aus, daß Fremdkapital auch bei der Gründung eines Unternehmens eine Rolle spielte, z.B. bei Leverkus. Für seinen Umfang haben wir keinerlei Anhaltspunkte. Das gilt ebenso für die Kreditform und für die Frage, ob es sich um Privatkredite handelte oder ob sich die von Krüger erwähnte zunehmende Betätigung Kölner Banken im Bereich der chemischen Industrie auch auf die Gründung der Unternehmen bezog.[330] Über die Bereitstellung staatlicher Mittel fanden sich in den Quellen keine Angaben.

Da sich aufgrund der außerordentlich lückenhaften Quellenlage kein annähernd geschlossenes Bild der Kapitalbeschaffung in den Unternehmen der Farbenfertigung im Untersuchungszeitraum gewinnen läßt, wird die Breite der möglichen Formen der Kapitalherkunft und -bereitstellung an drei Unternehmen (Bayer, Curtius, Leverkus) beispielhaft dargestellt. Bei ihnen ist die Quellensituation auch nicht gut, aber ungleich kontinuierlicher als bei anderen Unternehmen.

Die Firma Bayer steht als Beispiel für den Einsatz von Kapitalien in die industrielle Produktion, die in Handel und Gewerbe erwirtschaftet wurden. Seit der Jahrhundertmitte betrieb Friedrich Bayer als Alleininhaber eine florierende Handlung für Farbwaren und Hilfsprodukte für die Färberei. Die Gesamteinnahmen lagen 1860 bei ca. 100.000 Tlrn. . Für die Jahre 1861/62 sind Bücher über Einnahmen und Ausgaben erhalten, die auch einen Eindruck der Gewinnsituation vermitteln können:

Jahr	Einnahmen	Ausgaben	Differenz (in Tlrn.)
1861 1.H.	57.309	46.565	10.744
1861 2.H.	62.515	51.775	10.740
1862 1.H.	53.512	35.690	17.822
1862 2.H.	63.602	fehlen ab November 1862	

Bei den Zahlen für 1862 ist zu berücksichtigen, daß sie bereits in die Zeit fallen, in der zum Handel die Fabrikation von künstlichen organischen Farbstoffen aufgenommen wurde. Die Gewinnsteigerung ergab sich vermutlich auch aus dem geringeren Einkauf von Fuchsin, das man nun im eigenen Betrieb produzierte. Anfang der 60er Jahre begann Bayer mit Hilfe des Färbermeisters und Färbereibesitzers Friedrich Weskott, der über die entsprechenden technischen Kenntnisse und Einrichtungen verfügte, mit den Versuchen einer eigenen Produktion künstlicher Anilinfarben.[331] Zur Errichtung der ersten Anilinfarbenfabrik assoziierten sich die Partner zu der Handelsgesellschaft „Friedrich Bayer & Co." (1863). Die Kapitalbeschaffung scheint zu jenem Zeitpunkt auf

[329] Beispiele sind: Weskott, Bayer, C.A. Lindgens, W.A. Hospelt, vgl. S.167 ff.
[330] A. Krüger, Das Kölner Bankiergewerbe; S. 25 f., 47, 61; H. Schramm, Kapitalbildung, S. 319.
[331] WA Bayer 271/2, Personalia Friedrich Bayer sen., Vorgeschichte S. 1 ff.

dem Wege der Eigenfinanzierung erfolgt zu sein. Bayer und Weskott waren je zur Hälfte an der Fabrikation der künstlichen Farben beteiligt, betrieben daneben aber den Farbenhandel bzw. die Färberei unter dem alten Firmennamen gesondert weiter.[332] Der Vertrag dieser ersten Gesellschaft ist nicht erhalten. Allein nach der Bestimmung, daß beide Gesellschafter das Recht hatten, die Firma nach außen zu vertreten und zu zeichnen, steht zu vermuten, daß es eine OHG war.[333] Belegt ist diese Rechtsform für das Jahr 1872, als Friedrich Bayer und Friedrich Weskott mit Carl Rumpff, August Siller und Eduard Tust eine weitere Handelsgesellschaft gründeten, die „Alizarinfabrik Friedrich Bayer und Compagnie", mit dem Zweck, zusätzlich eine Anthracenfabrik zu betreiben.[334] Mit steigendem Kapitalbedarf erhöhte das Unternehmen die Zahl der Teilhaber und damit die Eigenkapitalbasis. Das schloß nicht aus, daß einzelne Gesellschafter, z.B. Ed. Tust, offensichtlich kein Kapital, sondern Kenntnisse einbrachten. Rassow[335] betont, daß Bayer nie in Abhängigkeit zu einer Bank geraten sei.

1849/50 gründete Friedrich Wilhelm Curtius (mit 67 Jahren) zusammen mit seinem Sohn Julius die Ultramarinfabrik „Julius Curtius". Dies war die letzte Unternehmensgründung von F.W. Curtius, die das gleichsam organisch gewachsene Produktionsprogramm der seit 1824 vorangegangenen Unternehmensgründungen konsequent abschloß. So umfaßte Anfang der 50er Jahre die industrielle Produktion von Curtius: Schwefelsäure, Salpetersäure, Eisenvitriol, Soda, Chlorkalk, Ultramarin und blausaures Kali. „In den einzelnen Fabriken handelte es sich gewissermaßen um eine kontinuierliche Produktion, um die Verwertung bestimmter Rohstoffe in ihren verschiedenen Stadien und Entwicklungen bis zu einer Reihe von Endprodukten".[336]
Die Unternehmertätigkeit von F.W. Curtius hatte 1824 mit der Gründung einer Schwefelsäurefabrik in Duisburg, der ersten am Niederrhein und einer der wenigen in Deutschland, begonnen. Davor war er von 1803 bis 1815 Reisender und Buchhalter einer Materialwaren- und Weinhandlung in Duisburg gewesen. 1815 besaß er ein Vermögen von 6.000 Tlrn., seine Frau verfügte über die Zinsen eines Kapitals von 10.000 holländischen Gulden. Auf dieser Basis führte Curtius mit Camen zunächst ein Materialwarengeschäft, das Curtius ab 1823 allein betrieb. Gleichzeitig konzentrierte er sich hier ausschließlich auf den Handel mit Medizinalwaren. Für den Farbwarenhandel entstand in Verbindung mit drei Duisburger Kaufleuten die neue Firma „Curtius, Carstanjen und de Haen, Handel in Farbware en gros". Dabei brachten die Teilhaber Gebr. Carstanjen 16.000 Tlr. in das Geschäft von Curtius ein, die mit

---

[332] Ebd., S. 3; WA Bayer 2/2−3, beglaubigte Abschrift aus dem Gesellschaftsregister No. 677.

[333] WA Bayer 2/2−3, beglaubigte Abschrift aus dem Gesellschaftsregister No. 677 und Fortsetzung No. 873.

[334] WA Bayer 2/3, Vertrag vom 10.2.1872 − Notarieller Akt.

[335] B. Rassow, Die chemische Industrie, S. 118 f.

[336] E. Schwoerbel, Friedrich Wilhelm Curtius, S. 10 f.

6 % verzinst wurden. 1827 scheint sich die Firma endgültig aufgelöst zu haben, da sie in der Heberolle der Stadt Duisburg nicht mehr verzeichnet ist.[337]

Neben der Gründung der Schwefelsäurefabrik war die Gründung der Sodafabrik „E. Matthes & Weber" 1837 am wichtigsten. Als Teilhaber waren darin die Kaufleute A. Weber und E. Matthes, der Schwiegersohn von Curtius, vertreten.[338] Zur besseren Ausnutzung der in der Schwefelsäure- und Sodafabrik entstehenden Stoffe gründete Curtius, wie bereits erwähnt, 1849 zusammen mit seinem Sohne Julius die Ultramarinfabrik. Neben einem stillen Teilhaber, M. Neven aus Köln, der 1855 ausschied, war Peter Jäger Teilhaber. Seine Beteiligung bestand darin, daß er ein geheimes Verfahren zur Herstellung von säurefestem Ultramarin einbrachte. 1855 erneuerte F.W. Curtius den Vertrag mit Jäger und seinem Sohn Julius mit dem Abschluß, daß Julius 20.000 Tlr., Jäger und er selbst für seinen Sohn Fritz je 10.000 Tlr. einlegen sollten. Der Sohn Peter Jägers, Eduard, übernahm die praktische Leitung der Fabrik gegen ein Honorar von 300 Tlrn. und 3 % Anteil am Nettogewinn. Diese Kapitalbasis ermöglichte eine gesicherte Ausdehnung des Geschäfts, das seit Anfang der 60er Jahre gut florierte. Im Gegensatz dazu brachte die Sodafabrikation, bei der die Rohstoffpreise für Salz eine wichtige Rolle spielten, finanzielle Schwierigkeiten. Noch 1855 klagte Curtius, daß eine Ausdehnung in der Schwefelsäure- und Sodafabrikation nicht möglich sei, da seine Geschäfte in diesen Bereichen zu stark durch die Aufnahme und Abzahlungspflicht von Fremdkapital belastet seien und keine Gewinne abwerfen würden.[339] „Das Betriebskapital war dem Geschäft nicht hinreichend angemessen; ich mußte bei den Bankiers bedeutende Kredite in Paris und Holland, in Elberfeld und Köln in Anspruch nehmen. Diesen Kredit aufrecht zu erhalten, war die allerschwierigste Aufgabe, ich habe sie rühmlichst gelöst".[340] Über die Höhe der Kredite und ihre Bedeutung für die einzelnen Bereiche erfahren wir nichts, doch scheint sich die Situation in der zweiten Hälfte der 50er Jahre entspannt zu haben. Kredit- bzw. Finanzierungsgesichtspunkte waren auch ausschlaggebend für Curtius, mehrere selbständige Unternehmen mit eigener Rechtsform zu gründen.[341] „Bei einer Vielzahl selbständiger Unternehmungen war es leichter, die für die umfangreichen Investierungen erforderlichen Kredite zu erhalten".[342] Während von Kreditgeschäften im Zusammenhang mit der Finanzierung der zeitweise stark belasteten Schwefelsäure- und Sodafabrik ausdrücklich die Rede ist, findet sich für die Ultramarinfabrik kein Beleg über Anteil und Bedeutung von Fremdmitteln im Untersuchungszeitraum. 1899 wurde die Ultramarinfabrik von ihrer Konkurrentin, der „Vereinigte Ultra-

---

[337] C.v. Berg, Geschichte der Familie Curtius, S. 158 ff., 194 ff.
[338] E. Schwoerbel, Friedrich Wilhelm Curtius, S. 6; C.v. Berg, Geschichte der Familie Curtius, S. 197.
[339] C.v. Berg, Geschichte der Familie Curtius, S. 198.
[340] Nach C.v. Berg, Geschichte der Familie Curtius, S. 199, 201.
[341] Familiäre Überlegungen, d.h. die Beteiligung und Versorgung der eigenen Kinder, spielten hierbei sicher auch eine Rolle. E. Schwoerbel, Friedrich Wilhelm Curtius, S. 10.
[342] Nach W. Schwoerbel, Friedrich Wilhelm Curtius, S. 10.

marinfabriken AG, vorm. Leverkus, Zeltner & Cons." in Köln aufgekauft.[343]

1857 gab F.W. Curtius seinen gesamten Unternehmensverdienst von 29 Jahren — seit 1827, als sein Vermögen inkl. Mobilien 6.000 Tlr. betragen hatte — mit 475.000 Tlrn., also ungefähr einer halben Million Tlrn. an. Allein die privaten Ausgaben betrugen bis 1857 236.000 Tlr., seinen Kindern hatte er inzwischen 80.000 Tlr. vermacht. 1862 hinterließ er ein Barvermögen von über 300.000 Tlrn.[344]

Die Quellenlage für die „Chemische Fabrik Dr. C. Leverkus" ist, was die Entwicklungsgeschichte anbetrifft, relativ gut, äußerst schwach hingegen im Bezug auf alles, was die Unternehmensfinanzierung im einzelnen angeht.

Leverkus studierte Pharmazie und Chemie. Nachdem er keine Konzession für die Errichtung einer Apotheke in Wuppertal erhalten hatte, schloß er 1830 mit den Barmer Kaufleuten Hoesch und Langenbeck einen Gesellschaftsvertrag zum gemeinsamen Betrieb einer Sodafabrik in Barmen ab. Die Sodafabrikation entwickelte sich weniger befriedigend als erhofft, wobei eine entscheidende Rolle spielte, daß sich bei der Herstellung von Soda unbeabsichtigte und unerwünschte Blaufärbungen ergaben, die auf der Freisetzung von Ultramarin beruhten. Angeregt durch diese Entdeckung, faßte Leverkus den Plan, ein eigenes Verfahren zur Herstellung von künstlichem, preisgünstigem Ultramarin zu entwickeln. „Dieser Gedanke, der unbefriedigende Ertrag aus der Sodafabrikation und das Gefühl der Abhängigkeit innerhalb der Partnerschaft dürften hinter dem Entschluß gestanden haben, den Vertrag mit Hoesch & Langenbeck 1833 vorzeitig aufzulösen". Leverkus richtete dann ein eigenes Laboratorium und eine kleine chemische Fabrik in Wermelskirchen ein. Das Baumaterial und später wohl auch durch den Hausverkauf freiwerdende Mittel stellte sein Vater, der Apotheker Wilh. Joh. Leverkus, zur Verfügung, der gemeinsam mit einem Baron Heinsberg (aus Linn) eine Ziegelei betrieb. Mit Hilfe des Barons konnte Leverkus auch den für das Anfangskapital notwendigen Kredit aufnehmen. Anfang 1835 begann die Produktion der chemischen Fabrik von Carl Leverkus, die zunächst Zinnsalze und -beizen, Bleisalze, Eisenbeize, Borax und kristallisierte Soda umfaßte. Das Betriebskapital war in der Anfangszeit so gering, daß die Produktion zeitweise unterbrochen werden mußte, weil kein Geld für den Einkauf von Rohstoffen vorhanden war.[345] Im Unterschied zu den bereits untersuchten Farbenunternehmen erfolgte bei Leverkus die Finanzierung zum Zeitpunkt der Unternehmensgründung zu einem großen Teil auf dem Wege der Fremdfinanzierung, wobei wir über die Höhe und Rückzahlungsverpflichtungen der aufgenommenen Kredite keine Angaben fanden. Über den damaligen privaten Vermögensstatus sind wir nicht unterrichtet. Es steht jedoch zu vermuten, daß C. Leverkus kein nennenswertes Privatvermögen besessen hat. Weder hatte er fünf Jahre zuvor in die Gesell-

[343] Ebd., S. 11 f.
[344] C.v. Berg, Geschichte der Familie Curtius, S. 194, 199, 201.
[345] Leverkus. Fortschritt, Wachstum und Verantwortung, o.p. (S. 2).

schaft Hoesch & Langenbeck Eigenkapital eingebracht, noch hatte die Soda-fabrik so floriert, daß er in der kurzen Zeit ausreichend verdient haben könnte, was durch die Vereinbarung über die Auflösung des Vertrages nachdrücklich bestätigt wird.[346]

1837 war das Verfahren zur Herstellung von künstlichem Ultramarin end-gültig entwickelt. 1838 erhielt Leverkus das Patent für die preußische Monar-chie auf zehn Jahre erteilt. Wie schlecht die Finanzlage bei dem neuen Produk-tionsprogramm der Firma bzw. wie ausgeprägt und belastend die Kreditab-hängigkeit und die damit verbundenen Verpflichtungen gewesen sein müssen, geht aus einem Brief von C. Leverkus an seinen Bruder Wilhelm vom Septem-ber 1838 hervor. Er berichtet darin, daß er auf die Anfrage eines Russen betreffend den Verkauf des Rezeptes zur Ultramarinherstellung mit der For-derung von 2.000 Tlrn. geantwortet habe. „Mein Absatz von Ultramarin war im Mai & Juni ziemlich, im Juli, Aug. & Sept. sehr schlecht. Meine Einrich-tung zu dessen Fabrikation hat viel gekostet u. die Verluste die durch verdor-bene Ware (sicher über 2.000 Th. anzuschlagen) entstanden sind nicht unbe-deutend. Ich habe mich somit über meine Kräfte ausgegeben u. weiß nun leider nicht wie ich meine Gläubiger befriedigen soll. — Hätte ich nur nicht die starken Zinsen zu entrichten u. die Kapital-Abtragung nicht nöthig, dann würde es noch gehen". Einen Monat darauf regelte Leverkus den Vertrieb seiner Produkte mit Bergerhausen in Köln. Außer einer Bemerkung der Eltern von Carl Leverkus aus den 40er Jahren über einen guten Geschäftsverlauf und Ausbau des Betriebes sind wir über die finanzielle Situation des Unterneh-mens nicht unterrichtet.[347] Nach Ablauf des Patents, 1848, verschärfte sich für Leverkus die Wettbewerbssituation durch Neugründungen von Ultrama-rinfabriken im Rheinland.[348] Produktionserweiterung, Kostensenkung durch den Einsatz von Maschinen und neuer Technologie sowie Steigerung der Qua-lität waren die Voraussetzungen, um konkurrenzfähig zu bleiben. Sie forder-ten Kapitaleinsatz.

Da die Fabrik in Wermelskirchen abseits von Wasser- und Bahnverbindun-gen langfristig sehr ungünstig gelegen war, wurde 1860 die notwendige Be-triebsverlegung an das Rheinufer zwischen Flittard und Wiesdorf mit dem Bau einer neuen Fabrik eingeleitet. Der Ort wurde Leverkusen genannt. 1864

---

[346] Ebd., o.p. (S. 22). „So bescheinigen wir hierdurch, daß der eine Theil vom anderen Theile nichts mehr zu fordern hat; mit der Ausnahme jedoch, daß H.C. Leverkus in den nächstfolgenden sechs Jahren alljährlich Thaler einhundert (100 Th) pr. C. oder Werth an die Herren Hoesch & Langenbeck vergüten soll, ... ; und wenn es die Verhältnisse des Herrn C. Leverkus in Zukunft erlauben sollten, so zahlt er nach der Auszahlung jener Gelder noch Thaler 300 (dreihundert Th) pr. C. oder Werth in ihm schicklichen Termi-nen, das heißt im Verlauf von drei Jahren".

[347] Leverkus. Fortschritt, Wachstum und Verantwortung, o.p., (S. 34 (Zitat), 35 ff., 39 f.); H. Rößler, Mainzer Industrieausstellung 1842, S. 294.

[348] Vgl. S. 70.

wurde hier die Produktion mit erheblich größerer Kapazität voll aufgenommen, das Wermelskirchener Werk endgültig stillgelegt. Der neue Start war durch die herrschende Krisensituation belastet. Inwieweit zur finanziellen Bewältigung des Projektes Teilhaber aufgenommen wurden, ist offen; jedenfalls hat Carl Leverkus sich während der Planungen mit diesem Gedanken getragen.[349]

Die Frage der Kapitalbeschaffung für Erweiterungs-, Rationalisierungs- bzw. Neuerungsinvestitionen, die die Unternehmer seit den 60er Jahren beschäftigte, ist in den Beispielen bereits angeklungen. Sie wurde gelöst, indem die Zahl der Teilhaber vergrößert oder Kredite aufgenommen wurden. Mit Sicherheit haben aber wohl Bankkredite im Zeitverlauf zugenommen und Mittel von Freunden und Verwandten ergänzt. Ferner blieb die Reinvestierung von Gewinnen, wobei wir über Gewinnsituation und Gewinnentnahmen der Unternehmer nicht viel wissen.

In der Teerfarbenindustrie konnten wir für die 60er und die beginnenden 70er Jahre relativ kurzfristig sehr hohe Gewinne annehmen.[350] Auch für die traditionellen Zweige des Gewerbes spricht ein Beispiel für die Möglichkeit der Kapitalbildung aus Gewinnen. Wenn der Gewinnanteil von C.A. Lindgens bei Lindgens & Söhne 1858 mit 4.290 Tlrn., 24 Sgr. angegeben wird, so bedeutet das bei einem Kapitaleinsatz von annäherungsweise 18.500 Tlrn.[351] eine Verzinsung von ca. 23 %. Das Kapital von Joseph Wilhelm Weiler soll sich um die Mitte der 60er Jahre mit 50 % verzinst haben.[352] Die Situation war also von Unternehmen zu Unternehmen unterschiedlich, so daß sich verallgemeinernde Schlüsse über die Gewinnsituation nicht machen lassen. Doch kann man mit Coym und unter Hinweis auch auf unsere Ausführungen über den Produktionsausbau, die Absatzentwicklung und die Preise davon ausgehen, daß Möglichkeiten der Kapitalbildung über den Gewinn seit den 30er/40er Jahren und bis in die 70er Jahre hinein mit Unterbrechungen bestanden.[353] Dafür sprechen auch Hinweise auf überschüssiges Kapital, das verliehen oder in anderen Branchen angelegt wurde.

---

[349] Leverkus. Fortschritt, Wachstum und Verantwortung, o.p. (S. 3, 44).

[350] Vgl. S. 107.

[351] Seine Gelder im Bank- und Speditionsgeschäft wie im Bleiweiß-, Mennige- und Bleiröhrengeschäft beliefen sich auf 36.915 Tlr. 19 Sgr. 11 Pfg. laut Testament vom 18. August 1858. Diese Summe wurde halbiert und für Lindgens & Söhne auf 18.500 Tlr. angesetzt. Diese Firma wurde 1852/53 mit einem Kapitalaufwand von 5.400 Tlr. übernommen, aber schon 1854 die Farbenproduktion um die Fertigung von Bleiröhren- und Bleiwalzprodukten ergänzt, so daß von einer Kapitalerhöhung auszugehen ist, für deren Ausmaß aber keine Anhaltspunkte da sind. Die Halbierung des Kapitaleinsatzes in beiden Unternehmen ist als grobes Verfahren anzusehen. Testament des C.A. Lindgens 18.8.1858, C.v. Berg, Geschichte der Familie Lindgens, Bd. 2, S. 300.

[352] C. Eberhardt, Chemische Fabriken vorm. Weiler-ter-Meer, o.p.

[353] P. Coym, Unternehmensfinanzierung, S. 28; vgl. S. 63 ff.

Friedrich August Deus, seit etwa 1820 Besitzer einer Färberei und Baumwolldruckerei in Düsseldorf, gründete im Jahre 1826 gemeinsam mit dem Kaufmann Heinrich Moll eine Bleiweißfabrik. Im Jahre 1833 beteiligten sie sich mit Dinnendahl an der Friedrich-Wilhelm-Hütte in Mülheim/Ruhr.[354] Noch 1856/57 besaß Friedrich August Deus[355] Aktien des „Bergwerk-Vereins Friedrich- Wilhelm-Hütte" in Mülheim und der Mathias-Stinnes-Aktiengesellschaft. Baptist Junckerstorff, sein Schwiegersohn und Nachfolger im Betrieb, hatte ebenfalls Anteile an der Mathias-Stinnes-Aktiengesellschaft.[356] Moritz Müller, Inhaber einer weiteren Düsseldorfer Bleiweißfabrik, trat als Kapitalgläubiger auf. Im Jahre 1855 hatte er Schuldner in den Gemeinden Wald und Burscheid, die für ein Kapital von insgesamt 4.015 Tlrn. jährlich 4,5 % Zinsen zahlten. Ein anderer Schuldner in der Gemeinde Wald hatte bei ihm einen Kredit von 700 Tlrn. zu 4 % Zinsen.[357] Diese Vermögenswerte konnten durchaus für Erweiterungs-/Neuerungsinvestitionen und als Umlaufkapital herangezogen werden. Dafür bot sich im Falle Lindgens das parallel zur gewerblichen Produktion betriebene Speditions- und Bankgeschäft an. Adolph Herbig finanzierte 1871 die bedeutende Erweiterung der Firma Herbig — Haarhaus aus selbsterworbenen und vom Vater ererbten Mitteln. Und W. A. Hospelt betonte 1861, daß sein Material- und Farbwarengeschäft „die Fonds vorstreckt und die bedeutenden Verkaufsspesen und Expeditionskosten" der Fabrik trägt.[358] Es konnten sich somit für die Unternehmen das ursprünglich betriebene und parallel zur Farbenherstellung weitergeführte Geschäft wie auch relativ mobile Anlageformen überschüssigen Geldes als Liquiditätsstütze und Kapitalfonds erweisen.

Die privaten Ausgaben der Unternehmer sind entsprechend der allgemeinen Auffassung als solide und bescheiden, aber dem sozialen Stand angemessen, zu bezeichnen.[359] Ausnahmen wie Curtius, der hohe Privataufwendungen

---

[354] StA Düsseldorf, XXIII—222, Bericht Adolf Junckerstorff vom Jahre 1915, S. 3; I. Lange-Kothe, Johann Dinnendahl II, S. 183 f.

[355] Fr. A. Deus hatte: 1856/57 94 Aktien à 100 Tlr. des Bergwerk-Vereins Friedrich-Wilhelm-Hütte, von denen er 1856/57 2.350 Tlr. Dividende und 226 Tlr. 20 Sgr. Tantieme bezog;
1857 30 Aktien à 100 Tlr. der Mathias Stinnes AG zu 5 % = 150 Tlr. Dividende;
1858 28 Aktien à 100 Tlr. der Mathias Stinnes AG zu 9 % Dividende = 252 Tlr. StA Düsseldorf, II—1070 a, fol. 19.

[356] B. Junckerstorff besaß: 1857/58 21 bzw. 19 Aktien der Mathias Stinnes AG à 100 Tlr. Die Dividende betrug 1857 5 % (105 Tlr.), 1858 9 % (171 Tlr.). StA Düsseldorf, II—1070 a, fol. 43.

[357] StA Düsseldorf, II—1070 a, fol. 52.

[358] C.v. Berg, Geschichte der Familie Lindgens, Bd. 2, S. 212; E. Geldmacher, 100 Jahre Herbig-Haarhaus, o.p.; StA Köln, 403—V—1—8; W. A. Hospelt an Bürgermeister Schultz zu Ehrenfeld, 4.5.1861.

[359] P. Coym, Unternehmensfinanzierung, S. 32; F. Zunkel, Der rheinisch-westfälische Unternehmer, S. 67 ff.; K. Borchardt, Kapitalmangel, S. 58.

nennt[360] und beklagte, bestätigen wohl die Regel. So achtete z.B. C. A. Lindgens auf eine sparsame Haushaltsführung.[361] Leverkus wurde als Teilhaber von Hoesch & Langenbeck in den 30er Jahren eine Privatentnahme von 50 Tlrn., bei entsprechendem Gewinn von 80 Tlrn. monatlich zugestanden,[362] und im Gesellschaftsvertrag zwischen Wiederhold und Volger (1867) wurde sie für jeden Partner mit 35 Tlrn. vereinbart.[363]

Die auf der Grundlage technologisch und wissenschaftlich neuer Verfahren und erweiterter Kapazitäten erfolgte Produktionsausdehnung seit der Mitte des 19. Jahrhunderts stellte Kapitalbeschaffungsprobleme, deren Lösungsmöglichkeiten in ihrer bekannten Breite nur beispielhaft dargestellt wurden, ohne typische Muster für die Branche der Farbenherstellung herausarbeiten zu können.

---

[360] Insgesamt 230.000 Tlr. in 29 Jahren = rd. 8.000 Tlr./Jahr. C.v. Berg, Geschichte der Familie Curtius, S. 199.
[361] C.v. Berg, Geschichte der Familie Lindgens, Bd. 2, S. 187.
[362] Leverkus. Fortschritt, Wachstum und Verantwortung, o.p. (S. 20).
[363] 100 Jahre Wiederhold, S. 83.

6. SCHLUSSBETRACHTUNG

Während der ersten sieben Jahrzehnte des 19. Jahrhunderts vollzog sich im Farben produzierenden Gewerbe der Rheinprovinz die Entwicklung von der vorindustriellen Farbenherstellung zur wissenschaftlich-industriellen Fertigung. Dieser Prozeß ist durch vielfältige Veränderungen gekennzeichnet.

Die Farbenindustrie erlebte eine Erweiterung des Produktionsprogramms, strukturelle Verschiebungen und eine mengenmäßige Expansion. Das Wachstum wurde bedingt durch die Produktionsaufnahme bisher in der Rheinprovinz nicht produzierter Farben, wie der Metallfarben, des künstlichen Ultramarins und der Teerfarben. Ferner wurden in den zu Beginn des 19. Jahrhunderts schon existierenden Produktionszweigen, bei Erdfarben und chemischen Mineralfarben, ausgenommen die Smalte, die Kapazitäten erweitert und/oder verbessert. Doch insgesamt gesehen verloren die traditionellen Farben relativ an Bedeutung gegenüber den modernen Konkurrenzfarben. Letztere bestimmten die Entwicklung.

Die Steigerung der Farbenproduktion im Hinblick auf Menge, Produktpalette und Sortenvielfalt begann an der Wende zum vierten Jahrzehnt, verstärkte sich seit den 50er Jahren und intensivierte sich noch in den 60er Jahren des vorigen Jahrhunderts. Die Ursache des Wachstumsprozesses ist in der steigenden Nachfrage der abnehmenden Gewerbe zu sehen. Das ergibt sich aus der Erkenntnis, daß ein autonomes, durch realisierten technischen Fortschritt erhöhtes Angebot als Erklärung ausfällt; denn bis zur Jahrhundertmitte spricht die langsame Durchsetzung des technischen Fortschritts in seinen unterschiedlichen Formen dagegen. Die Diffusionsphase einer Neuerung verkürzte sich naturgemäß im Laufe des aufgezeigten Prozesses, vornehmlich in der zweiten Hälfte des Jahrhunderts. Auch die Entwicklung in den Abnehmerindustrien gab keinen Anlaß zu einem solchen zukunftsorientierten Unternehmerverhalten.

Aber am Ende der hier untersuchten Zeit lassen sich mit der eigenständigen Entwicklung immer neuer Farben und Farbnuancen, die den Vorsprung gegenüber der Konkurrenz schaffen sollten, auch Ansätze zu einer Angebotsorientierung der Industrie sehen, die dann zunehmend mehr Ersatzprodukte zu niedrigeren Preisen für die natürlichen Farbstoffe bereitstellte. Dabei war im Untersuchungszeitraum der Ausbau der rheinischen Farbenindustrie aber primär auf die steigende Nachfrage ausgerichtet. Ob in diesem Zusammenhang die heimische oder die ausländische Nachfrage entscheidender war, ließ sich in Ermangelung aussagekräftigen Materials nicht klären, wenngleich der Export für alle Sparten in mehr oder weniger großem Maße wichtig war.

Begünstigend wirkten auf den Ausbau der Farbenindustrie eine Tradition im Farben produzierenden Gewerbe, in der Herstellung chemischer Substanzen und in der Färberei, ferner alte Handelsverbindungen. Mit der Produktionsaufnahme künstlich-chemischer Farben wurde allerdings Neuland betreten. Das dabei eingegangene technische und kaufmännische Risiko war hoch. Die Einführung verbesserter oder neuer Produktionsverfahren erforderte zunehmend wissenschaftlich-chemische und technologische Kenntnisse bzw. Erfahrungen, außerdem mußten die Marktgegebenheiten wie Anforderungen der nachfragenden Gewerbe Berücksichtigung finden. Diese Komplexität der neuen Aufgaben legte eine Zusammenarbeit von gewerblich-technisch-naturwissenschaftlich vorgebildeten bzw. erfahrenen Unternehmern mit Kaufleuten nahe. Der hohe Anteil von Gesellschaftsunternehmen in der Farbenindustrie erklärt sich somit aus der Aufgaben- und Risikoverteilung und ergab sich nicht allein aus dem Finanzierungsproblem; denn der Kapitalbedarf war zunächst nicht besonders hoch.

Außer den Leitungsfunktionen wurden auch die ausführenden Arbeiter mit höheren Anforderungen konfrontiert. Komplizierte Prozeßabläufe und der Umgang mit gefährlichen Stoffen und Substanzen setzten eine umsichtige, präzise arbeitende Belegschaft voraus. Solide Kenntnis der chemischen Prozesse und korrektes Verhalten am Arbeitsplatz waren aus Rücksicht auf das Produktionsergebnis wie die Sicherheit der Umwelt und der Arbeiter selbst erforderlich. Diese Tatsache findet ihren Ausdruck in der stärkeren Differenzierung der betrieblichen Funktionen im Untersuchungszeitraum und in den Bemühungen der Unternehmer um einen festen Stamm von Beschäftigten. Ob die produktionsbedingten Gefahren in ihrer vollen Breite seinerzeit bereits erkannt wurden, bleibt offen. Jedenfalls haben verantwortungsbewußte Unternehmer konkrete Verbesserungen angestrebt und durchgesetzt. Von allgemein befriedigenden Verhältnissen kann noch nicht die Rede sein. Dazu wären strengere Kontrollen, auch durch staatliche Institutionen, notwendig gewesen.

Mit der erhöhten Produktion und den teils neuen Farben galt es für den Handel, zunächst den rheinischen und deutschen Markt bei bestimmten Produkten (z.B. Blei- und Teerfarben) unabhängiger von Importen zu machen und auch für die neuen Farben ausländische Märkte zu erschließen, wie sie für Berlinerblau, Erdfarben und Smalte bestanden. Das gelang unter nicht gerade günstigen wirtschaftspolitischen Gegebenheiten. Auf den heimischen wie fremden Märkten hatte sich die rheinisch-preußische Farbenindustrie mit einer starken Konkurrenz auseinanderzusetzen. Aber insgesamt hat man wohl den relativ geringen wirtschaftspolitischen und patentrechtlichen Schutz in der Aufbauphase der Farbenindustrie als leistungsfördernd zu beurteilen. Die Unternehmer mußten sich etwas einfallen lassen, um einen Vorsprung gegenüber der Konkurrenz zu gewinnen und zu halten. Dazu haben nicht zuletzt auch die Forschungsergebnisse und die gute naturwissenschaftlich-chemische Ausbildung an den deutschen Hochschulen beigetragen.

Neben der Notwendigkeit zur Erschließung und Erhaltung von Absatzmärkten machten die Farbprodukte, v.a. die neuen, und ihre unterschiedlichen Anwendungsbereiche eine qualifizierte Kundenberatung erforderlich. Das bedeutete ausreichende Information des Handels bzw. einen intensiven, direkten Kontakt zwischen Farbenproduzent und -verbraucher. Daher entstanden bei den großen Unternehmen schon frühzeitig eigene Absatzorganisationen.

Eng verbunden mit den betrieblichen Problemen ist die Frage des Standortes. Er war im Farbengewerbe der Rheinprovinz traditionell rohstoff- und absatzorientiert. Das gilt auch weiter für die hier untersuchten sieben Jahrzehnte. Doch gewannen für die Produktion die Rohstoffe Kohle, Soda, Teerderivate und Öle an Bedeutung; sie mußten teilweise importiert werden. Aus diesem Grunde, wegen des steigenden Wasserbedarfs und einer günstigen Verkehrsanbindung auch für den Absatz beobachten wir eine zunehmende Ballung der Farbenindustrie am Rhein und in der Nähe der Kohle. Diese Entwicklung setzte sich besonders im letzten Viertel des 19. Jahrhunderts fort. In einzelnen Fällen bestimmte nach wie vor die heimische Mineralbasis den Standort.

Aufgrund der Quellenlage lassen sich Gründungs- und Ausbauaktivitäten in der Farbenindustrie nicht genau mit den konjunkturellen Wechsellagen vergleichen; zweifellos bestanden Zusammenhänge. Der Modernisierungsprozeß hat aber eine Einschränkung der technischen und wirtschaftlichen Flexibilität bedingt, womit sich die Frage der Anpassung an Konjunktur- und Marktveränderungen aufdrängt. Unabhängig von Konjunkturschwankungen beobachten wir bei allen Produkten Preiseinbußen unterschiedlicher Stärke im Zeitverlauf. Steigendes Angebot und wachsende Konkurrenz waren die Gründe für die Verschärfung der Markt- und schließlich der Erlössituation für die Unter nehmen wie für Kostensenkungen bei den Verbrauchern andererseits. Die Unternehmer reagierten mit Rationalisierungsmaßnahmen einschließlich verstärkter Bemühungen um die Nutzung von Kuppel- und Abfallprodukten, mit der Einführung verbesserter Verfahren und mit Überlegungen zu Standortverlagerungen. Jedenfalls im Bereich der Ultramarin-, Bleiweiß- und Berlinerblaufabrikation konnten wir dieses Anpassungsverhalten für den Ausgang der 50er und für die 60er Jahre belegen. Während zunächst technischer Fortschritt nur zögernd durchgesetzt wurde, förderten die veränderte Marktsituation seit den 50er/60er Jahren, die Betriebsgrößenentwicklung in der Farbenindustrie wie auch der fortgeschrittene Industrialisierungsprozeß allgemein die Innovationen in der Farbenproduktion. Die Neuerungen ihrerseits basierten auf einem zunehmend festeren Forschungs- und Technologiestand, versprachen außerdem wirtschaftlichen Nutzen und damit insgesamt ein geringeres Risiko für den Investitionserfolg.

Außerdem bemühten sich die Fabrikanten um den alten Kundenkreis und die Gewinnung neuer Abnehmer durch das Angebot qualitativ hochwertiger Produkte und einer Sortenvielfalt, die die unterschiedlichen Anwendungsbereiche der Farben berücksichtigte. In der Teerfarbenindustrie bestand darüberhinaus die Möglichkeit, durch Neuerfindungen Vorteile im Konkurrenzkampf zu erringen. Eine erhöhte Anpassungsfähigkeit wurde aber auch durch ein breiteres Produktionsprogramm angestrebt. So eröffnete die Kombination von Vor- und Fertigerzeugnissen je nach Absatzlage eine gewisse Schwerpunktverlagerung in der Produktion. Als Beispiele für dieses Vorgehen seien Vopelius/ Gebr. Appolt und die Zinkhütte Eppinghofen genannt. Aber auch ein vielseitiges Farbenangebot mit verschiedener Ausgangssubstanz findet sich, z.B. bei Gebr. Appolt, Hilgers und Leverkus. Die ursprüngliche Farbenproduktion wurde in diesen Fällen um die konkurrierenden Teerfarben ergänzt. Die Notwendigkeit der Anpassung an die neue Entwicklung, nicht zuletzt auch eine gewisse Risikostreuung förderten diese Kombination.

Das unternehmerische Verhalten in guter konjunktureller Lage bzw. bei steigender Nachfrage war nicht ausreichend differenziert dokumentiert. Als Aussage ist nur die recht globale Feststellung möglich, daß die Kapazitäten ausgebaut wurden, auch mit zunehmender Unterstützung durch die Dampfkraft. Die Aufnahme der Fertigung neuer Produkte läßt sich so allein aber nicht erklären. Vielmehr haben dazu ein Potential wirtschaftlicher und technischer Kenntnisse, teilweise auch eine verbesserte heimische Rohstoffbasis und der Ausbau der Infrastruktur beigetragen und bei unternehmerisch aktiven Zeitgenossen den Entschluß gefestigt, sich an der Produktion neuer Farben zu beteiligen.

7. ANHANG

Tab. 37: Übersicht der Farben produzierenden Unternehmen[1]

Firmenname und Ort	Produktionsprogramm	Datum der Gründung/ Konzessionierung oder zeitl. Orientierung
F.A. Abels, Kommern	Blei, später: Neurot, roter Bolus, Braunstein, weißer Lenzin, Chromgelb	1818 gegr.
Aktiengesellschaft für Chemische Bleiprodukte u. Farben, Ehrenfeld (Köln)	Fusion Gierlich & Helmers, Schmoll & Comp., B. Sternenberg, Deutz	
Aktiengesellschaft für Chemische Industrie, Elberfeld	s. Gebr. Gessert	
Aktiengesellschaft für Stückfärberei, Elberfeld	Alizarin	1873 konz.
G. Angenstein, Bayenthal (Köln)	chem. Produkte, Bleizucker, Extrakte, Chromgrün, Beizen, Eisenvitriol	1861 konz. 1865 Konz. erweiterg.
Gebr. Appolt, Sulzbach u. Schanzenberg	s. Ludwig Vopelius	
F. Bayer & Co. 1. Barmen	Anilinblau, Fuchsin	1863
2. Elberfeld, Vogelsaue und Berlinerstr.	Fuchsin, Anilinblau, Anilinviolett	1866 konz.
	Methylviolett, Methylgrün	1867 Veränderung konz.
3. Heckinghauserstr.	Anilinblau, Methylviolett, Methylgrün	1871 konz.

[1] Die aufgeführten Unternehmen und Betriebe mit den entsprechenden Angaben wurden zum großen Teil der Tabelle 3: Technische Betriebsausstattung der chemischen Betriebe, bei Ralf Schaumann, Technik und technischer Fortschritt, S. 382 ff. entnommen und hier nicht erneut belegt. Bei den zusätzlich aufgenommenen Betrieben oder ergänzten Angaben folgen die Anmerkungen hier. Bei Orten, die heute Stadtteile der in Tab. 1 aufgeführten Städte sind, werden letztere in Klammern angegeben.

210

	Extraktion von Saflor Karmin u. Saffranin	1872 konz.
	Monomethyl-Dimethylamin	1873
4. Alizarinfabrik Vogelsaue	Alizarin	1872 konz.
Bergmann & Co., Mülheim/Rhein; seit 1870: Bergmann & Simons	Bleiweiß, Glätte, Mennige, Orange-Mennige	1867 1870/1880
Bergmann & Wagner, Deutz (Köln) seit 1866 : L. Wagner; seit 1875 : Louis Zurhelle (vorübergeh. Firmierung Libbertz & Zurhelle)	Mennige, Glätte, Kienruß, Sikkativpulver, Bleiweiß, Zinkweiß	1861 gegr. 1867 1870er Jahre
Bischof & Rhodius, Burgbrohl seit 1852 : Gebr. Bischof	Kremserweiß, Bleiweiß	1834[2]
Bleiweißbetrieb in Broich b. Aachen	Bleiweiß	1826 konz.[3]
Boisserée & Abels, Efferen b. Köln	Firnis, Lacke, (Copal, Bernstein, Asphalt, Leinöl, Terpentin)	1864 konz.
Brasseur & Co., Ehrenfeld (Köln)	Bleiweiß	1848 gegr. 1873 erloschen
O. Bredt & Co., Barmen	Anilinfarben	1863 Konz. gesuch[4]
Brosting & Parmentier, Ehrenfeld (Köln)	Lack, Firnis	1868 konz.
Bruch & Co., Kall	Bleiweiß	1868 gegr.[5]
H. Brüninghausen, Köln	Smalte	vor 1819
F. Coblenzer, Nippes (Köln)	Leinöl, Firnis	1861 konz.
Court & Bauer, Köln	Lack, Metallfarben	1864 gegr.[6]
Lambert Coutrain, Aachen	Berlinerblau	1824 erwähnt[7]

[2] G.A. Walter, Mineralfarbenindustrie, S. 88, 171; G. Adelmann, Der gewerblich-industrielle Zustand, S. 254 f.

[3] HStA D., Reg. Aachen 1567, fol. 338.

[4] HStA D., Reg. Düsseldorf 24645, fol. 38.

[5] G.A. Walter, Mineralfarbenindustrie, S. 175.

[6] RWWA, 1–21–4, S. 10v; Kölner Local-Anzeiger Nr. 198 vom 20. Juli 1914.

[7] A.J. Roth, Aachener Farbindustrie, S. 28.

Firmengruppe F.W.
Curtius:

1. Duisburg	Schwefelsäure,	1824 konz.
	Salpetersäure, Eisenvi-	1836
	triol, Ultramarin	1850 konz.
2. Huckingen	Alaun,	1840
früher : Funcke & Wiesmann	Eisenvitriol	(1868)
3. Matthes & Weber, Duisbg.	Soda, Salzsäure	1838 konz.
A. Dahl, Barmen	Gerberei, Lack-	seit 1846
	kocherei	1873 konz.

Dahl & Co.

1. Barmen	Farbwarenhandlung,	1842 gegr.
	Anilinfarben	1865
2. Werk in Dalbenden,	Braunstein, Ocker	1830er Jahre
Kr. Gemünd		
Chr. Decker & Cie,	Bleiweiß	1862 Konz. gesuch
Düsseldorf		1863 konz.
Deus & Moll, Düsseldorf	Bleiweiß	1826 gegr.
Carl Diederichs,	Firnis, Mineralfarben	1852 gegr.[8]
Goldenberg b. Lüttringhausen		
(seit 1870 Düsseldorf)		
P. Eickhoff, Heidt (Barmen)	Firnis	1869 konz.
Elberfelder Alizarin-	s. C. Richter	
und Anilinfarbenfabrik		
Josef Engels, Erpel	Erdfarben, Schwärze	1810[9]
H.J. Essingh, Köln	Smalte	vor 1819[10]
Joh. Baptist Farina, Bonn	Firnis	1863 erwähnt[11]
J. Feilner, Müngersdorf (Köln)	Firnis	1858 konz.
später: Th.J. Horst[12]		
de Foy, Bonn	Firnis	1863 konz.
später : de Foy & Finking[13]		
P.A. Fonck, Köln	Bleiweiß	1810 konz.
		1811 wahrscheinlich
		erloschen

[8]   HStA D., Reg. Düsseldorf 388, fol. 257v.; 24925, fol. 98; H. Beckers, Industrieunternehmen in Düsseldorf, S. 120.
[9]   G.A. Walter, Mineralfarbenindustrie, S. 161.
[10]   StA Köln, 400—I—13A—14, Amtsblatt Reg. Köln 1819, Stück 33, Beilage S. 8 f.
[11]   StA Bonn, P. 344, fol. 132v; Bonner Adreßbuch 1863, S. 90.
[12]   P. Steller, Verein der Industriellen, S. 48.
[13]   Bonner Adreßbuch 1873, S. 70.

Friedr. Frische jr., Elberfeld	Anilinfarben	1867 gegr.[14]
F. Frische, Barmen	Alizarin	1873 konz.
F.W. Fuchs, Ehrenfeld (Köln)	Firnis, Lacke	1859 konz.
		1865 selten in Betrieb
Gauke & Co., Eitorf/Sieg	Alizarin	1875
Gebr. Gessert, Elber-feld, Vogelsaue später: AG f. Chem. Industrie	Jodäthyl, Jodmethyl Alizarin, Salpeter- u. Arsensäure, Jodpräparate	1865 1871 konz.; Mitte d. 70er Jahre Konkurs[15]
Gierlich & Helmers, Ehrenfeld (Köln)	Glätte, Mennige	1870 konz.
seit 1873: AG für Chemische Bleiprodukte u. Farben	Zinkfarben, Farblacke, Berlinerblau	1873
Giersberg, Köln	Blaufarben	1812 gegr.
Ph. Golle, Rondorf b. Köln	Firnis, Copallack	1860 konz.
Dr. Ph. Greiff, Longerich (Köln)	Anthracenfarben, Benzin	1873 konz.
W. Grillo, Oberhausen	Zinkwalzprodukte, Zinkweiß	1854 gegr.[16] 1866
(Vorster) & Haarhaus, Köln später: Rob. Friedr. Haarhaus, Raderthal (Köln) 1871/74: Herbig-Haarhaus, Ehrenfeld (Köln)	Drogen- und Farbwaren-handlung Lack, Firnis	1844 gegr.[17] 1845 konz.
Ed. Halbach, Dünnwald (Köln)	Berlinerblau	1858 erwähnt[18]
Hartmann & Lucke, Mülheim/Rhein	Teerdestillation	1872 gegr.[18a]
P. Henzen & Co., Aachen	Berlinerblau, Salmiak	1824 erwähnt,[19] zu Ausgang der 20er Jahre nicht mehr erwähnt
Herberts & Schmitz, Barmen	Firnis	1869
Herbig- Haarhaus	s. Haarhaus	

[14] HStA D., Reg. Düsseldorf 388, fol. 144v.
[15] H. Pinnow, Werksgeschichte, S. 41.
[16] G.A. Walter, Mineralfarbenindustrie, S. 125; HStA D., Reg. Düsseldorf 388, fol. 136v.
[17] HStA D., Reg. Köln 8851, fol. 76, 130 ff.; RWWA, 1–21–4, fol. 30; P. Steller, Verein der Industriellen, S. 48; E. Geldmacher, 100 Jahre Herbig-Haarhaus o.p.
[18] R. Schaumann, Technik und technischer Fortschritt, S. 229. 18a) Die Chemische Industrie 3, 1880, S. 323.
[19] A.J. Roth, Aachener Farbindustrie, S. 28 f.; F. Monheim, Monheim, S. 15.

Aug. Herder, Euskirchen	Bleiweiß	1871[20]
W. Hilgers, Riehlau (Köln)	Schmelzen u. Destillieren v. Harzprodukten, Firnis, Bleizucker, Bleiweiß, Phenylfarben	1863 konz. 1868 konz.
F.A. Hoesch, Endenich (Bonn)	Lack, Firnis	1868 konz.
Th. J. Horst, Köln	s. J. Feilner	
Horstmann & Co., Horst/Ruhr	Smalte	Anfang der 20er Jahre[21]
Wilhelm Anton Hospelt, Ehrenfeld (Köln)	Material- und Farbwarenhandlung, Ruß	1844[22] gegr. seit 1854/56
F.J. Imhaus, Köln	Smalte	vor 1813, Ende der[23] 20er Jahre erloschen
C. Jäger, Barmen Betrieb : Erstkottenstrasse	Fuchsin, chem. Prod. f. arsenikhaltige Farben	1861 gegr. 1863 konz.
Betrieb : Attenstrasse	Saflor Karmin, Anilinfarben, arsenikhaltige Farben	1864 konz.
Betrieb : Wasserstrasse	Anilinviolett	1865 konz.
Betrieb : Chem. Fabrik an d. Station Haan, seit 1871 Aktiengesellschaft	Arsenik aus Anilinrückständen	1868/69 1887 stillgelegt
Betrieb : Lohhausen (Düsseldorf)	Anilinviolett, -blau, -grün, Schwefeläther	1875
Kemp & Wessel, Merheim (Köln)	Firnis, Lacke, Teerpappe, Leinöl	1870 konz.
J.P. Kleberger & Co. Elberfeld	Bleiweiß	1826[24] 1860er Jahre erloschen
Koch & Beermann, Köln	Firnis, Lack	1870 erwähnt[25]
Koch jr. & Cie, Aachen	Färberei, chem. Farben	1759 gegr.[26] 1829 konz., ca. 1833 stillgel.

[20] G.A. Walter, Mineralfarbenindustrie, S. 175; P. Steller, Verein der Industriellen, S. 48.
[21] G.A. Walter, Mineralfarbenindustrie, S. 52 f.
[22] RWWA, 1-21-4, S. 34v; HStA D., Reg. Köln 1272, fol. 30v; G.A. Walter, Mineralfarbenindustrie, S. 177.
[23] G.A. Walter, Mineralfarbenindustrie, S. 52.
[24] HStA D., Reg. Düsseldorf 10749, fol. 7-8v, 9, 15, 57. 1826 Gründung der Firma de Raadt, Kleberger & Co.; 1827 haben sich die Partner bereits getrennt.
[25] Greven's Adreßbuch 1870; RWWA, 1-51-14, lfd. Nr. 585; RWWA, 1-21-4, S. 40v.
[26] HStA D., Reg. Aachen 13631, fol. 31-36, 42-44, 47, 71 ff., 80 ff.

(1837 von Franz Vossen
übernommen, s. Vossen;
1846 Gebr. Vossen (s. Rethel)
und Verlegung des Betriebes in
die Bendelstrasse)

Dr. Joh. Köhler, Köln	Bleizucker, Farben	1870 erwähnt[27]
Gebr. Kolter, Zülpich	Bleiweiß	1868[28]
Ernst Küderling 1862 : Küderling & Quade, Duisburg	Berlinerblau	1860 gegr.[29]
Theodor Küpper, Ehrenfeld (Köln)	Firnis, Lack	1868 erwähnt[30]
W. Langerfeld, Barmen	Lack	1875 konz.
Leußen & Voß, Pempelforth	s. Gebr. Voß	
Dr. C.F. Leverkus, Wermelskirchen, seit 1861 in Wiesdorf (Leverkusen)	Soda, Salze, Beizen, Ultramarin, Alizarin	1833 gegr.[31] 1838 pat. 1872 konz. 1874 Prod. beginn
W. Leyendecker, Köln	s. Odenthal & Leyendecker	
J. Lichtschlag, Fürth b. Grevenbroich	Lack	1870 konz.
H.W. von der Linden, Krefeld	Holzsäure, Berlinerblau, Eisenvitriol, Schwefelsäure, Salpetersäure	1831 konz.
C.A. Lindgens, Köln	Blancfixe	1860[32]
Lindgens & Söhne, Mülheim/Rhein (Köln)	Mennige, Bleiröhren, Blei- walzprodukte, Bleiweiß	1851 konz. 1854 1858
Wtb. Joh. Jos. Löhrs, Metternich, Reg. Bez. Koblenz	Schwärze	vor 1836[33]

---

[27] RWWA, 1–21–4, fol. 40v.

[28] G.A. Walter, Mineralfarbenindustrie, S. 174.

[29] HStA D., Reg. Düsseldorf 388, fol. 104v; Adreßbuch Duisburg 1862, S. 40; vgl. auch G.A. Walter, Mineralfarbenindustrie, S. 58.

[30] HStA D., LA Köln 91, fol. 96.

[31] E. Schmauderer, Ultramarin-Fabrikation, S. 128 f., 132 f., 152; G.A. Walter Mineralfarbenindustrie, S. 76; HStA D., LA Solingen 366, fol 5; Farbenfabriken vorm. Friedr. Bayer & Co., Bd. 2, S. 292.

[32] G.A. Walter, Mineralfarbenindustrie, S. 134, Anlage VII, S. 177.

[33] G. Adelmann, Der gewerblich-industrielle Zustand, S. 248.

Gebr. Mannes, Altenberg Kr. Mülheim/Rhein seit 1829 : Kunstfeld b. Dünnwald (Köln)	chem. Farben u. Präparate, Berlinerblau, Mineralblau	1808/09 Ende 1830 stillgel.
P.J. Mehlem, Bonn	Bleiweiß	1822 konz.
C. Möller, Bielstein Kr. Gummersbach	Berlinerblau, Mineralblau	vor 1836[34]
G. Möller, Riehlau bei Riehl (Köln)	Beinschwarz	vor 1836[35]
L.P.J. Monheim, Aachen	s. J. Rethel	
J. Müller, Köln	Blancfixe	1856
E. Müller & R. Nahrot, Barmen	arsenfreie Anstreicher- u. Bronzefarben	1868 konz.
L. Müller, Wesel	Farben, bes. Tapeten- farben, Firnis	1860 konz.
Moritz Müller & Söhne, Düsseldorf	s. Westhoff & Moll	
L. Nesselroth, Krefeld	Firnis, chem. Präparate	1827 gegr. 1834 geschlossen
Neuhaus & Söhne, Wesel	Firnis	1867 konz.
Niemann & Co., Heidhausen b. Werden/Ruhr	Smalte	vor 1836[36]
W.A. Nierstras, Rodenkirchener Feld (Köln)	Firnis, Ölkocherei	1861 konz.
G. Norrenberg, Rondorf b. Köln	Firnis, Ölkocherei	1861 konz.
M.F. Norrenberg, Melatener Feld (Köln)	Firnis (Copal)	1851 übernommen 1870 konz.
Julius Nuppeney & Co., Andernach	Ultramarin	1865 gegr.[37]
Oberreich & Schwenzer, Köln	weiße Erdfarben, Blancfixe	1869 konz.

[34] G. Adelmann, Der gewerblich-industrielle Zustand, S. 182 f.
[35] Ebd., S. 190.
[36] Ebd., S. 34 f.; G.A. Walter, Mineralfarbenindustrie, S. 52 gibt den Firmennamen des Heidhausener Smaltewerkes um 1820 mit Offermann an, ebenso J. Kermann, Manufakturen, S. 446 und H. Amendt, Arbeitnehmer, Tab. 50, Tabellenteil, S. 112 f. für die 20er Jahre. Das Werk existierte seit dem ausgehenden 18. Jahrhundert, in den 30er Jahren wurde es offensichtlich von Niemann & Co. übernommen.
[37] G.A. Walter, Mineralfarbenindustrie, S. 168.

Odenthal & Leyendecker,	Bleiröhren,	1843
Köln,	Mennige, Glätte,	1854
seit 1869 : W. Leyen-	Orange-Mennige,	1855
decker & Co.	Bleiweiß, Mennige, Glätte	1869 konz.
Offermann, Heidhausen	s. Niemann & Co.	
J.W. Pfankuchen, Bonn	Lack	1857 Inbetriebnahme[38]
C. Pfeifer, Elberfeld	Firnis, (Asphalt, Copal,	1872 konz.
	Öl, Terpentin)	
de Raadt & Co.,	Bleiweiß	1826[39]
Elberfeld		1868 in Konkurs
seit 1862 : Dr. Schüler		
Raderschatt & Cie, Köln	Bleiweiß	1868[40] gegr.
Friedr. Wilh. Remy & Co.,	Bleiweiß, Mennige	1863[41]
Bendorf		

J. Rethel, Diepenbend   Berlinerblau, Salmiak   um 1804[42]
b. Aachen. In den
1820er Jahren an F.J. von
Rappard, danach an J.M. Bienbar;
1830 an J.P.J. Monheim,   Erdfarben,
1845 Monheim & Vossen,   chem. Mineralfarben
1846 Gebr. Vossen (Eduard
und Franz Vossen) u. 1847
Zusammenlegung der Fakrikation
in die Stadt Aachen, Bendelstrasse.

Rhenania AG, Hasenclever,	Soda,	1853 konz.
Waldmeisterhütte,	Glaubersalz, Schwefels.,	1859
Stolberg	Blancfixe,	1860[43]
	Chlorkalk,	1865 konz.
	Superphosphat	vor 1867
C. Richter, Elberfeld	Fuchsin,	1873 konz.
seit 1873 : Elberfelder	Alizarin	
Alizarin- u. Anilinfarbenfabrik		
Rochaz & Co., Eppinghofen	Zinkweiß	1849 gegr.
b. Mülheim/Ruhr		1872 Zinkweißproduktion
seit 1853 : Vieille		eingestellt
Montagne		

[38] P. Steller, Verein der Industriellen, S. 49.
[39] HStA D., Reg. Düsseldorf 10749, fol. 7-8v, 9, 15, 57, 133. 1826 Gründung der Firma de Raadt, Kleberger & Co., 1827 haben sich die Partner bereits getrennt.
[40] G.A. Walter, Mineralfarbenindustrie, S. 175; HStA D., Rep. 115–Gesellsch. Reg. Nr. 911.
[41] G.A. Walter, Mineralfarbenindustrie, S. 174, 94.
[42] HStA D., Reg. Aachen Nr. 1540, fol. 100; J.A. Roth, Aachener Farbindustrie, S. 24; C. Bruckner, Wirtschaftsgeschichte, S. 215; F. Monheim, Monheim, S. 15 ff.; J. Kermann, Manufakturen, S. 448 gibt das Konzessionsdatum für Rethel mit 1807 oder 1808 an.
[43] Vgl. S. 78.

J.H. Rossum, Bonn	Materialwarenhandlung, Firnis	in den 1850er Jahren[44] erwähnt, 1864 aufgegeben
C.W. Schmidt, Oberbilk (Düsseldorf)	Öl, Lackfirnis	1867 konz.
Schmitz & Osterheld, Nippes (Köln)	Firnis	1871 konz.
Schmoll & Cie., Ehrenfeld (Köln)	Erdfarben, Bleigrün, Zinkgrün, rote Lacke, Bleiweiß	1868 konz.
Schöneberg & Hufschmidt, Elberfeld	Alizarin	1873 konz.
Dr. F. Schönfeld, Düsseldorf	Malerfarben, Malerfirnis	1860/62[45]
Dr. Schüler, Elberfeld	s. de Raadt & Co.	
J.J. Schüll, Köln	Berlinerblau, Salmiak, Neublau, blaues Stärkemehl	1819
H. Siegle, Duisburg 1874 von der BASF übernommen	Anilinfarben, Anilin- öl, Rohanthracen	1870 konz. 1873 stillgelegt
J. Siré, Müngersdorf (Köln)	Kopalfirnis, Farben aus Chromsalz, Bleizucker, Arsenik	1844 konz.
J.J. Steinbüchel, Brühl	Bleiweiß	1851 konz.
B.u.F. Sternenberg 1. Kunstfeld b. Mülheim/ Rhein (Köln)	Farben, blausaures Kali, Salmiak, Eau de Cologne, chem. Präparate	um 1835[46]
2. Deutz (Köln) (Sternenberg & Möller 1836)	Bleiweiß	1835 1873 aufgelöst[47]
G.G. Stinnes, Ruhrort	Ultramarin	1852 gegr.[48]
Thode & Trümpler, Honnef	Erd- u. Chromfarben	1861 konz.
Thüner & Comp., Ehrenfeld (Köln)	Mineral- u. Farbwaren	1864[49] erwäht

[44] HStA D., Reg. Köln 1272, fol. 19; StA Bonn P 5699, fol. 26v, 27v, 32; P 5765 im Nachweis der Geschäfte Gewerbesteuerklasse A I vom 11.10.1861.
[45] H. Beckers, Industrieunternehmen in Düsseldorf, S. 121; Kölnische Zeitung Nr. 1296 vom 17.12.1904; Handelsblatt, Deutsche Wirtschaftszeitung vom 18.10.1862, S. 9.
[46] G.A. Walter, Mineralfarbenindustrie, S. 36, 55, 88 f., 172; J. Kermann, Manufakturen, S. 450.
[47] StA Köln, 403–XX–1–81; G. Adelmann, Der gewerblich-industrielle Zustand, S. 188.
[48] G.A. Walter, Mineralfarbenindustrie, S. 69 und Anlage IV, S. 167; E. Schmauderer, Ultramarin-Fabrikation, S. 152. Vgl. Anm. 41, S. 70.
[49] RWWA, 1–4–10, S. 24.

Dr. H. Tillmanns, Krefeld	Anilinfarben,	1862 gegr.
	Aldehydgrün,	1864
	Violett,	1865
	Jodgrün,	1866
	Methylanilin	1873
Ph. Traine, Ehrenfeld (Köln)	Terpentinöldest., Pech-Firnisfabr., Schwefel-Salpeterraffinerie, Maschinenöl, Leinöl, Firnis	1850 konz.
C. Tutt & Josef Geller, Raderthal (Köln)	Schwärze	1874 konz.[50]
Gebr. Uckermann, Köln	Kommissions- u. Speditions-geschäft,	1813
	Farbwarenhandlung,	1835
	Bleiweiß	1840, 1882 stillgelegt.
Vieille Montagne, Eppinghofen bei Mülheim/Ruhr	s. Rochaz & Co.	
Villeroy, Wallerfangen, Kr. Saarlouis	Mennige	Beginn d. 19. Jahr-[51] hunderts im Nebenbetrieb
Villeroy & Boch, Wadgassen b. Völklingen	Mennige	seit 1841 im Nebenbetrieb[52]
Ludwig Vopelius, seit 1830 Gebr. Appolt 1. Sulzbach, Kr. Saarbrücken	Berlinerblau, blausaures Kali, Salmiak, Alaun, Vitriol	1780 gegr.[53]
2. Schanzenberg, Kr. Saarbrücken	Anilinfarben	1864 gegr. 1897 stillgelegt
Vopelius & Co., Fischbach, Kr. Saarbrücken	Ruß	1836 schon außer[54] Betrieb
Aug. Vorster später: J.P. Piedboeuf, Düsseldorf	Ultramarin	1862 konz.[55]
Gebr. Voß, Pempelforth (Düsseldorf) früher: Leußen & Voß	Firnis	1866 konz. 1872 erweitert
Gebr. Vossen, Aachen	s. J. Rethel und Koch jr. & Cie.	

---

[50] HStA D., Reg. Köln 8858, fol. 222v, 231, 236.
[51] G.A. Walter, Mineralfarbenindustrie, S. 92.
[52] Ebd., S. 92.
[53] Ebd., S. 57 f., 161.
[54] G. Adelmann, Der gewerblich-industrielle Zustand, S. 220 f.
[55] HStA D., Reg. Düsseldorf 388, fol. 113v; 24605, fol. 62, 67; StA Düsseldorf, II–1563, fol. 36.

L. Vossen & Cie, Neuß	blausaures Kali, Berlinerblau	1870
Louis Wagner, Deutz	s. Bergmann & Wagner	
L. Wagner, Mülheim/Rhein (Köln)	Schwärze	1873[56]
Wagener & Reppert, Friedrichsthal, Kr. Saarbrücken	Ruß	1836 schon außer[57] Betrieb
W.O. Waldthausen (& Hölterhoff), Clarenburg b. Wesseling	Bleiweiß, Einstellung der Bleiweißerzeugung	1843 gegr.[58] 1864
Chr. Weber, Kirchberg, Kr. Jülich	Mineralblau	1821–1836
Wegelin, Köln	Ruß	1862 gegr.
Weide & Klaus, Sülz (Köln)	Schwärze	1864 konz.
J.W. Weiler & Co., Ehrenfeld (Köln)	Anilin, Salpetersäure, Nitrobenzol	1861 konz. 1867
Wesenfeld & Co., Cleverthal (Barmen)	Soda, Salzsäure, Salpeters., Schwefelsäure Blancfixe	1837 vor 1845 1870
Westhoff & Moll, 1861 : Moritz Müller & Söhne, Düsseldorf	Farbstoffe, Bleiweiß	1841 gegr.[59] 1862 Konz. gesuch[60]
F. Wever, Bonn	Leinöl, Firnis	1862 konz.
Wiederhold & Volger, Derendorf b. Düsseldorf	Firnis	1867 konz.
Gebr. Wildenstein, Euchen b. Aachen	Bleiweiß	1826
F. Wildenstein, Aachen	Cudbeard (= Orseille)	1836
G. Wöllner, Dünnwald (Köln) später : Wöllner & Sternenberg	blausaures Kali, Berlinerblau, Salmiak, Scheidewasser, Salzgeist	1817[61]
W. Wolfs, Ehrenfeld (Köln)	Firnis, andere chem. Produkte	1846 konz.

---

[56] HStA D., Reg. Köln 8858, fol. 210.
[57] G. Adelmann, Der gewerblich-industrielle Zustand, S. 220 f.
[58] G.A. Walter, Mineralfarbenindustrie, S. 89 f., Anlage VII, S. 172.
[59] HStA D., Reg. Düsseldorf 387, fol. 157v.
[60] H. Beckers, Industrieunternehmen in Düsseldorf, S. 119 ff.; HStA D., Reg. Düsseldorf 10749, fol. 66, 81, 85–86; StA Düsseldorf, XXIII–222, Bericht Adolf Junckerstorff vom Jahre 1915, S. 5.
[61] HStA D., Reg. Köln 2150, fol. 86v, 87, 150v; 2062, fol. 3v; J. Kermann, Manufakturen, S. 448 f.

Zigan, Ehrenfeld (Köln)	Massicot, Mennige	1868 konz. 1875 stillgelegt
Zinkhütte Birkengang (Eschweiler AG), Reg. Bez. Aachen	Zinkweiß	seit 1872[62]
Zinkhütte Münsterbusch (Stolberger AG) Reg. Bez. Aachen	Zinkweiß	seit 1872[62]
Louis Zurhelle, Deutz	s. Bergmann & Wagner	

[62] Zeitschrift für das Berg-, Hütten- und Salinenwesen, Statistischer Teil, 21, 1873, S. 40f., 202; 22, 1874, S. 42 f., 196.

8. ÜBERSICHT DER TABELLEN UND GRAPHISCHEN ABBILDUNGEN

223

9. ABKÜRZUNGSVERZEICHNIS

dz	=	Doppelzentner
Frs.	=	Francs
gegr.	=	gegründet
ha	=	Hektar
HDSW	=	Handwörterbuch der Sozialwissenschaften
HK	=	Handelskammer
konz.	=	konzessioniert
NDB	=	Neue Deutsche Biographie
M	=	Mark
mtl.	=	monatlich
Pfg.	=	Pfennig
Pfd.	=	Pfund
Reg. Bez.	=	Regierungsbezirk
Rtlr.	=	Reichstaler
Sgr.	=	Silbergroschen
Tlr.	=	Taler
Ztr.	=	Zentner
VSWG	=	Vierteljahrschrift für Sozial- und Wirtschaftsgeschichte
ZUG	=	Zeitschrift für Unternehmensgeschichte

10. QUELLEN- UND LITERATURVERZEICHNIS

Vorbemerkung: Im Quellen- und Literaturverzeichnis werden nur die in den Anmerkungen der Arbeit aufgeführten Werke und Archivmaterialien erfaßt.

1) *Ungedruckte Quellen*

Zentrales Staatsarchiv, Abt. Merseburg (ZStA)
Rep. 120: A V – 5 – 12; D XVII – 1 – 4, Bd. 1 – 3; D XVII – 1 – 7, Bd. 1; D XVII – 1 – 19 – 7, Bd. 1; D XVII – 1 – 139.

Hauptstaatsarchiv Düsseldorf (HStA D.)
Bergamt (BA) Düren: Nr. 431, 432, 433.
Großherzogtum (Grh.) Berg: Nr. 10235 I.
Landratsämter (LA) Bonn: Nr. 598.
Duisburg-Mülheim: Nr. 353.
Köln: Nr. 91.
Solingen: Nr. 256, 366.
Präsidium Düsseldorf: Nr. 1019, 1020.
Reg. Düsseldorf: Nr. 379I, 387, 388, 2106, 2165, 2166, 10748, 10749, 24603, 24604, 24605, 24631, 24636, 24637, 24640, 24645, 24646, 24654, 24658, 24659, 24925, 24971, 25008.
Oberpräsidium Köln: Nr. 1, 6.
Reg. Köln: Nr. 1272, 2062, 2132, 2150, 2151, 2158, 2174, 2190, 8851, 8852, 8853, 8854, 8855, 8856, 8857, 8858, 8863.
Reg. Aachen: Nr. 1540, 1567, 1575, 13631.
Rep. 115: Gesellschaftsregister, Nr. 911, 1107.

Landeshauptarchiv Koblenz (LHA Koblenz)
Abt. 403: Nr. 8306, 8577, 8877, 9885, 9903, 11083.

Stadtarchiv Bonn (StA Bonn)
P 286, P 327, P 344, P 5614, P 5699, P 5765, Nr. 1811.

Stadtarchiv Düsseldorf (StA Düsseldorf)
II – 179, II – 183, II – 351, II – 1070a, II – 1487, II – 1563, XXIII – 222.

Stadtarchiv Wuppertal (StA Wuppertal)
J III – 101.

Historisches Archiv der Stadt Köln (StA Köln)
Rep. 400: I – 13A – 14
Rep. 403: V – 1 – 8, VII – 1 – 56, VII – 2 – 35, XX – 1 – 47, XX – 1 – 59, XX – 1 – 76, XX – 1 – 81, XXIII – 1 – 9, XXIII – 1 – 13, E – 3 – 44, E – 3 – 66.
Rep. 435: Ehrenf. 18, 146.
Long. 300.

Rheinisch-Westfälisches Wirtschaftsarchiv (RWWA)
Abt. 1: 4 – 4, 4 – 5, 4 – 7, 4 – 10, 4 – 11, 21 – 4, 22 – 3, 51 – 14.
Abt. 7: 2 – 7.

Werksarchiv der Bayer AG, Leverkusen (WA Bayer)
Nr. 1/1, 1/4, 2/2, 2/3, 3/2, 10/15, 20/1, 20/3, 126/4 – Bd. 1, 221/15, 271/2.

Werksarchiv der Henkel KGaA (WA Henkel)
Bestand Matthes & Weber Nr. 125, 188.

2) *Gedruckte Quellen*

Adelmann, Gerhard (Hrsg.), Der gewerblich-industrielle Zustand der Rheinprovinz im Jahre 1836. Amtliche Übersichten, Bonn 1967.
Adreßbücher: Aachen 1861.
    Bonn 1856, 1857, 1863, 1865, 1873, 1875.
    Duisburg 1862.
    Elberfeld 1864, 1872.
    Köln 1849, 1870.
Althans, E., Zusammenstellung der statistischen Ergebnisse des Berg-, Hütten- und Salinen-Betriebes in dem Preußischen Staate während der zehn Jahre von 1852 bis 1861, (= Supplement zu Bd. X der Zeitschrift für das Berg-, Hütten- und Salinenwesen im Preußischen Staate), Berlin 1863.
Amtsblatt der Königlichen Regierung zu Köln, Jg. 1–65, Köln 1816–1880.
Beiträge zur Statistik der Kgl. Preussischen Rheinlande. Aus amtlichen Nachrichten zusammengestellt, Aachen 1829.
Bericht, Amtlicher, über die allgemeine deutsche Gewerbe-Ausstellung zu Berlin im Jahre 1844, 3 Teile, Berlin 1845/1846.
Bericht, Amtlicher, über die Industrieausstellung aller Völker zu London im Jahre 1851 von der Berichterstattungs- Kommission der deutschen Zollvereins-Regierung, 3 Teile, Berlin 1852–1853.
Bericht, Amtlicher, über die allgemeine Pariser Ausstellung von Erzeugnissen der Landwirtschaft, des Gewerbefleißes und der schönen Kunst im Jahre 1855, Berlin 1856.
Bericht, Amtlicher, über die Industrie- und Kunstausstellung zu London im Jahre 1862, erstattet nach Beschluß der Kommissarien der Deutschen Zollvereins-Regierung, Bd. 1, Berlin 1865.
Bericht, Amtlicher, über die Wiener Weltausstellung 1873, 3 Bde., Braunschweig 1874–77.
Berichte über die allgemeine Ausstellung zu Paris im Jahre 1867, Heft 7, Berlin 1868.
Beyer, Eduard, Die Fabrikindustrie des Regierungsbezirks Düsseldorf vom Standpunkt der Gesundheitspflege, Oberhausen 1876.
Bienengräber, A., Statistik des Verkehrs und Verbrauchs im Zollverein für die Jahre 1842–1864. Nach den veröffentlichten amtlichen Kommerzial-Übersichten etc., Berlin 1868.
Bulletin des Lois de l'Empire Francais, 4e Série, Tome Treizième. Contenant les Lois rendues pendant le second semestre de l'année 1810, No. 299 à 341, Paris 1811.
Bundes-Gesetzblatt des Norddeutschen Bundes, 1869. Enthält die Gesetze, Verordnungen vom 29. Jan. bis 13. Dez. 1869 No. 1 bis incl. 40, Berlin o.J..
Demian, Julius Andreas, Statistisch-politische Ansichten und Bemerkungen auf einer Reise durch einen Theil der neuen preussischen Provinzen am Nieder- und Mittelrheine, Köln 1815.
Dieterici, C. F. W., Statistische Übersicht der wichtigsten Gegenstände des Verkehrs und Verbrauchs im Preussischen Staate und im deutschen Zollverbande, in dem Zeitraume von 1831 bis 1836. Aus amtlichen Quellen dargestellt, Berlin/Posen/Bromberg 1838.
Ders., Statistische Übersicht der wichtigsten Gegenstände des Verkehrs und Verbrauchs im Preussischen Staate und im deutschen Zollvereine, in dem Zeitraume von 1837 bis 1839. Aus amtlichen Quellen dargestellt, Erste Fortsetzung, Berlin/Posen/Bromberg 1842.
Ders., Statistische Übersicht der wichtigsten Gegenstände des Verkehrs und Verbrauchs im deutschen Zollvereine. Aus amtlichen Quellen dargestellt, Zweite Fortsetzung, in

dem Zeitraume von 1840 bis 1842, Berlin/Posen/Bromberg 1844. Dritte Fortsetzung, in dem Zeitraume von 1843 bis 1845, Berlin/Posen 1848. Vierte Fortsetzung, in dem Zeitraume von 1846 bis 1848, Berlin 1851. Fünfte Fortsetzung, in dem Zeitraume von 1849 bis 1853, Berlin 1857.

Ders., Der Volkswohlstand im Preussischen Staate. In Vergleichungen aus den Jahren 1806 und von 1828 bis 1832, so wie aus der neuesten Zeit, nach statistischen Ermittelungen und dem Gange der Gesetzgebung aus amtlichen Quellen dargestellt, Berlin/Posen/Bromberg 1846.

Ferber, C. W., Beiträge zur Kenntniß des gewerblichen und commerciellen Zustandes der preußischen Monarchie, Berlin 1829.

Ders., Neue Beiträge zur Kenntniß des gewerblichen und commerciellen Zustandes der preußischen Monarchie, Berlin 1832.

Gesetz-Sammlung für die Königlich Preussischen Staaten, 1810 ff., Berlin 1810 ff.

Industrie, Die chemische, Jg. 1 (1878), 2 (1879), 3 (1880), 7 (1884), 50 (1927). N. F. Jg. 1 (1949).

Jahres-Bericht über die Leistungen der chemischen Technologie, hrsg. v. Joh. Rudolf v. Wagner, N. F. 4, Leipzig 1873.

Jahresberichte der Handelskammern
    a) im Original: Köln 1850–1875, Mülheim/Rhein 1872, Mülheim/Ruhr 1853–1876;
    b) als Beilage des Preußischen Handelsarchivs 1861–72, Berlin 1862 ff.: Aachen-Burtscheid, Düsseldorf, Duisburg, Elberfeld und Barmen, Krefeld, Saarbrücken, Solingen, Trier;
    c) in der Preußischen Statistik. Vergleichende Übersicht des Ganges der Industrie, des Handels und Verkehrs im preußischen Staate 1860–1864, Berlin 1862 ff.: Koblenz, Stolberg.

Leyendecker, Wilhelm, Abhandlung über die nachtheiligen Einwirkungen von Blei auf die Gesundheit der in Bleifarben-Fabriken beschäftigten Arbeiter und über die wirksamsten Mittel, diesem Übelstande zu begegnen, Köln 1876 (2. Auflage Köln 1882).

Local-Anzeiger, Kölner, Nr. 198 vom 20.7.1914.

Mülmann, Otto von, Statistik des Reg. Bez. Düsseldorf, Bd. 2, 2. Hälfte, Iserlohn 1867.

Reden, Friedrich Wilhelm von, Erwerbs- und Verkehrs- Statistik des Königstaats Preußen. In vergleichender Darstellung, 3 Bde., Darmstadt 1853/1854.

Reinick, H. A., Statistik des Regierungsbezirkes Aachen, in amtlichem Auftrage herausgeben, 3. Abt., Aachen 1867.

Restorff, F. v., Topographisch-statistische Beschreibung der Königlich Preußischen Rheinprovinzen, Berlin/Stettin 1830.

Rößler, Hektor, Mainzer Industrieausstellung. Ausführlicher Bericht über die von dem Gewerbeverein für das Großherzogthum Hessen im Jahre 1842 veranstaltete Allgemeine deutsche Industrie-Ausstellung zu Mainz, Darmstadt 1843.

Stadtanzeiger, Kölner, Nr. 269 vom 17.6.1893.

Statistik und Hand-Adreßbuch der Rheinprovinz, für das Jahr 1842, Coblenz 1842.

Statistik, Preussische, hrsg. in zwanglosen Heften vom Kgl. Statistischen Bureau in Berlin, Bd. 1– 4, 8, 9, 11, 13, 20, 22, 40/1, Berlin 1861 ff.

Statistik des Deutschen Reichs, Alte Folge, Bd. 34/35. Die Ergebnisse der Deutschen Gewerbezählung vom 1. Dezember 1875, hrsg. v. Kaiserlichen Statistischen Amt, Neudruck der Ausgabe 1879, Osnabrück 1969.

Tabellen und amtliche Nachrichten über den Preussischen Staat für das Jahr 1849/1855/1858, hrsg. v. dem Statistischen Bureau zu Berlin, Berlin 1855/1858/1860.

Vertretung, Preußens, in der Pariser Ausstellung von 1855, in: Archiv für Landeskunde der Preußischen Monarchie, Heft 3, 1857, S. 347 f., S. 355 ff. .

Viebahn, Georg von, Statistik des zollvereinten und nördlichen Deutschlands. Unter Benutzung amtlicher Aufnahmen hrsg. v. Georg von Viebahn, Teil 2/3, Berlin 1862/1868.

Zeitschrift für das Berg-, Hütten- und Salinenwesen in dem Preußischen Staate, hrsg. mit Genehmigung der Ministerial-Abteilung für Berg-, Hütten- und Salinenwesen von R. v. Carnall, Berlin 1853–1874, s. auch Althans.

227

Zeitung, Kölnische, Nr. 515 vom 22.6.1891, Nr. 25 vom 10.1.1898, Nr. 1296 vom 17.12.1904.

3) *Literatur*

Amendt, Hans, Die inner- und außerbetriebliche Lage der Arbeitnehmer in der Glas-, Papier-, Zucker- und chemischen Industrie der Regierungsbezirke Köln, Düsseldorf und Aachen zur Zeit der frühen Industrialisierung (ca. 1800–1875), phil. Diss., Bonn 1975.

Anft, Berthold Peter, Julius Wilhelm Theodor Curtius, in: NDB, Bd. 3, Berlin 1957, S. 445–446.

Anton, Günther K., Geschichte der preußischen Fabrikgesetzgebung bis zu ihrer Aufnahme durch die Reichsgewerbeordnung, Berlin 1953.

Beau, Horst, Das Leistungswissen des frühindustriellen Unternehmertums in Rheinland und Westfalen, (= Schriften zur Rheinisch-Westfälischen Wirtschaftsgeschichte N. F., 3), Köln 1959.

Beckers, Hubertus, Entwicklungsgeschichte der Industrieunternehmen in Düsseldorf 1815–1914, wirtsch. u. sozialwiss. Diss. Köln 1958.

Beer, John J., The Emergence of the German Dye Industry, (= Illinois Studies in the Social Sciences, 44), Chicago 1959.

Berg, Carl vom, Geschichte der Familie Lindgens. Im Auftrage von Herrn Kommerzienrat Lindgens in Köln a. Rh. zusammengestellt und bearbeitet, 2 Bde., Düsseldorf 1927/1931.

Berg, Carl vom, Beiträge zur Geschichte der Familie Curtius. Im Auftrage von Richard Curtius in Duisburg und Theodor Curtius in Heidelberg zusammengestellt und bearbeitet, Düsseldorf 1923.

Bevölkerung und Wirtschaft 1872–1972, hrsg. vom Statistischen Bundesamt Wiesbaden, Stuttgart/Mainz, o.J. (1972).

Binz, Arthur, Ursprung und Entwicklung der chemischen Industrie, Berlin 1910.

Blumberg, Horst, Die deutsche Textilindustrie in der industriellen Revolution, (= Veröffentlichungen des Instituts für Wirtschaftsgeschichte an der Hochschule für Ökonomie Berlin-Karlshorst, 3), Berlin (Ost) 1965.

Böhme, Helmut, Deutschlands Weg zur Großmacht, Köln/Berlin 1966.

Ders., Prolegomena zu einer Sozial- und Wirtschaftsgeschichte Deutschlands im 19. und 20. Jahrhundert, Frankfurt 1968.

Bösselmann, Kurt, Die Entwicklung des deutschen Aktienwesens im 19. Jahrhundert, Berlin 1939.

Borchardt, Knut, Zur Frage des Kapitalmangels in der ersten Hälfte des 19. Jahrhunderts in Deutschland, in: Jahrbücher für Nationalökonomie und Statistik 173 (1961), S. 401–421.

Ders., Die industrielle Revolution in Deutschland 1750–1914, in: Carlo M. Cipolla/Knut Borchardt (Hrsg.), Europäische Wirtschaftsgeschichte, Bd. 4, Stuttgart/New York 1977, S. 135–202.

Ders., Wirtschaftliches Wachstum und Wechsellagen 1800–1914, in: Hermann Aubin/Wolfgang Zorn (Hrsg.), Handbuch der deutschen Wirtschafts- und Sozialgeschichte, Bd. 2, Stuttgart 1976, S. 198–275.

Born, Karl Erich, Geld und Banken im 19. und 20. Jahrhundert, Stuttgart 1977.

Borries, Bodo von, Deutschlands Außenhandel 1836 bis 1856, Stuttgart 1970.

Borscheid, Peter, Textilarbeiterschaft in der Industrialisierung. Soziale Lage und Mobilität in Württemberg (19. Jh.), (= Industrielle Welt, 25), Stuttgart 1978.

Braubach, Max, Vom Westfälischen Frieden bis zum Wiener Kongreß (1648–1815), in: Franz Petri/Georg Droege (Hrsg.), Rheinische Geschichte, Bd. 2, Düsseldorf 1976, S. 219–365.

Ders., Kleine Geschichte der Universität Bonn 1818–1968, Bonn 1968.

Bredt, Johann Viktor, Geschichte der Familie Bredt, 2. erw. Auflage, Münster 1936.

Bruckner, Clemens, Zur Wirtschaftsgeschichte des Reg. Bez. Aachen, (= Schriften zur Rheinisch-Westfälischen Wirtschaftsgeschichte N.F., 16), Köln 1967.

Büsch, Otto, Industrialisierung und Geschichtswissenschaft. Ein Beitrag zur Thematik und Methodologie der historischen Industrialisierungsforschung, (= Historische und pädagogische Studien, 10), Berlin [2]1979.

Ders., Industrialisierung und Gewerbe im Raum Brandenburg 1800–1850. Eine empirische Untersuchung zur gewerblichen Wirtschaft einer hauptstadtgebundenen Wirtschaftsregion in frühindustrieller Zeit, (= Einzelveröffentlichungen der Historischen Kommission zu Berlin, 9), Berlin 1971.

Burchardt, Lothar, Die Zusammenarbeit zwischen chemischer Industrie, Hochschulchemie und chemischen Verbänden im Wilhelminischen Deutschland, in: Technikgeschichte 46 (1979), S. 192–211.

Cameron, Rondo E., France and the Economic Development of Europe 1800–1914. Conquests of peace and seeds of war, Princeton, New Jersey 1961.

Carstanjen, Robert von, Geschichte der Duisburger Familie Carstanjen, o.O. 1934.

Chemieverband, 75 Jahre. Ein Beitrag zur Industriegeschichte und wirtschaftspolitischen Meinungsbildung in einer erzählenden Darstellung in ausgewählten Dokumentenzitaten, hrsg. vom Verband der Chemischen Industrie e.V., Bonn/Frankfurt 1952.

Christiansen, Carl C., Chemische und Farben-Industrie, (= Über den Standort der Industrien, 2, Heft 2), Tübingen 1914.

Chung, Hae-Bon, Das Krefelder Seidengewerbe im 19. Jahrhundert (ca. 1815–1880), phil. Diss. Bonn 1974.

Clow, Archibald/Nan, L., The Chemical Revolution. A contribution to Social Technology, London 1952.

Conze, Werner, Konstitutionelle Monarchie. Industrialisierung. Deutsche Führungsschichten um 1900, in: Hanns Hubert Hofmann/Günther Franz (Hrsg.), Deutsche Führungsschichten in der Neuzeit. Eine Zwischenbilanz, (= Deutsche Führungsschichten in der Neuzeit, 12), Boppard 1980, S. 173–201.

Conze, Werner/Engelhardt, Ulrich (Hrsg.), Arbeiter im Industrialisierungsprozeß. Herkunft, Lage und Verhalten, (= Industrielle Welt, 28), Stuttgart 1979.

Coym, Peter, Unternehmensfinanzierung im frühen 19. Jahrhundert – dargestellt am Beispiel der Rheinprovinz und Westfalens, wirtschafts- und sozialwiss. Diss. Hamburg 1971.

Croon, Gustav, Der Rheinische Provinziallandtag bis zum Jahre 1874, Düsseldorf 1918.

Croon, Helmuth, Die wirtschaftlichen Führungsschichten im Rheinland und in Westfalen 1790–1850, in: Herbert Helbig (Hrsg.), Führungskräfte der Wirtschaft in Mittelalter und Neuzeit 1350–1850, (= Deutsche Führungsschichten in der Neuzeit, 6), Teil I, Limburg/Lahn 1973, S. 311–336.

Curtius, die Familie, Von der Entwicklung der Schwefelsäure-, Soda- und Metallchloridindustrie am Niederrhein, in: Chemische Industrie, N. F. 1 (1949), S. 82–84.

Däbritz, Walter, Der deutsche Unternehmer in seiner landschaftlichen Bedingtheit, in: Johannes Müller, u.a. (Hrsg.), Deutsche Zeitschrift für Wirtschaftskunde 1, Leipzig 1936, S. 255–267.

Decker, Franz, Die betriebliche Sozialordnung der Dürener Industrie im 19. Jahrhundert, (= Schriften zur Rheinisch-Westfälischen Wirtschaftsgeschichte N. F., 12), Köln 1965.

Diergart, Paul, Zur Stellung von Karl Gustaf Bischof (Bonn) in der Chemie des 19. Jahrhunderts, in: Julius Ruska (Hrsg.), Studien zur Geschichte der Chemie. Festgabe Edmund O.v. Lippmann zum siebzigsten Geburtstag, Berlin 1927.

Ditt, Karl, Technologischer Wandel und Strukturveränderung der Fabrikarbeiterschaft in Bielefeld 1860–1914, in: Werner Conze/Ulrich Engelhardt (Hrsg.), Arbeiter im Industrialisierungsprozeß. Herkunft, Lage und Verhalten, (= Industrielle Welt, 28), Stuttgart 1979, S. 237–261.

Drösser, Ellinor, Die wirtschaftliche und technische Entwicklung der Schwefelsäure-Industrie hauptsächlich Deutschlands, staatswirtsch. Diss. München 1908.

Duisberg, Carl, Die Wissenschaft und Technik in der chemischen Industrie mit besonderer Berücksichtigung der Teerfarben-Industrie, in: Zeitschrift für angewandte Chemie 25 (1912) Heft 1, S. 3 ff.

Duisberg, Curt, Die Arbeiterschaft der chemischen Großindustrie. Darstellung ihrer sozialen Lage, Berlin 1921.

Ehrenberg, Richard, Krupp-Studien, in: Archiv für exakte Wirtschaftsforschung (Thünen-Archiv) 3 (1911), S. 1–164.

Eyll, Klara van, Wirtschaftsgeschichte Kölns vom Beginn der preußischen Zeit bis zur Reichsgründung, in: Hermann Kellenbenz (Hrsg.), unter Mitarbeit von Klara van Eyll, Zwei Jahrtausende Kölner Wirtschaft, Bd. 2, Köln 1975, S. 163–266.

Faber, Karl-Georg, Die südlichen Rheinlande von 1816 bis 1856, in: Franz Petri/Georg Droege (Hrsg.), Rheinische Geschichte, Bd. 2, Düsseldorf 1976, S. 367–474.

Färber, Eduard, Die geschichtliche Entwicklung der Chemie, Berlin 1921.

Fester, Gustav, Die Entwicklung der chemischen Technik bis zu den Anfängen der Großindustrie. Ein technologisch-historischer Versuch, Berlin 1923.

Fischer, Wolfram, Ökonomische und soziologische Aspekte der frühen Industrialisierung. Stand und Aufgaben der Forschung, in: Ders. (Hrsg.), Wirtschafts- und sozialgeschichtliche Probleme der frühen Industrialisierung, (= Einzelveröffentlichungen der Historischen Kommission zu Berlin beim Friedrich-Meinecke-Institut der Freien Universität Berlin, 1), Berlin 1968, S. 1–20.

Ders., Die Pionierrolle der betrieblichen Sozialpolitik im 19. und beginnenden 20. Jahrhundert, in: Betriebliche Sozialpolitik deutscher Unternehmen seit dem 19. Jahrhundert, (= ZUG, Beiheft 12), Wiesbaden 1978, S. 34–51.

Ders., Stadien und Typen der Industrialisierung in Deutschland, in: Ders., Wirtschaft und Gesellschaft im Zeitalter der Industrialisierung. Aufsätze – Studien – Vorträge, (= Kritische Studien zur Geschichtswissenschaft, 1), Göttingen 1972, S. 464–473.

Ders., Innerbetrieblicher und sozialer Status der frühen Fabrikarbeiterschaft, in: Friedrich Lütge (Hrsg.), Die wirtschaftliche Situation in Deutschland und Österreich um die Wende vom 18. zum 19. Jahrhundert. Bericht über die Erste Arbeitstagung der Gesellschaft für Sozial- und Wirtschaftsgeschichte in Mainz 4.–6. März 1963, Stuttgart 1964, S. 192–222; und in: Wolfram Fischer, Georg Bajor (Hrsg.), Die soziale Frage. Neuere Studien zur Lage der Fabrikarbeiter in den Frühphasen der Industrialisierung, Stuttgart 1967, S. 215–252.

Friede, Kurt, Die Betriebskrankenkassen in der Bundesrepublik Deutschland, Köln 1974.

Gartmayr, Eduard, Angestellte und Arbeiter der deutschen Industrie, staatswirtsch. Diss. München (Kallmütz) 1930.

Geck, Ludwig Heinrich Adolph, Die sozialen Arbeitsverhältnisse im Wandel der Zeit. Eine geschichtliche Einführung in die Betriebssoziologie, (= Schriftenreihe des Instituts für Betriebssoziologie und sozialer Betriebslehre an der Technischen Hochschule zu Berlin, 1), Berlin 1931, Nachdruck Darmstadt 1977.

Gladen, Albin, Geschichte der Sozialpolitik in Deutschland. Eine Analyse ihrer Bedingungen, Formen, Zielsetzungen und Auswirkungen, (= Wissenschaftliche Paperbacks Sozial- und Wirtschaftsgeschichte, 5), Wiesbaden 1974.

Goldstein, Josef, Deutschlands Sodaindustrie in Vergangenheit und Gegenwart. Ein kritischer Beitrag zur Geschichte der deutschen Zollpolitik, Stuttgart 1895.

Gothein, Eberhard, Geschichtliche Entwicklung der Rheinschiffahrt im XIX. Jahrhundert, Leipzig 1903.

Günther, Adolf, Die Wohlfahrtseinrichtungen der Arbeitgeber in Deutschland, in: Adolf Günther/Réne Prévot, Die Wohlfahrtseinrichtungen der Arbeitgeber in Deutschland und Frankreich, (= Schriften des Vereins für Sozialpolitik, 114), Leipzig 1905.

Haber, L. F., The Chemical Industry during the Nineteenth Century. A Study of the Economic Aspect of Applied Chemistry in Europe and North America, Oxford 1958

Hasenclever, Robert, Ueber die deutsche Sodafabrikation und die damit in Zusammenhang stehenden Industriezweige, in: Die Chemische Industrie 7 (1884), S. 78–86.

Hashagen, Justus, Die Rheinlande beim Abschlusse der französischen Fremdherrschaft, in: Joseph Hansen (Hrsg.), Die Rheinprovinz 1815–1915. Hundert Jahre preussischer Herrschaft am Rhein, Bd. 1, Bonn 1917, S. 1–56.

Hattenhauer, Hans, Geschichte des Beamtentums, Bd. 1, Köln/Berlin/Bonn/München 1980.

Heggen, Alfred, Erfindungsschutz und Industrialisierung in Preußen 1793–1877, Göttingen 1975.

Hendrichs, Franz, Friedrich Bayer, in: NDB, Bd. 1, Berlin 1953, S. 677–678.

Henning, Friedrich Wilhelm, Die Industrialisierung in Deutschland 1800 bis 1914, (= Wirtschafts- und Sozialgeschichte, 2), Paderborn [5] 1980.

Henning, Hansjoachim, Soziale Verflechtungen der Unternehmer in Westfalen 1860–1914, in: ZUG 23 (1978), S. 1–30.

Hentschel, Volker, Deutsche Wirtschafts- und Sozialpolitik 1815–1945 Königstein/Düsseldorf 1980.

Hocker, Nicolaus, Die Großindustrie Rheinlands und Westfalens, ihre Geographie. Geschichte, Produktion und Statistik, (= Die Großindustrie Deutschlands, 1), Leipzig 1867.

Höroldt, Dietrich, Die Rheinlande, in: Geschichte der deutschen Länder „Territorien-Ploetz", Bd. 2, Würzburg 1971, S. 319–351.

Hoffmann, Reinhold, Über die Entwicklung der Ultramarinfabrikation von 1862 bis 1873, in: Amtlicher Bericht über die Wiener Weltausstellung im Jahre 1873, erstattet von der Centralkommission des Deutschen Reiches für die Wiener Weltausstellung, Bd. 3/1, 1, Braunschweig 1875, S. 678–692.

Hoffmann, Walther G., Das Wachstum der Deutschen Wirtschaft seit der Mitte des 19. Jahrhunderts, (= Enzyklopädie der Rechts- u. Staatswissenschaften), Berlin/Heidelberg/New York 1965.

Holtfrerich, C.-L., Quantitative Wirtschaftsgeschichte des Ruhrkohlebergbaus im 19. Jahrhundert. Eine Führungssektoranalyse, (= Untersuchungen zur Wirtschafts-, Sozial- und Technikgeschichte, 1), Dortmund 1973.

Horadam, Joseph, Die Chemische Industrie auf der Düsseldorfer Ausstellung 1880, in: Die Chemische Industrie 3 (1880), S. 312–329.

Hromadka, Wolfgang, Die Arbeitsordnung im Wandel der Zeit. Am Beispiel der Hoechst AG, Köln/Berlin/Bonn/München 1979.

Hubatsch, Walther (Hrsg.), Grundriß zur deutschen Verwaltungsgeschichte (1815–1945), Reihe A: Preußen, Bd. 12, Marburg 1978.

Ders., Preußen, in: Geschichte der deutschen Länder „Territorien-Ploetz", Bd. 2, Würzburg 1971, S. 70–89.

Huber, Ernst Rudolf, Deutsche Verfassungsgeschichte seit 1789, Bd. 2/3, Stuttgart 1960/1963.

Industrie, Die deutsche. Festgabe zum 25jährigen Regierungsjubiläum seiner Majestät des Kaisers und Königs Wilhelm II., dargebracht von den Industriellen Deutschlands 1888–1913, 3 Bde., Berlin 1913.

Jacob, Stefan, Chemische Vor- und Frühindustrie in Franken. Die vorindustrielle Produktion wichtiger Chemikalien und die Anfänge der chemischen Industrie in fränkischen Territorien des 17., 18. und frühen 19. Jahrhunderts, (= Technikgeschichte in Einzeldarstellungen, 9), Düsseldorf 1968.

Jahrbuch, Deutsches biographisches, hrsg. vom Verband der deutschen Akademien, Bd. 4, Stuttgart/Berlin/Leipzig 1922.

Kaelble, Hartmut, Berliner Unternehmer während der frühen Industrialisierung. Herkunft, sozialer Status und politischer Einfluß, (= Veröffentlichungen der Historischen Kommission zu Berlin, 40), Berlin/New York 1972.

Karmasch, Karl, Geschichte der Technologie seit der Mitte des achtzehnten Jahrhunderts, (= Geschichte der Wissenschaften in Deutschland. Neuere Zeit, 11), München 1872, Reprint New York 1965.

Kaufhold, Karl Heinrich, Handwerk und Industrie 1800–1850, in: Hermann Aubin/Wolfgang Zorn (Hrsg.), Handbuch der deutschen Wirtschafts- und Sozialgeschichte, Bd. 2, Stuttgart 1976, S. 321–368.

Kellenbenz, Hermann, Grundzüge der Wirtschaftsgeschichte, in: Walter Först (Hrsg.), Das Rheinland in preußischer Zeit, Köln 1965, S. 125–144.

Ders., Verkehrs- und Nachrichtenwesen, Handel, Geld-, Kredit- und Versicherungswesen 1800–1850, in: Hermann Aubin/Wolfgang Zorn (Hrsg.), Handbuch der deutschen Wirtschafts- und Sozialgeschichte, Bd. 2, Stuttgart 1976, S. 369–425

Ders., Wirtschafts- und Sozialentwicklung der nördlichen Rheinlande seit 1815, in: Franz Petri/Georg Droege (Hrsg.), Rheinische Geschichte, Bd. 3, Düsseldorf 1979, S. 9–192.

Kellenbenz, Hermann/Eyll, Klara van, Die Geschichte der unternehmerischen Selbstverwaltung in Köln 1797–1914, Köln 1972.

Kermann, Joachim, Die Manufakturen im Rheinland 1750–1833, (= Rheinisches Archiv, 82), Bonn 1972.

Kirchhain, Günter, Das Wachstum der deutschen Baumwollindustrie im 19. Jahrhundert, wirtschaftswiss. Diss. Münster 1971 (1973).

Klein, Ernst, Zur Frage der Industriefinanzierung im frühen 19. Jahrhundert, in: Öffentliche Finanzen und privates Kapital im späten Mittelalter und in der ersten Hälfte des 19. Jahrhunderts, (= Forschungen zur Sozial- und Wirtschaftsgeschichte, 16), Stuttgart 1971, S. 118–139.

Klersch, Joseph, Von der Reichsstadt zur Großstadt, Stadtbild und Wirtschaft in Köln 1794–1860, Köln 1925.

Kley, Wilhelm, Bei Krupp. Eine socialpolitische Reiseskizze unter besonderer Berücksichtigung der Arbeiter-Wohnungsfürsorge, Leipzig 1899.

Kocka, Jürgen, Unternehmer in der deutschen Industrialisierung Göttingen 1975.

Kockerscheidt, Johann Wilhelm, Über die Preisbewegung chemischer Produkte unter besonderer Berücksichtigung des Einflusses neuerer Erfindungen und technischer Fortschritte, Jena 1905.

Köllmann, Wolfgang, Friedrich Bayer. 1825–1880, in: Wuppertaler Biographien, Folge 1, (= Beiträge zur Geschichte und Heimatkunde des Wuppertals, 4), Wuppertal 1958.

Ders., Bevölkerungsgeschichte 1800–1970, in: Hermann Aubin/Wolfgang Zorn (Hrsg.), Handbuch der deutschen Wirtschafts- und Sozialgeschichte, Bd. 2, Stuttgart 1976, S. 9–50.

Koselleck, Reinhart, Preußen zwischem Reform und Revolution. Allgemeines Landrecht, Verwaltung und soziale Bewegung von 1791 bis 1848, (= Industrielle Welt, 7), Stuttgart [2]1975.

Kraus, Antje, Wohnverhältnisse und Lebensbedingungen von Hütten- und Bergarbeiterfamilien der zweiten Hälfte des 19. Jahrhunderts, in: Werner Conze/Ulrich Engelhardt (Hrsg.), Arbeiter im Industrialisierungsprozeß. Herkunft, Lage und Verhalten, (= Industrielle Welt, 28), Stuttgart 1979.

Krüger, Alfred, Das Kölner Bankiergewerbe vom Ende des 18. Jahrhunderts bis 1875, (= Veröffentlichungen des Archivs für Rheinisch-Westfälische Wirtschaftsgeschichte, 10), Essen 1925.

Kuske, Bruno, Gewerbe, Handel und Verkehr, in: Hermann Aubin u.a. (Hrsg.), Geschichte der Rheinlande von der ältesten Zeit bis zur Gegenwart, Bd. 2, Essen 1922, S. 149–248.

Ders., Die übrigen Industrien, in: Joseph Hansen (Hrsg.), Die Rheinprovinz 1815–1915. Hundert Jahre preussische Herrschaft am Rhein, Bd. 1, Bonn 1917, S. 425–505.

Lademacher, Horst, Die nördlichen Rheinlande von der Rheinprovinz bis zur Bildung des Landschaftsverbandes Rheinland (1815–1953), in: Franz Petri/Georg Droege (Hrsg.), Rheinische Geschichte, Bd. 2, Düsseldorf 1976, S. 475–866.

Lange-Kothe, Irmgard, Johann Dinnendahl, in: Tradition 7 (1962), S. 32–47; 175–196.

Langewische, Wilhelm, Godesberg und seine Umgebungen, Godesberg 1874.

Lehmann, Hermann, Die Textilindustrie, in: Joseph Hansen (Hrsg.), Die Rheinprovinz 1815–1915, Bd. 1, Bonn 1917, S. 388–424.

Leverkus. Fortschritt, Wachstum und Verantwortung. Bilder und Dokumente aus 140 Jahren, Otto C. Leverkus zum 50. Geburtstag, o.O. 1970.

Leverkus, die Familie, zusammengestellt von Carl Otto Leverkus, Heidelberg 1912.

Lohmann, Kurt, Betriebliche Sozialpolitik in Kreise Altena im 19. Jahrhundert, rechts- und staatswiss. Diss. Bonn 1968.

Ludwig, Karl-Heinz, Die Fabrikarbeit von Kindern im 19. Jahrhundert. Ein Problem der Technikgeschichte, in: VSWG 52, (1965), S. 63—85.

Lunge, Georg, Handbuch der Soda-Industrie und ihrer Nebenzweige für Theorie und Praxis, 2 Bde., Braunschweig 1879.

Machlup, Fritz, Patentwesen (1), Geschichtlicher Überblick, in: HDSW, Bd. 8, Stuttgart/ Tübingen/Göttingen 1964, S. 231—240.

Meinert, Ruth, Die Entwicklung der Arbeitszeit in der deutschen Industrie 1820—1956, rechts- und staatswiss. Diss. Münster 1958.

Mertes, Paul Hermann, Zum Sozialprofil der Oberschicht im Ruhrgebiet, in: Beiträge zur Geschichte Dortmunds und der Grafschaft Mark, Bd. 67, Dortmund 1971, S. 167—226.

Mieck, Paul, Die seitens der industriellen Unternehmer in den preußischen Provinzen Rheinland und Westfalen getroffenen Arbeiter-Wohlfahrts-Einrichtungen und ihre volkswirtschaftliche und soziale Bedeutung, rechts- und staatswiss. Diss. Freiburg 1904.

Milz, Herbert, Das Kölner Großgewerbe von 1750 bis 1835, (= Schriften zur Rheinisch-Westfälischen Wirtschaftsgeschichte N. F., 7), Köln 1962.

Monheim, Felix, Johann Peter Josef Monheim 1786—1855, (= Veröffentlichungen des Stadtarchivs Aachen, 2), Aachen 1981.

Morgenroth, Wolfgang, Die innere Geschichte der Handelskammer zu Köln von 1848 bis 1897, ungedr. Diplomarbeit, Wirtschafts- und Sozialwiss. Fakultät der Universität Köln, WS 1969/70.

Mottek, Hans, Wirtschaftsgeschichte Deutschlands. Ein Grundriß, Bd. 2, Berlin 1978.

Mühl, Albert, Friedrich Wilhelm Curtius, in: NDB, Bd. 3, Berlin 1957. S. 444—445.

Müller, Gustav, Die chemische Industrie in der deutschen Zoll- und Handelsgesetzgebung des 19. Jahrhunderts, Berlin 1902.

Nelkenbrecher's, J. C., allgemeines Taschenbuch der Münz-, Maaß- und Gewichtskunde, der Wechsel-, Geld- und Fonds- Curse, bearbeitet v. F. E. Feller und F. W. Grimm, Berlin [18] 1858.

Noback, Friedrich, Allgemeines Börsen- und Comptoirbuch, Bd. 2, Leipzig 1862.

Norris, Keith/Vaizey, John, The Economics of Research and Technology, (= Studies in Economics, 7), London 1973.

Ost, Hermann/Rassow, Berthold, Lehrbuch der chemischen Technologie, Leipzig [27]1965.

Paschke, Curt, Der Aufbau der deutschen Teerfarbenindustrie und ihre Stellung in der Zollpolitik des Auslandes, phil. Diss. Gießen 1927.

Pechan, Hermann, Arbeiterschutz, in: HDSW, Bd. 1, Stuttgart/Tübingen/Göttingen 1956, S. 245—263.

Poerschke, Stephan, Die Entwicklung der Gewerbeaufsicht in Deutschland, Jena [2]1913.

Pohl, Hans, unter Mitarbeit von Wilfried Feldenkirchen u.a., Wirtschaftsgeschichte Kölns im 18. und beginnenden 19. Jahrhundert, in: Hermann Kellenbenz, (Hrsg.), Zwei Jahrtausende Kölner Wirtschaft, Bd. 2, Köln 1975, S. 9—162.

Ders. (Hrsg.), Forschungen zur Lage der Arbeiter im Industrialisierungsprozeß, (= Industrielle Welt, 26), Stuttgart 1978.

Pohl, Hans/Schaumann, Ralf, Wissenschaft und Technik in der chemischen Industrie der Rheinlande während der industriellen Revolution, in: Der Unternehmer und die Geschichte. Festschrift für A. Brusatti, Wien 1979, S. 46—68.

Pohle, E., Die neuere Entwicklung der Wohnungsverhältnisse in Deutschland, Göttingen 1905.

Puppke, Ludwig, Sozialpolitik und soziale Anschauungen frühindustrieller Unternehmer in Rheinland-Westfalen, (= Schriften zur Rheinisch-Westfälischen Wirtschaftsgeschichte N. F., 13), Köln 1966.

Rassow, Berthold, Die Chemische Industrie, (= Die deutsche Wirtschaft und ihre Führer, 1), Gotha 1925.

Redlich, Fritz, Die volkswirtschaftliche Bedeutung der deutschen Teerfarbenindustrie, phil Diss. Berlin 1914.

Ders., Frühindustrielle Unternehmer und ihre Probleme im Lichte ihrer Selbstzeugnisse, in: Wolfram Fischer (Hrsg.). Wirtschafts- und Sozialgeschichtliche Probleme der frühen Industrialisierung, Berlin 1968, S. 339–412.

Reulecke, Jürgen, Vom blauen Montag zum Arbeiterurlaub. Vorgeschichte und Entstehung des Erholungsurlaubs für Arbeiter vor dem Ersten Weltkrieg, in: Archiv für Sozialgeschichte, 16 (1976), S. 205–248.

Riebel, Paul, Chemische Industrie, in: HDSW, Bd. 2, Stuttgart/Tübingen/Göttingen 1959, S. 492–505.

Rosenbohm, Ernst, Kölnisch Wasser. Ein Beitrag zur europäischen Kulturgeschichte Berlin/Detmold/Köln/München 1951.

Roth, Anton Johann, Die Aachener Farbindustrie von ihren Anfängen bis zur Gegenwart. Ein Beitrag zur Aachener Industriegeschichte, wirtschafts- u. sozialwiss. Diss. Köln 1924.

Rupieper, Hermann-Josef, Regionale Herkunft, Fluktuation und innerbetriebliche Mobilität der Arbeiterschaft der Maschinenfabrik Augsburg-Nürnberg (MAN) 1844–1914, in: Werner Conze/Ulrich Engelhardt (Hrsg.), Arbeiter im Industrialisierungsprozeß. Herkunft, Lage und Verhalten, (= Industrielle Welt, 28), Stuttgart 1979, S. 94–112.

Sartorius von Waltershausen, A., Die Entstehung der Weltwirtschaft. Geschichte des zwischenstaatlichen Wirtschaftslebens vom letzten Viertel des 18. Jahrhunderts bis 1914, Jena 1931.

Schäfer, Hermann, Probleme der Arbeiterfluktuation während der Industrialisierung. Das Beispiel der Maschinenfabrik André Koechlin & Cie., Mühlhausen/Elsaß (1827–1974), in: Werner Conze/Ulrich Engelhardt (Hrsg.), Arbeiter im Industrialisierungsprozeß. Herkunft, Lage und Verhalten, (= Industrielle Welt, 28), Stuttgart 1979, S. 262–282.

Schaumann, Ralf, Technik und technischer Fortschritt im Industrialisierungsprozeß. Dargestellt am Beispiel der Papier-, Zucker- und chemischen Industrie der nördlichen Rheinlande (1800–1875), Bonn 1977.

Scherer, J. B., Bilder aus dem Leben und Wirken des Kölnischen Farbenfabrikanten Wilhelm Anton Hospelt 1820–1893, Köln 1956.

Schieder, Theodor, Vom Deutschen Bund zum Deutschen Reich, in: Bruno Gebhardt (Hrsg.), Handbuch der deutschen Geschichte, Bd. 3, Stuttgart [9]1973, S. 97–220.

Schmauderer, Eberhard, Die Entwicklung der Ultramarin-Fabrikation im 19. Jahrhundert, in: Tradition 13/14 (1968/69), S. 127–152.

Schomerus, Heilwig, Die Arbeiter der Maschinenfabrik Esslingen. Forschungen zur Lage der Arbeiterschaft im 19. Jahrhundert, (= Industrielle Welt, 24), Stuttgart 1977.

Dies., Saisonarbeit und Fluktuation. Überlegungen zur Struktur der mobilen Arbeiterschaft 1850–1914, in: Werner Conze/Ulrich Engelhardt (Hrsg.), Arbeiter im Industrialisierungsprozeß. Herkunft, Lage und Verhalten. (= Industrielle Welt, 28), Stuttgart 1979, S. 113–118.

Schramm, Heiner R., Die Kapitalbildung in der frühen Industrialisierung des Raumes Essen – Mülheim/Ruhr im Spiegel der Notariatsurkunden 1810–1870, phil. Diss. Bonn 1969.

Schütz, Rüdiger, Preußen und die Rheinlande. Studien zur preußischen Integrationspolitik im Vormärz, Wiesbaden 1979.

Schulte, Aloys (Hrsg.), Tausend Jahre deutscher Geschichte und deutscher Kultur am Rhein, Düsseldorf 1925.

Schultheis-Friebe, Marieluise, Die französische Wirtschaftspolitik im Roer-Department 1792–1814, phil. Diss. Bonn 1969.

Schultze, Hermann, Die Entwicklung der chemischen Industrie in Deutschland seit dem Jahre 1875. Eine volkswirtschaftliche Studie mit besonderer Berücksichtigung der Unternehmerverbände und der Rentabilität der Aktiengesellschaften, Halle 1908.

Schulz, Günther, Die Arbeiter und Angestellten bei Felten & Guilleaume. Sozialgeschichtliche Untersuchung eines Kölner Industrieunternehmens im 19. und beginnenden 20. Jahrhundert, (ZUG, Beiheft 13), Wiesbaden 1979.

Ders., Integrationsprobleme der Arbeiterschaft in der Metall-, Papier- und chemischen Industrie der Rheinprovinz 1850–1914, in: Hans Pohl (Hrsg.), Forschungen zur Lage der Arbeiter im Industrialisierungsprozeß, (= Industrielle Welt, 26), Stuttgart 1978, S. 65–106.

Schumacher, Martin, Auslandsreisen deutscher Unternehmer 1750–1851 unter besonderer Berücksichtigung von Rheinland und Westfalen, (= Schriften zur Rheinisch-Westfälischen Wirtschaftsgeschichte N.F., 17), Köln 1968.

Schwann, Mathieu, Grundlagen und Organisation des Wirtschaftslebens in: Joseph Hansen (Hrsg.), Die Rheinprovinz 1815–1915. Hundert Jahre preußischer Herrschaft am Rhein, Bd. 1, Bonn 1917, S. 196–249.

Schwenger, Rudolf, Die deutschen Betriebskrankenkassen, (= Schriften des Vereins für Sozialpolitik 186/3, 3. Teil), München/Leipzig 1934.

Schwoerbel, Erich, Friedrich Wilhelm Curtius, in: Rheinisch-Westfälische Wirtschafts-Biographien, Bd. 9, Münster 1967, S. 1–13.

Steimel, Robert, Mit Köln versippt, 2 Bde., (= Rheinische Geschlechter, 1/2), Köln-Zollstock 1955/1956.

Ders., Kölner Köpfe, Köln 1958.

Steller, Paul, Der Verein der Industriellen des Regierungsbezirks Köln und die Industrie des Bezirks. Ein Gedenkblatt zum 25-jährigen Bestehen des Vereins, Köln 1906.

Strauss, Rudolf, Die Lage und die Bewegung der Chemnitzer Arbeiter in der ersten Hälfte des 19. Jahrhunderts, Berlin 1960.

Strube, Irene, Chemie und industrielle Revolution, in: Karl Lärmer (Hrsg.), Studien zur Geschichte der Produktivkräfte. Deutschland zur Zeit der Industriellen Revolution, (= Forschungen zur Wirtschaftsgeschichte, 15), Berlin 1979, S. 69–123.

Syrup, Friedrich, Studien über den industriellen Arbeiterwechsel, in: Archiv für exakte Wirtschaftsforschung (Thünen-Archiv) 4, (1912), S. 261–303.

Teuteberg, Hans-Jürgen, Geschichte der industriellen Mitbestimmung in Deutschland. Ursprung und Entwicklung ihrer Vorläufer im Denken und in der Wirklichkeit des 19. Jahrhunderts, (= Soziale Forschung und Praxis, 15), Tübingen 1961.

Ders., Westfälische Textilunternehmer in der Industrialisierung, Sozialer Status und Betriebliches Verhalten im 19. Jahrhundert, (= Vortragsreihe der Gesellschaft für Westfälische Wirtschaftsgeschichte e.V., 24), Dortmund 1980.

Thun, Alphons, Die Industrie am Niederrhein und ihre Arbeiter (Teil 1 und 2), (= Staats- und Sozialwissenschaftliche Forschungen 2, Heft 1–3) Leipzig 1879.

Treue, Wilhelm, Wirtschaftsgeschichte der Neuzeit, 2 Bde., Stuttgart [3] 1973.

Ders., Wirtschaftszustände und Wirtschaftspolitik in Preußen, (= Beiheft zur Vierteljahrschrift für Sozial- und Wirtschaftsgeschichte, 31), Stuttgart/Berlin 1937.

Ders., Unternehmer und Finanziers, Chemiker und Ingenieure in der Chemischen Industrie im 19. Jahrhundert, in: Herbert Helbig (Hrsg.), Führungskräfte der Wirtschaft im neunzehnten Jahrhundert 1790–1914, Teil II, (= Deutsche Führungsschichten in der Neuzeit, 7), Limburg/Lahn 1977, S. 235–254.

Ders., Die Bedeutung der chemischen Wissenschaft für die chemische Industrie 1770–1870, in: Technikgeschichte 33 (1966), S. 25–51.

Ders., Gesellschaft, Wirtschaft und Technik Deutschlands im 19. Jahrhundert, in: Bruno Gebhardt (Hrsg.), Handbuch der deutschen Geschichte, Bd. 3, Stuttgart [9] 1973.

Troitzsch, Ulrich, Belgien als Vermittler technischer Neuerungen beim Aufbau der eisenschaffenden Industrie im Ruhrgebiet um 1850, in: Technikgeschichte 39 (1972), S. 142–158.

Viebahn, Johann Georg von, Statistik und Topographie des Regierungs-Bezirks Düsseldorf, 2 Teile, Düsseldorf 1836.

Vogts, H., Die alten Kölner Friedhöfe (= Rheinische Friedhöfe. Sonderheft der Mitteilungen der Westdeutschen Gesellschaft für Familienkunde, 1), Köln 1932.

Wagner, Rudolf von, Handbuch der chemischen Technologie mit besonderer Berücksichtigung der Gewerbestatistik, Leipzig [10] 1875.

Walter, Gustav A., Die geschichtliche Entwicklung der rheinischen Mineralfarbenindustrie vom Beginn des 19. Jahrhunderts bis zum Ausbruch des Weltkrieges, (= Veröffentlichungen des Archivs für Rheinisch-Westfälische Wirtschaftsgeschichte, 6), Essen 1922.

Weißler, Adolf, Geschichte der Rechtsanwaltschaft, Leipzig 1905.

Winkel, Harald, Kapitalquellen und Kapitalverwendung am Vorabend des industriellen Aufschwungs in Deutschland, in: Schmollers Jahrbuch für Wirtschafts- und Sozialwissenschaften 90 (1970), S. 275–301.

Weskott, Richard, Friedrich Weskott 1821–1876, in: Wuppertaler Biographien, 2. Folge, (= Beiträge zur Geschichte und Heimatkunde des Wuppertals, 5), Wuppertal 1960.

Wiedenfeld, Kurt, Die Herkunft der Unternehmer und Kapitalisten im Aufbau der kapitalistischen Zeit, in: Weltwirtschaftliches Archiv 72 (1954), S. 254–279.

Wilden, Josef, 100 Jahre Düsseldorfer Wirtschaftsleben, Düsseldorf, o.J. (1931).

Winkler, Clemens, Die Entwicklung der Schwefelsäurefabrikation im Laufe des scheidenden Jahrhunderts, in: Zeitschrift für angewandte Chemie 1900, S. 731–739.

Wisplinghoff, E./Dahm, Helmut, Die Rheinlande, in: Geschichte der deutschen Länder „Territorien-Ploetz", Bd. 1, Würzburg 1964, S. 154–178.

Wortmann, Wilhelm, Eisenbahnarbeiter im Vormärz. Sozialgeschichtliche Untersuchung der Bauarbeiter der Köln-Mindener Eisenbahn in Minden – Ravensberg 1844–1847, Köln/Wien 1972.

Wutzmer, Heinz, Die Herkunft der industriellen Bourgeoisie in Preussen in den vierziger Jahren des 19. Jahrhunderts, in: H. Mottek/H. Blumberg/H. Wutzmer/W. Becker, Studien zur Geschichte der industriellen Revolution in Deutschland, (= Veröffentlichungen des Instituts für Wirtschaftsgeschichte an der Hochschule für Ökonomie Berlin-Karlshorst, 1), Berlin (Ost) 1960, S. 145–163.

Zieger, Hans, Die Wohlfahrtspflege der Industriebetriebe im Kölner Wirtschaftsraum von 1815 bis 1915, wirtsch. u. sozialwiss. Diss. Köln 1956.

Zorn, Wolfgang, Typen und Entwicklungskräfte des deutschen Unternehmertums im 19. Jahrhundert, in: VSWG 44 (1957), S. 57–77.

Ders., Staatliche Wirtschafts- und Sozialpolitik und öffentliche Finanzen 1800–1970, in: Hermann Aubin/Wolfgang Zorn (Hrsg.), Handbuch der deutschen Wirtschafts- und Sozialgeschichte, Bd. 2, Stuttgart 1976, S. 148–197.

Zimmermann, Hans, Die wirtschaftliche Entwicklung des Kreises Euskirchen im 19. Jahrhundert, Euskirchen 1926.

Zunkel, Friedrich, Der rheinisch-westfälische Unternehmer 1834–1879. Ein Beitrag zur Geschichte des deutschen Bürgertums im 19. Jahrhundert, Köln/Opladen 1962.

4) *Firmenfestschriften* (geordnet nach Unternehmen)

Geschichte und Entwicklung der Farbenfabriken vorm. Friedr. Bayer & Co., Elberfeld, in den ersten 50 Jahren, 3 Bde., o.O. (Leverkusen) 1918.

Pinnow, Hermann, Werksgeschichte. Der Gefolgschaft der Werke Leverkusen, Elberfeld und Dormagen zur Erinnerung an die 75. Wiederkehr des Gründungstages der Farbenfabriken vorm. Friedrich Bayer & Co. gewidmet von der IG. Farbenindustrie Aktiengesellschaft. 1863–1938, o.O. o.J. (München 1938).

Beiträge zur hundertjährigen Firmengeschichte 1863–1963, hrsg. vom Vorstand der Farbenfabriken Bayer AG, o.O. o.J. (Leverkusen 1963/64).

Geschichte des Werkes Uerdingen der Farbenfabriken Bayer Aktiengesellschaft, hrsg. von den Farbenfabriken Bayer AG Uerdingen, Uerdingen 1956.

Bayer-Wohnungswesen. Gestern — Heute — Morgen. 25 Janre Bayer—Wohnungen GmbH, 80 Jahre Bayer-Wohnungsbau, hrsg. vom P. S. Wohnungswesen Helmut Ellenberg, o.O. o.J. (1976).

100 Jahre Lack- und Farbenfabrik Court & Bauer AG Köln-Ehrenfeld 1864—1964, o.O. o.J. (1964).

Eyll, Klara van, 125 Jahre Dalli-Werke. Mäurer und Wirtz, Stolberg 1970.

Hundert Jahre im Dienste der Farbe. Eigen & Steingass o.O. 1958.

Zum 75jährigen Geschäftsjubiläum der Firma Herbig-Haarhaus 1844—1919 Lackfabrik Köln-Bickendorf gewidmet, Köln o.J.

Geldmacher, Erwin, 100 Jahre die guten Herbol-Lacke 1844—1944. Hundert Jahre Herbig-Haarhaus, o.O. o.J. (Köln 1944).

Farbwerke vorm. Meister Lucius und Brüning 1863—1913. Festschrift, Hoechst 1913.

Pinnow, Hermann, Zur Erinnerung an die 75. Wiederkehr des Gründungstages der Farbwerke vorm. Meister Lucius & Brüning, (später Hoechst), München 1938.

Bäumler, Ernst, Ein Jahrhundert Chemie, hrsg. zum hundertjährigen Jubiläum der Farbwerke Hoechst AG, Düsseldorf 1963.

Carl, R. W., Carl Jäger GmbH Anilinfarbenfabrik 1823—1923, Düsseldorf o.J. (1926).

Blumrath, Fritz, Hundert Jahre Lindgens & Söhne Köln-Mülheim 1851—1951, Weg und Leistung eines Familienunternehmens, o.O. 1951.

E. Matthes & Weber AG Duisburg. Die Entwicklung einer chemischen Fabrik in hundert Jahren 1838—1938, Duisburg 1938.

Schulte, O., Rhenania, Verein Chemischer Fabriken AG Aachen, in: Sonderdruck aus der Ausgabe Aachen des Archivs Deutschlands, Städtebau, Aachen 1925.

100 Jahre Dr. F. Schoenfeld & Co., in: Handelsblatt. Deutsche Wirtschaftzeitung Nr. 201 vom 18.10.1962.

Festschrift zur Feier des 50jährigen Bestehens der Firma Vorster & Grüneberg, jetzt Chemische Fabrik Kalk GmbH in Köln a.Rh., Cöln 1908.

100 Jahre Chemische Fabrik Kalk 1858—1958, Köln 1958.

Bojunga, R. G., 100 Jahre L. Vossen & Co. GmbH, Köln 1970.

Festschrift zum 75jährigen Bestehen der Rußbetriebe der August Wegelin A. G. Kalscheuren bei Köln a. Rhein, Köln 1937.

Eberhardt, C., Zum 50jährigen Bestehen Chemische Fabriken vorm. Weiler-ter-Meer 1861—1911, Düsseldorf 1911.

100 Jahre Wiederhold 1867—1967, hrsg. von der Firma Hermann Wiederhold, Lackfabriken, Hilden, zum 100jährigen Jubiläum, o.O. 1967.